二十五史藝文經籍志考補萃編

第二十二卷

王承略 劉心明 主編

補遼金元藝文志 〔清〕黄虞稷 倪燦 撰 盧文弨 錄 陳錦春 整理

補三史藝文志 〔清〕金門詔 撰 陳錦春 整理

元史藝文志 〔清〕錢大昕 補纂 張緒峰 整理

四朝經籍志補 〔清〕吳騫 撰 張緒峰 整理

補元史藝文志 〔清〕張繼才 撰 張祖偉 整理

清華大學出版社 北京

圖書在版編目（CIP）數據

二十五史藝文經籍志考補萃編．第 22 卷/王承略，劉心明主編．--北京：清華大學
出版社，2014

ISBN 978-7-302-33549-8

Ⅰ.①二…　Ⅱ.①王…②劉…　Ⅲ.①中國歷史－古代史－紀傳體②《二十五史》－研
究　Ⅳ.①K204.1

中國版本圖書館 CIP 數據核字（2013）第 204246 號

責任編輯：馬慶洲
封面設計：曲曉華
責任校對：王淑雲
責任印製：楊　艷

出版發行：清華大學出版社
　　　　　網　　址：http：//www.tup.com.cn，http：//www.wqbook.com
　　　　　地　　址：北京清華大學學研大廈 A 座　郵　編：100084
　　　　　社總機：010-62770175　　　　郵　購：010-62786544
　　　　　投稿與讀者服務：010-62776969，c-service@tup.tsinghua.edu.cn
　　　　　質　量　反　饋：010-62772015，zhiliang@tup.tsinghua.edu.cn
印　刷　者：清華大學印刷廠
裝　訂　者：三河市金元印裝有限公司
經　　　銷：全國新華書店
開　　　本：148mm×210mm　　印　張：14.875　字　數：330 千字
版　　　次：2014 年 3 月第 1 版　　印　次：2014 年 3 月第1次印刷
定　　　價：66.00 元

產品編號：043551-01

《二十五史藝文經籍志考補萃編》編纂委員會

目　　録

四朝經籍志補

補元史藝文志

補遼金元藝文志

〔清〕黃虞稷
〔清〕盧文弨

倪　燦　撰
錄

陳錦春　整理

底本：清光緒十七年廣雅書局刻本

經　部

金　趙秉文　易叢説十卷　象數雜説 _{卷亡。}

張特立　易集説

單渢　三十家易解

元　郝經　周易外傳八十卷　太極演二十卷 _{羈館真州時作。}

許衡　讀易私言一卷

吳澄　易叙錄十二篇　易纂言十卷　外翼八卷

齊履謙　周易本説六卷　繫辭旨略二卷

胡炳文　周易本義通釋十卷　周易啓蒙通釋二卷

董真卿　周易纂注會通十四卷 _{字季真,鄱陽人。}

鄭滁孫　大易法象通贊七卷　中天述考一卷 _{以下三書張增。}述
　衍一卷　周易記玩

黎立武　周易説約一卷

何榮祖　學易記

朱祖義　周易句解十卷 _{字子由。}

王結　易説一卷

何中　易類象二卷

趙采　周易傳義折衷三十三卷 _{字德亮,潼川州人。}

衛謙　講易管窺三十卷 _{號山齋,華亭人,進士。}

吳存　傳義折衷 _{字仲退,鄱陽人,寧國路教授。}

瞻思　奇偶陰陽消息圖一卷 _{潛宣按,瞻思著錄凡十餘種,抱經堂原本皆誤}
　"瞻思",今一例校正。

潘迪　周易述解 _{元城人,國子司業,集賢學士。}

王愷　易心三卷 _{寧海人。}

吳迁　**易學啓蒙**　字仲迁,浮梁人。

保八　**周易原旨六卷　繫辭二卷　易原奧義一卷　周易尚占
三卷**　字公孟,居洛陽,黃州路總管。前有《進皇太子牋》,其書亦名《易體用》。

吾衍　**重正卦氣**

李恕　**周易旁注四卷　音訓二卷**　字省中,廬陵人。

熊良輔　**周易本義集成二卷**　字任重,南昌人。

丁易　**東周易傳疏十一卷**　一作十四卷。　**大衍索隱三卷**　號石潭,
龍陽人,宋進士。隱居教授,事聞,授沅陽書院山長。

俞琰　**大易會要一百卷　周易集説四十卷**　今傳本十卷。　**易圖纂
要二卷　古占法一卷　讀易舉要四卷　周易象**　張作繫。　**辭
二卷　讀易須知　卦爻象占分類一卷　易圖合璧連珠説
周易參同契發揮三卷　易外別傳一卷**　字玉吾,吳縣人。

鄧錡　**大易圖説二十五卷**

張理　**易象圖説内篇三卷　外篇三卷**　字仲純,清江人,福建儒學提舉。

雷思齊　**易圖通變五卷　易筮通變三卷**　張增。

龍仁夫　**周易集傳十八卷**　字觀復,永新人,湖廣儒学提舉。

惠希孟　**易象鉤玄十卷**　號秋崖,江陰人。

雷杭　**周易注解**　字彥舟,建安人,武平縣尹。

張志道　**易傳三十卷**　字潛夫,金壇人。

劉霖　**易本義童子説　太極圖解**　安福人。

程時登　**周易啓蒙輯録**　字登庸,江西樂平人。

熊凱　**易傳集疏**　南昌人。

袁桷　**易説**

王申子　**大易緝説十卷**

解蒙　**易精藴大義十二卷**

祝堯　**大易演義**　字均澤,上饒人,延祐中進士,無錫州同知。

李公凱　**李氏周易句解十卷**　字仲容。

趙元輔編　大易象數鉤深圖三卷

劉肅　讀易備忘

曾貫　易學變通六卷

黃澤　易學濫觴一卷　十翼舉要

趙汸　周易文詮四卷

鮑雲龍　筮草研幾　<small>字景翔，歙人。</small>

張延　周易備忘十卷　<small>藁城人，真定路教授。</small>

唐元　易傳義大意十卷　<small>字長孺，歙縣人，徽州路儒學教授。</small>

倪淵　易圖說二十卷　圖說序例一卷　<small>烏程人，當塗主簿。</small>

包希魯　易九卦衍義　<small>字魯伯，進賢人。</small>

史公斑　蓬廬學易衍義　象數發揮　<small>字揩叟，鄞縣人。</small>

陳廷言　易義指歸四卷　<small>字君從，寧海人。</small>

彭復初　易學源流　<small>安福人。</small>

繆主一　易經精蘊　<small>字天德，永嘉人。</small>

饒宗魯　周易輯說　易經庸言　<small>字以道，臨川人。</small>

邵整　六十四卦圖說　<small>福州人。</small>

盧觀　易集圖　<small>字彥達，崑山人。盧熊父。</small>

蕭漢中　讀易考原四卷

邱葵　易解義　<small>同安人。</small>

黃鎮成　周易通義十卷　<small>字元鎮，昭武人。</small>

鄭玉　周易大傳附注　程朱易契

陳謙　周易解詁二卷　河圖說一卷　占法一卷

吳夢炎　補周易集義　<small>歙人，後至元中紫陽書院山長。</small>

程龍　三分易圖　易圖補一卷　<small>張增。下同。</small>　筮法一卷　<small>婺源人。</small>

程直方　觀易堂隨筆　啓蒙翼傳　<small>張增。字道夫，婺源人。</small>

胡震　周易衍義十六卷　<small>子廣大續成。</small>

陳應潤　周易爻變易蘊四卷

陳宏　易童子問一卷　易象發揮　易孟通旨　<small>莆田人，宋末徙華亭。</small>

林光世　水村易鏡一卷

黃超然　周易通義　<small>號壽雲，黃巌人。</small>

陳樵　易象數新説

李過　西溪易説十二卷　<small>字季辨，興化人。或云在宋時。</small>

錢義方　周易圖説一卷　<small>字子宜。</small>

朱本　太極圖解　<small>字致真，豐城人，福州路儒學提舉。</small>

張應珍　周易注十卷　<small>永新人，宋亡，入元爲祕書丞，更姓名爲吳鄹，自號義山。</small>

李簡　學易記九卷　<small>號蒙齋，信都人，泰安倅。</small>

陳櫟　東阜老人百一易　<small>字壽翁，休寧人，延祐鄉貢。</small>

康用文　易説發揮三卷　<small>高安縣尹。</small>

方回　讀易析疑　<small>一作"釋疑"。</small>

易纂言外翼四册　<small>失名。</small>

　　右易類，一百六家，八百五十三卷。

金 王若虛　尚書義粹三卷

元 金履祥　尚書表注十二卷　尚書雜論一卷

許謙　讀書叢説六卷

吳澄　尚書纂言四卷　<small>今文二十八篇也。</small>

董鼎　尚書輯録纂注六卷　<small>字季亨，鄱陽人。</small>

王天與　尚書纂傳四十六卷

陳櫟　書集傳纂疏六卷　書解折衷

程直方　蔡傳辨疑一卷　<small>字道夫，婺源人。</small>

齊履謙　書傳詳説

趙孟頫　尚書注

韓性　書辨疑一卷

孟夢恂　七政疑解

鄒季友　書蔡傳音釋六卷　<small>字晉昭，鄱陽人。</small>

何中　書傳補遺十卷

王充耘　讀書管見二卷　<small>字與耕，吉水人，永州同知。</small>

田澤　洪範洛書辨一卷　<small>居延人，延祐中，常德路總管府推官。</small>

余芑舒　讀蔡傳疑一卷　<small>饒州德興人。</small>

胡一中　定正洪範集說一卷　<small>字允大，諸暨人，紹興路録事。</small>

馬道貫　尚書疏義六卷　<small>字德珍，東陽人。</small>

吾衍　尚書要略

吳迂　書編大旨

朱祖義　尚書句解十三卷

李公凱纂集　柯山尚書句解三卷

俞元燮　尚書集傳十卷　或問二卷　<small>建寧人，居吳。</small>

韓信同　書集解

黃鎮成　尚書通考十卷

吳萊　尚書標說六卷

陳樵　洪範傳

邵光祖　尚書集義六卷　<small>字宏道，吳人。</small>

周聞孫　尚書一覽　<small>吉水人。</small>

張性　尚書補傳　<small>字伯成，臨川人。</small>

葛大紀　禹貢要略一卷　<small>以下不知時代。</small>

王蘗谷　書經旨略一卷

胡士行　尚書詳解十三卷

尹洪　尚書章句訓解十卷

趙杞　尚書辨疑一卷

鄭瑤　禹治水譜一卷

鄒近仁　禹貢集說

張國賓　書義元會四卷

胡誼　尚書釋義十卷

尚書名數索至十卷　索至，取《法言》中語。以下皆不知撰人。

書傳集成

尚書原義

書經補遺五卷

書經講義十三册

福極對義圖二卷

　　右書類，四十七家，二百四十卷。

元 許謙　詩集傳名物鈔八卷

李簡　詩學備忘二十四卷

羅復　詩集傳音釋二十卷　字中行，廬陵人。

雷光霆　詩義指南十七卷　分寧人。

陳櫟　詩大旨　讀詩記

程直方　學詩筆記

吳迂　詩傳眾紀

劉瑾　詩傳通釋二十卷　字公瑾，安城人。

俞琰　弦歌毛詩譜一卷

韓性　詩音釋一卷

李恕　毛詩音訓四卷　毛詩故四卷

梁益　詩傳旁通十五卷　詩傳緒餘　本閩人，家江陰，舉江浙鄉試。

貢師泰　詩經補注

夏泰亨　詩經音考　字叔遠，會稽人，翰林修撰。

包希魯　詩小序解　字魯伯，進賢人。

劉玉汝　詩纘緒十八卷

朱公遷　詩傳疏義二十卷　字克井，樂平人，處州教授。

楊璲　詩傳名物類考二十卷　字元度，餘姚人。

盧觀　詩集説

朱倬　詩經疑問七卷　字孟章，盱江人，進士。末附趙德《詩辨疑》一卷。

曹居貞　詩義發揮　廬陵人。

李公凱　毛詩句解二十卷　字仲容。

翟思忠　詩傳旁通八卷　失時代。

李少南　詩解二十卷　失時代。

錢氏　詩集傳　以下俱失名。

詩纂圖四帙

詩圖説

右詩類，二十七家，二百二十七卷。

元 郝經　春秋外傳八十一卷

敬鉉　春秋備忘十卷　續備忘遺説三十卷　續明三傳例説

略八卷　續屏山杜氏遺説八卷　易州人，中都儒學提舉。末一書鉉從孫
儼編。

杜瑛　春秋地里源委十卷

吳澄　春秋纂言十二卷　總例二卷

許謙　春秋温故管窺　春秋三傳義疏

張樞　春秋三傳歸一義三十卷　春秋三傳朱墨本

李昶　春秋左氏遺意二十卷　東平須城人，吏部尚書。

齊履謙　春秋諸國統紀六卷　目録一卷

臧夢解　春秋發微一卷

袁桷　春秋説

邱葵　春秋正義　同安人。

吳師道　春秋胡傳補説　一作《春秋胡傳附辨》。

黄澤　春秋旨要　三傳義例考　筆削本旨

程端學　春秋本義三十卷　三傳辨疑二十卷　或問十卷

綱領一卷

劉聞　春秋通旨　字文庭,安福人,沔陽知州。

俞皋　春秋集傳釋義大成十二卷　字心遠,新安人。

趙汸　春秋集傳十五卷　春秋師説三卷　春秋屬詞十五卷

　　春秋左氏傳補注十卷　春秋金鎖匙一卷

陳櫟　三傳節注

汪克寬　春秋胡傳附録纂疏三十卷

程直方　春秋諸傳考正　春秋旁通

吳迂　左傳義例　左傳分紀　春秋紀聞

鄭杓　春秋解義　春秋表義　字子經,莆田人。

方道叡　春秋集傳十卷　字以愚,淳安人,江西行省員外郎。

黃清老　春秋經旨　字子肅,邵武人,湖廣儒學提舉。

潘迪　春秋述解

干文傳　春秋讞義十二卷

馮翼翁　春秋集解　春秋大義　字子羽,奉新人。

王惟賢　春秋旨要十二卷　字思齊,鄞縣人。

梅致　春秋編類二十卷　宣城人。

吳萊　春秋世變圖二卷　春秋傳授譜一卷

林泉生　春秋論斷　字清源,福州永福人,翰林直學士、知制誥、同脩國史。

王元杰　春秋讞義十卷　字子英,吳江人。

王應奎　春秋管見　德興人。

王嘉　春秋類義　德興人。

徐嘉善　春秋原旨　三傳辨疑　字尚友,德興人。

魯淵　春秋節傳　字道源,淳安人,華亭丞。

俞漢　春秋傳三十卷　字仲雲,諸暨人。

陳植　春秋玉鑰匙　永豐人,翰林待制。

吾衍　春秋説

黃景昌　春秋舉傳論　周正如傳考　浦江人。

章樵　補春秋繁露

許瑾　春秋經傳十卷　字子瑜，紹興人。

陳大倫　春秋手鏡　字彥理，諸暨人。

劉希賢　春秋比事　字仲愚，鄞人，江浙儒學副提舉。

郭鏜　春秋傳論十卷

楊如山　春秋旨要十卷

李廉　春秋諸傳會通二十四卷　字行簡，安福人，信豐縣尹，禦寇死。

彭絲　春秋辨疑

鄭玉　春秋經傳闕疑四十五卷

吳儀　春秋裨傳　春秋類編　五傳論辨　字明善，金谿人。

錢仲咸　春秋纂例　永康人。

虞槃　非非國語

馬駢　春秋探微十四卷　以下皆不知時代。

楊時秀　春秋集傳三十卷

彭飛　春秋啓鑰龍虎正印五卷

葉紹鳳　左氏聯璧八卷

莊穀　春秋十三伯論一卷

吳鵬舉　春秋繁露節解十卷

靜菴春秋志疑九帙　以下失名。

春秋翼義一卷

春秋通天竅一卷

左傳杜林合注五十卷

春秋集傳約記一册

春秋紀事類編一卷

春秋年考

春秋圖説

右春秋類，六十六家，六百九十三卷。

元 吳澄　敘次儀禮十七篇　儀禮傳十五篇 _{一云十篇。}　儀禮逸

經八篇 取小戴之投壺、奔喪，大戴之公冠禮、諸侯遷廟釁廟，鄭注之中霤禮、禘
于大廟禮、王居明堂禮，皆禮之遺者，補之，今與傳俱收入《三禮考注》中。

敖繼公　儀禮集説十七卷 _{長樂人。}

方回　儀禮考

顧諒　儀禮注 字季友，吳江人。以上《儀禮》。

金 楊雲翼　周禮辨一篇

元 吳澄　周官敘録六篇

吳當　周禮纂言 本其祖澄之意爲之。

毛應龍　周禮集傳二十四卷 今十六卷，字介石，豫章人，澧州教授。

臧夢解　周官考三卷

邱葵　周禮全書六卷　周禮訂本三卷 同安人。

湯彌昌　周禮解義 字師言，吳人。

周禮集説十二卷 失名，内地官。末卷亡，明關中劉儲秀補注。以上《周禮》。

金 李純甫　中庸集解

趙秉文　中庸説一卷

元 陳澔　禮記集説三十卷 字可大，都昌人。

吳澄　禮記纂言三十六卷　序次小戴記八卷

陳櫟　禮記集義十卷　深衣説一卷

韓性　禮記説四卷

彭絲　禮記集説四十九卷 字魯初，安福人。

程時登　禮記補注　深衣翼　大學本末圖説　中庸中和説

繆主一　禮記通考

史季敷　夏小正經傳考三卷　<small>鄞縣人。</small>

鮑雲龍　大月令

齊履謙　中庸章句續解一卷　大學四傳小注一卷

許謙　中庸叢説一卷　大學叢説一卷

李思正　中庸圖説　中庸輯釋　<small>江西德興人。</small>

程逢午　中庸講義三卷　<small>字信叔，休寧人，海鹽州教授。</small>

黄鎮成　中庸章旨二卷

趙若焕　中庸講義

許衡　大學要略一卷　大學魯齋詩解一卷

金履祥　大學章句疏義一卷

胡炳文　大學指掌圖

李師道　大學明解一卷　<small>高郵人，通州教授。</small>

程復心　大學章圖纂釋一卷

吕溥　大學疑問　<small>永嘉人。</small>

吕洙　大學辨疑　<small>溥弟。</small>

吴浩　大學口義　<small>字義夫，休寧人。</small>

景星　大學中庸集説啓蒙二卷

元明善　大學中庸日録　<small>字誠夫，臨川人。</small>

秦玉　大學中庸標説　<small>太倉人，約父。</small>

鄭奕夫　中庸大學章旨　<small>以上《禮記》。</small>

吴澄　三禮考注六十八卷

蕭斟　三禮説

汪克寬　經禮補逸九卷　<small>以上通禮。</small>

　　右三禮類，四十四家，三百四十七卷。

元 范可仁　釋奠通載　通祀纂要二卷

黃以謙　通祀輯略三卷 <small>泉州路教授。</small>

黃元暉　通祀輯略續集一卷 <small>以謙從子。</small>

吳夢賢　釋奠儀圖一卷

張翌　釋奠儀注　喪服總類

葉起　喪禮會經 <small>字振卿,永嘉人。</small>

戴石玉　治親禮書三篇 <small>廬陵人。</small>

程榮登　翼禮 <small>字孟敷,休寧人,江浙儒學提舉。</small>

馮翼翁　士禮考正 <small>字子羽,永新人,撫州守。</small>

趙居信　禮經葬制

吳霞舉　文公家禮考異 <small>新安人。</small>

黃澤　二禮祭祀述略

惠希孟　雜禮纂要五卷

曾巽申　致美集三卷

張才卿　葬祭會要一卷

韓諤　重定先世祭式一卷

龔端禮　五服圖解一卷 <small>以上禮書。</small>

余載中　和樂經十卷　韶舞九成樂譜一卷

胡氏　律論一卷 <small>豫章人,失名。</small>

杜瑛　律呂律曆禮樂雜志三十卷

趙孟頫　樂原　琴原

程時登　律呂新書贅述

劉瑾　律呂成書二卷

熊朋來　瑟譜六卷

孔思道　大元樂書 <small>聖裔,字進道,太常禮儀院判。</small>

彭絲　黃鍾律說八篇

趙鳳儀　釋奠樂器圖一卷 <small>汴人,溫州守。以上樂書。</small>

　　右禮樂書,二十七家,八十卷。

元 許衡　孝經直説一卷

董鼎　孝經大義一卷

吳澄　孝經章句一卷　一作《訓釋》　孝經定本一卷

張翃　孝經口義

錢天祐　孝經經傳直解

小雲石海涯　孝經直解一卷

吳迁　孝經附録

余苣舒　考經刊誤

楊少愚　讀孝經衍義　青陽人。

許衍　孝經注一卷

李孝光　孝經圖説　至正七年進呈。

江直方　孝經外傳二十二卷　南充人

釣滄子孝經管見一卷　至正間隱士。以下失名。

成齋孝經説一卷

姜氏孝經説一卷

孝经集说一卷　行中書右丞。

孝經明解一卷

　　右孝經類，十七家，三十三卷。

金 趙秉文删集　論語解十卷

元 王鶚　論語集義一卷

金 履祥　論語集注考证十卷

杜瑛　論語旁通二卷　一作四卷。

任士林　論語指要

齊履謙　論語言仁通旨二卷

陳櫟　論孟訓蒙口義

劉豈墦　論語句解十二卷

鄭奕夫　論語本義

吳簡　論語提要　吳江人，紹興府學録。

吳迂　語孟類次

陳立大　論語正義二十卷　貴溪人。

歐陽溥　論語口義四卷　一作歐陽博，或作歐陽淖《魯論口義正字新書》二十
卷，不知何代人。

　　　右論語類，十三家，六十一卷。

金 趙秉文删集　孟子解十卷

劉章　剌剌孟

元 金履祥　孟子集注考証七卷

杜瑛　語孟旁通八卷

吳迂　孟子年譜　讀孟子法　論孟集注附録　論孟眾記

李昶　孟子權衡遺説五卷

夏侯尚元　原孟　字文卿，雲閒人。

徐達左　孟子内外篇二卷　吳郡人。

孟子衍義十四卷　以下失名。

孟子思問録一卷

孟子旁解七卷　首載趙岐《題辭》。

　　　右孟子類，十一家，五十四卷。

金 王若虛　經史辨惑四十卷

元 五經要語　至元三年，姚樞、竇默、王鶚、商挺、楊果等纂進，凡二十八類。

李好文　端本堂經訓要義十一卷　至正九年，以翰林學士兼諭德教皇太
子，進此書。

張翌　四經歸極一册

熊朋來　五經説七卷　字與可，豐城人，福清州判官。

牟應龍　五經音考

歐陽長孺　九經治要十卷

雷光霆　九經輯義五十卷

胡炳文　五經會意

潘迪　易春秋庸學述解　六經發明　<small>元城人，集賢學士。</small>

贍思　五經思問

黃澤　六經補注　翼經罪言

李恕　四經旁注六卷　<small>《易》、《書》、《論》、《孟》恕字省中，廬陵人。</small>

馮珵　五經正義　<small>字允莊，涇陽人。</small>

季仁壽　易書詩春秋四書衍義　<small>字山甫，龍泉人，元季婺州教授。</small>

吳迂　經傳發明

俞琰　經傳考注

趙居信　經說

葉夢鼎　經史音要　<small>建安人，入元不仕。</small>

曾巽申　經解正譌　<small>永豐人，官應奉翰林文字。</small>

何異孫　十一經問對五卷　<small>《書》、《詩》、三《禮》、《春秋》、《論語》、《孝經》、《大學》、《中庸》、《孟子》也。</small>

杜本　四經表義

吳師道　易書詩雜說八卷

王希旦　五經日記　書易通解　<small>字葵初，江西德興人。</small>

陸正　七經補注　<small>字行正，海鹽人。</small>

汪逢辰　七經要義　<small>字虞卿，歙人，崇德州教授。</small>

倪鐘　詩書集要三冊　易春秋筆記

陳樵　經解

趙德　五經辨疑

熊禾　經問四十卷

方宜孫　經史說五卷

趙孟至　九經音釋九卷

唐懷德　六經問答　<small>字思誠，金華人。</small>

張伯文　九經疑難十卷　<small>以下不知時代。</small>

車似慶　五經論　<small>號愛軒，黃巖人。</small>

胡順之　經典質疑六卷

黃浚　五經通略二卷

趙元輔　六經圖五卷

張沂　辨經正義七卷

黃大昌　晦菴經説三十卷

顏宗道　經説一卷

趙英　五經對訣四卷

九經要覽十卷　<small>以下失名。</small>

九經三傳沿革一卷

六藝綱目

五經難字直音五卷

盱郡廖氏九經總例一册　<small>失名。詳辨諸本互異，凡七類：曰書本，曰字畫，曰注文，曰音釋，曰句讀，曰脫簡，曰考異。</small>

金　王若虛　四書辨疑一卷　<small>此下《四書》解。</small>

元　趙順孫　四書纂疏二十六卷　<small>字和仲，縉雲人，資政殿大學士。</small>

劉因　四書集義精要三十卷

許謙　四書叢説二十卷　<small>今止四卷。</small>

陳櫟　四書發明三十八卷　四書考異十卷

胡炳文　四書通三十四卷　<small>一作《四書通考》二十六卷。</small>

史伯璿　四書管窺八卷　<small>字文璣，溫州平陽人。</small>

包希魯　點四書凡例　<small>字魯伯，進賢人。</small>

贍思　四書闕疑

陳天祥　四書辨疑十五卷

孟夢恂　黃巖人，宜興州判官。

何文淵　四書文字引證九卷　泰定閒，河南人。

馮珵　四書中説

吳存　四書語録

王充耘　四書經疑貫通八卷

汪九成　四書類編二十四卷　新安人

程復心　四書章圖櫫括總要發義二卷　四書纂釋二十卷　字子
見，婺源人，徽州路儒學教授。

陳樵　四書本旨

朱公遷　四書通旨六卷　四書約説四卷

倪士毅　四書輯釋三十六卷　字仲宏，休寧人。

陳尚德　四書集解　寧德人。

張存中　四書通證六卷

傅定保　四書講稿　南安人，平江路儒學。

陳剛　四書通辨　字子潛，溫州平陽人。

詹道傳　四書纂箋二十八卷

邵大椿　四書講義　字春叟，壽昌人，晦菴書院山長。

張淳　四書拾遺　字子素，南樂人。

黃清老　四書一貫十卷　邵武人，翰林院編修。

祝堯　四書明辨

涂溍生　四書斷疑　宜黃人，濂溪書院山長。

薛延年　四書引證　臨汾人，安西王文學。

蕭鎰　四書待問二十二卷　字南金，臨江人。

趙德　四書箋義纂要十二卷　纂箋義紀遺一卷　號鐵峯。

盧孝孫　四書集義一百卷　四書集略四十二卷　以下不知時代。

袁俊翁　四書疑節十二卷

馬豫　四書輯義六卷

趙遷　四書問答一卷

朱本　四書解

董彝　四書經疑問對八卷　字宗文，進士。吳槎客云：“此至正辛卯建安同文堂刊本，予家有之。《經義考》以爲明常熟之董彝，非也。”

朱真　四書十二册　集晦菴、西山注。以下失名。

朱張　四書十四册　集晦菴、南軒講義。

四書纂疏

四書通義三十六卷

四書通證

四書通成三十六卷

四書詳説十卷

四書釋要十九卷

四書提要

　　右經解類，九十五家，九百四十三卷。

遼僧行均　龍龕手鏡四卷

金 韓孝彦　五音篇十五卷　字允中。

韓道昭　五音集韻十五卷　五音增定并類聚四聲篇十五卷　字伯暉，孝彦子。

元 洪焱祖　爾雅翼音注三十二卷　字潛夫，休寧縣尹。

程端蒙　大爾雅

胡炳文　爾雅韻語

許謙　假借論一卷

楊桓　六書統二十卷　六書泝源十三卷　書學正韻三十六卷

倪鏜　六書類釋三十卷　安仁人，晉寧州知州。

戴侗　六書故三十三卷

泰不華　重類復古編十卷

吾衍　說文續解　學古編二卷　周秦刻石釋音一卷

包希魯　說文解字補義十二卷 字魯伯,進賢人。 濬宣梜,抱經堂本"希魯"誤"希曾"。

何中　六書綱領一卷　韻補疑一卷

吳正道　六書通正　六書源流偏旁證誤一卷　六書淵源圖 字岫雲,餘干人。

柳貫　字系二卷

鄭介夫　韻海

杜本　六書通編十原　華夏同音

周德清　中原音韻一卷 號挺齋,高安人。

周伯琦　說文字原一卷　六書正譌五卷

魏溫甫　正字韻綱四卷

邵光祖　韻書四卷 字宏道,吳人。

李士濂　免疑字韻四卷

李世英　韻類三十卷 字伯英,長洲人。

李文仲　字鑑五卷 世英從子。

樓有成　學童識字 義烏人。

張子敬　經史字源

劉鑑　切韻指南一卷 先是,有亡名氏《四聲等子》一卷,鑑書因是而作。
　　經史動靜字音一卷 字士明,關中人。

蔣元　韻原六十卷 字子晦,東陽人。

梁有　演說文 不知時代。

周祈　名義考十二卷 不知時代。

漢隸分韻七卷 失名。

篆法偏旁點畫辨一卷 失名。

金楊雲翼　句股機要

元李冶　測圓海鏡十二卷　益古衍段三卷

彭絲　算經圖釋九卷

朱世傑　四元玉鑑二卷

胡炳文　純正蒙求三卷

熊朋來　小學標注

熊良輔 一作熊凱。　小學入門

陳櫟　程蒙齋小學字訓注

程端禮　讀書分年日程三卷

熊大年　養蒙大訓一十二卷　養正羣書一卷 字元誠，進賢人。

虞韶　小學日記切要故事十卷 字以成，建安人。

蕭𪑷　小學標題駁論

薛延年　小學纂圖六册 大德閒人。

李成己　小學纂疏四卷

舒天民　六藝綱目二卷

周剛善　六藝類要六卷 臨江人。

　　右小學類，四十九家，四百五十三卷。

　　凡經部五百二家，三千九百八十四卷。

史　部

遼耶律儼　皇朝實錄七十卷　知樞密院事。

蕭韓家奴　耶律庶成同撰　遙輦可汗至重熙以來事迹二十卷

室昉　統和實錄二十卷

金始祖以下十帝實錄三卷　金源郡王完顏勖撰。

太祖實錄　宗弼脩，皇統八年進。

太祖實錄　泰和九年，尚書右丞相、監脩國史紇石烈良弼進。

睿宗實錄　大定十一年，紇石烈良弼進。

海陵庶人實錄

世宗實錄　明昌四年，守尚書右丞、監脩國史完顏匡等進。

章宗實錄　興定四年九月，國史院王若虛脩進。

衛王事迹　興定五年進。

宣宗實錄　正大五年，王若虛脩進。

楊廷秀　四朝聖訓　章宗承安二年，類編太祖、太宗、世宗、熙宗聖訓。

元世祖實錄　姚燧脩。

成宗實錄　暢師文脩。[①]

武宗實錄　至順元年，蘇天爵脩。

王惲　世祖聖訓六卷

無名氏　元朝祕史十二卷　其紀年稱鼠兒、羊兒等，不以干支，蓋其國人所錄。

經世大典八百八十卷　目錄十二卷　公牘一卷　纂脩通議一卷　天曆二年，命趙世延、虞集等脩。

---

①　“暢”，原誤作“暘”，據《二十五史補編》本改正。

歐陽玄等脩　太平經國二百十二卷

　　右國史類，二十家，一千二百三十七卷。

金 蕭永祺　遼紀三十卷　志五卷　傳四十卷 <small>太常丞。</small>

陳大任　遼史

完顔孛迭　中興事迹 <small>翰林學士。</small>

蕭貢　史記注一百卷 <small>京兆咸陽人，戶部尚書。</small>

蔡珪　南北史志三十卷

元 托克托 <small>舊作脫脫。</small>　等脩　宋史四百九十六卷　遼史一百十

　　六卷　金史一百三十五卷

郝經　續後漢書一百三十卷

贍思　金哀宗紀　正大諸臣史傳

張樞刊定　三國志六十三卷　續後漢書七十三卷

　　右正史類，九家，一千二百十八卷。

金 楊雲翼等編　續資治通鑑 <small>大安元年，命儒臣等編輯。</small>

趙秉文　楊雲翼等編　龜鏡萬年錄 <small>正大二年編。</small>

傅慎微　興亡金鏡錄一百卷 <small>泰州沙溪人，禮部尚書。</small>

張特立　歷年係事記

元 楊奐　正統書六十卷

金履祥　通鑑前編十八卷　前編舉要二卷

趙居信　蜀漢本末三卷 <small>字季明，許州人，梁國公。</small>

呂思誠　兩漢通紀

劉時舉　續宋中興編年十五卷

朱隱老　皇極經世書說十七卷

徐誑　續通鑑要言二十卷

鄭鎮孫　歷代史譜二卷

曹仲埜　通鑑日纂二十四卷

陳櫟　歷代通略三卷　增廣通略

倪士毅　帝王傳授圖説

鄭滁孫　直説通略十三卷

察罕　帝王紀年纂要一卷　<small>平章政事。</small>

吳迂　重定綱目

陳剛　歷代帝王正閏圖説

馮翼翁　正統五德類要三十四卷

陸以道　宋鑑提綱　<small>無錫人，翰林待制。</small>

張明卿　世運略八卷　<small>字子晦，天台人。</small>

　　　右編年類，二十二家，三百十二卷。

遼王鼎　焚椒録一卷

大遼事迹　<small>金時高麗所進。</small>

金 元好問　壬辰雜編

宇文懋　昭大金國志四十卷

大定治績二卷　<small>元王磐、徐世隆至元二年進呈，凡一百八十餘事。</small>

金人弔伐録二卷　<small>記伐宋往來文檄盟誓書。</small>

北風揚沙録一卷　<small>記金國始末。</small>

天興墨淚　<small>記金亡事。以上三書俱不知撰人。</small>

元太祖聖武開天記一卷　<small>失名。</small>

親征録一卷　<small>記世祖征伐事。失名。</small>

劉敏中　伯顏平宋録二卷

史 <small>失名。</small>　至正遺編四卷　<small>溧陽州人。</small>

劉祁　歸潛志十四卷

張樞　宋季逸事

秦玉　宋三朝摘要

張雯　墨記　<small>記宋末遺文逸事可補野史之缺者。</small>

張延東　晉書二卷　<small>藁城人，真定路教授。</small>

吾衍　晉史乘一卷　楚史檮杌一卷

仇遠　稗史一卷

徐顯　稗史集傳一卷

陶九成　草莽私乘

高德基　平江紀事一卷　<small>嘗爲建德路總管，不知何處人。</small>

葉隆禮　契丹國志二十七卷

楊奐　天興近鑒三卷

　　　右雜史類，二十四家，一百五卷。

元　徐天祐　吳越春秋音注十卷

戚光　陸游南唐書音釋一卷

張宗説　紀古滇説集一卷

　　　右霸史類，三家，十二卷。

元　尹起莘　資治通鑑綱目發明五十九卷

劉友益　資治通鑑綱目書法五十九卷　<small>永新人。</small>

王幼學　資治通鑑綱目集覽五十九卷　<small>字行卿，望江人。</small>

徐昭文　資治通鑑綱目考証五十九卷　<small>字季章，上虞人。</small>

董蕃　通鑑質疑　<small>字子衍，宜興人，釣臺書院山長。</small>

郝經　通鑑書法

何中　通鑑綱目測海三卷

金居敬　通鑑綱目凡例考異

吕溥　史論

俞漢　史評八十卷

雷光霆　史辨三十卷

許謙　觀史治忽幾微

趙居信　史評

楊如山　讀史説三卷

王約　史論三十卷

謝端　正統論辨一卷

戈直　集注貞觀政要十卷

潘榮　通鑑總論一卷　字伯誠,婺源人。

朱震亨　宋論一卷

　　右史學類,十九家,三百九十五卷。

元 滕賓　萬邦一覽集

曾先之　十九代史略十八卷

董鼎　汪亨　史纂通要後集三卷

吳簡　史學提綱　字仲廣,吳江人,紹興學録。

古今通略句解五卷　失名。

車若水　宇宙略記

鄒次陳　史鈔十卷　字周弼,宜黄人。

　　右史鈔類,七家,三十六卷。

金 楊伯雄　瑤山往鑒　藁城人,官右補闕。顯宗在東宮時伯雄編進。

大元通制八十八卷　至治三年,命完顏納、曹伯啓纂集《累朝格例》而損益之,凡
二千五百三十有九事,頒行天下。

朵爾直班　治原通訓四卷　一曰學本,二曰君道,三曰臣職,四曰國政,每類
之目又五。

國朝憲章十五卷　失名。

成憲宏綱四十五卷　失名。

郝經　玉衡貞觀十二卷

王惲　守成事鑒十五卷　成宗即位時編進。　承華事略六卷　相鑒

五十卷

贍思　帝王心法　<small>文宗時進呈。</small>

馬祖常　列后金鑒　千秋紀略

李好問　歷代帝王故事　大寳録　大寳龜鑒　<small>皆至正九年進呈。</small>

孟夢恂　漢唐會要

許師敬　皇圖大訓

揭傒斯　奎章政要

蘇天爵　治世龜鑑一卷

郭慶傳　經邦軌轍十卷　<small>臨江人。爲目十有二,引經史於端,而證以元名臣之事。御史曾進呈。</small>

王士熙　禁扁五卷

陳櫟　六典撮要

葉留　爲政善惡報應事類十卷

張養浩　三事忠告三卷

張光大　救荒活民書八卷

　　右故事類,二十家,二百六十七卷。

元 高謙　吏部格例一百八十卷　<small>雄州人,河間等路都轉運使。</small>

潘迪　憲臺通紀二十三卷　<small>監察御史。</small>

索元　岱南臺備記二十九卷

王惲　中堂事記三卷　烏臺筆補十卷

陳剛　歷代官制説

趙世延　風憲宏綱

郝經　行人志

曾德裕　考功歷式二卷　<small>永豐人,大德中,翰林直學士、知制誥。</small>

周伯琦　官箴一卷

六曹法十二卷　<small>失名。</small>

右職官類，十家，二百六十卷。

元 趙孟頫　印史二卷

申屠致遠　集古印章二卷

吾衍　古人印式二卷

吳氏 _{失名。}　印譜 _{字孟思。}

王厚之　復齋漢晉印章圖譜一卷

陸友仁　墨史三卷　硯史　印史

朱德潤　古玉圖一卷

費著　蜀錦譜一卷　蜀牋譜一卷

常普　蘭溪飲膳正要三卷

雲林堂飲食製度集一卷 _{失名。}

劉美之　續竹譜一卷

張穆仲　司牧安驥集 _{兵部員外郎。}

馬經通元方論六卷 _{卞管句集。}

安驥集八卷 _{失名。}

治馬牛駝騾等經三卷 _{失名。}

右食貨類，十五家，三十五卷。

遼耶律庶成　蕭韓家奴　禮書

遼朝雜禮 _{失名。}

金禮器纂脩雜録四百卷 _{世宗命禮官脩。}

大金儀禮 _{明昌六年，禮部尚書張暐等進。}

大金集禮四十卷

陳大任　遼禮儀志

張行簡　禮例纂一百二十卷

元 李好文　太常集禮五十卷

脱脱木　太常續集禮十五册

王守誠　續編太常集禮三十一卷

太常至正集禮二十卷　失名。

何元壽　大德編輯釋奠圖八卷

曾巽申　鹵簿圖　郊祀禮樂圖十册　鹵簿志十卷　鹵簿中

　道外仗圖志十卷　永豐人,應奉翰林文字。

趙孟頫　祭器圖二十册

袁桷　郊祀十議一卷

申屠致遠　釋奠通禮三卷

　　右儀注類,十六家,七百三十八卷。

金 新定律令敕條格式五十二卷　泰和元年,司空襄等進。

泰和律義　失名。

元 至正條格四册　失名。

大元聖政國朝典章一册　失名。

何榮祖　至元新格

吳萊　唐律删要三十卷

梁琮　唐律類要六卷　官吏須用十六卷　安陽人,福建轉運副使。

瞻思　審聽要訣

鄭克　折獄龜鑑二十卷

馮翼翁　異政録十一卷

東甌王氏　平冤録二卷　失名。

清明集十四卷　失名。

吏學指南八卷　失名。

黄邦俊　真陽共理集二卷　永福人,知英州。

真定東　和善政録　字朝用,蒙古人,爲政和縣達魯花赤,縣人集其斷獄善政爲

　此書。

何槐孫　善政指南　<small>宜黄縣尹。</small>

辜君政蹟一卷　<small>名中,永豐令。失撰人。</small>

　　右政刑類,十七家,一百六十七卷。

遼無名氏　七賢傳　<small>取遼世名流七人爲之傳,耶律吼其一也。</small>

金鄭當時　節義事實　<small>洪洞人,明昌二年進士,河汾教授。</small>

元 蘇天爵　國朝名臣事略十五卷

元 永貞東平王世家三卷　<small>木華黎。</small>

施澤之　孔氏實録十二卷

吳迂　孔子世家考異二卷

程榮登　孔子世系圖三卷

孔元祚　孔氏續録五册　<small>孔子五十一代孫。</small>

孔津　孔聖圖譜三卷　<small>孔子五十三代孫。</small>

張壄　闕里通載

吳萊　孟子弟子列傳三卷

戴羽　武侯通傳三卷　<small>德安人。</small>

吳師道　敬鄉前後録二十三卷

張樞　曲江張公年譜一卷

黄奇孫　三朝言行録　<small>字行素,宋尚書黄度孫。輯其祖之事實。</small>

方回　宋季雜傳　先覺年譜

陳顯曾　昭先録　<small>記其祖宋常州通判陳炤死難事。</small>

張耆　忠義録三卷　<small>記元末兵興死義之人。</small>

楊元　忠史一卷　<small>鄱陽人。</small>

贍思　西域異人傳

吳夢炎　朱文公傳二卷

陸友仁　米海岳遺事一卷

歐陽玄　王清獻公神道碑一卷　<small>王都中。</small>

朱彥脩傳一卷　<small>失名。</small>

劉岳申　文丞相傳一卷

凌緯　壽者録

陳氏崇孝集一卷　<small>至正閒，奉化陳儔銘傳。</small>

鄱陽襃賢祠録三卷　<small>宋范文正公祠。失名。</small>

趙秉善　忠義集七卷　<small>記宋末諸臣死難事，合劉壎、劉麟瑞兩書，又附方虚谷、</small>
<small>汪水雲傷時感事之作。</small>

楊三傑　明倫傳五十卷　<small>字曼卿，蜀郡人。</small>

危素　張文忠公年譜一卷　<small>張養浩。</small>

　　　右傳記類，三十一家，一百四十五卷。

金蔡珪　晉陽志十二卷　水經補亡三卷　<small>字正甫，真定人，翰林院脩撰。</small>
<small>《水經補亡》本四十篇，刑本釐爲三卷，《金史》作“補正《水經》五篇”，誤也。據元好問</small>
<small>《中州集》正之。</small>

元大一統志一千卷　<small>集賢大學士字蘭肹、昭文館大學士岳鉉等進本。有誤“字蘭</small>
<small>肹”爲“卜蘭溪”者，得吳氏藏本正之。</small>

蕭斆　九州志

郝衡　大元混一輿地要覽七卷

滕賓　萬邦一覽集

吳萊　古職方録八卷　南海古迹記一卷

朱思本　廣輿圖二卷　<small>臨川人。</small>

皇元建都記　<small>失名。</small>

張鉉　金陵新志十五卷　<small>字用鼎，陝西人。</small>

戚光　集慶路續志　<small>天曆二年，南臺御史趙世延命郡士光輯。</small>

于欽　齊乘六卷

李好文　長安圖記三卷

周密　前武林舊事六卷　後武林舊事五卷

吳自牧　夢粱録二十卷　一本二卷。

趙迎山　續豫章志十三卷

劉有慶　潘斗元　續豫章職方乘十四卷

費著　成都志

李京　雲南志略四卷

郝天挺　雲南實録五卷

張宗道　紀古滇説集一卷

張立道　雲南風土記　六詔通紀

贍思　鎮陽風土記　續東陽志六卷

熊自得　析津志典　字夢祥，豐城人，崇文監丞。

陸輔之　吳中舊事一卷

洪焱祖　續新安志十卷

王仁輔　無錫志二十八卷

相臺續志十卷　不知撰人。

王惲　汲郡志十五卷

王鶚　汝南遺事二卷

韓性　紹興郡志八卷

王元恭　四明續志十二卷　字居敬，真定人，至正二年爲明州總管。

劉蒙　松江郡志八卷　四明人，松江教授。大德中脩。

錢全衮　續松江志十六卷　郡人。

徐碩　嘉禾志三十二卷

黃溍　義烏志七卷

許汝霖　嵊志十八卷

李士會　樂平廣記三十卷　字有元，邑人。

李彝　南豐郡志三册　大德閒，南豐郡守。

李肖翁　續豐水志六卷　字克家，富川人，本學教諭，遷提舉。

吳存　鄱陽續志

致和三山續志　福建失名。

嚴士真　崇陽志

陳士元　武陽志略一卷　邵武人。

蔡微　瓊海方輿志　字希元，瓊山人，任學官。

任仁發　浙西水利集十卷　上海人，官都水監，歷浙江宣慰司副使。

劉大彬　茅山志三十二卷　元刻止十五卷。

施少愚　九華外史

李孝光　雁山十記一卷

李處一　西岳華山志一卷

元明善　龍虎山志三卷

鄧牧　洞霄宮圖志三卷

黎崱　游廬山記三卷　字景高，本安南人，居漢陽。泰定中，游廬山，記其詩文、
山物爲書。

歐陽原功　至正河防記一卷

贍思　重訂河防通議

潘昂霄　河源志

張天雨　尋山志十五卷

劉郁　西使記一卷

盧襄　西征記一卷

迺賢　河朔訪古記十二卷

楊奐　紫陽東游記一卷　宋汴都宮室記一卷

何中　薊邱述游錄

周達觀　真臘風土記一卷

周致中　異域志三卷

朱輔　溪蠻叢笑一卷

李志剛　肬羅志略三卷　永嘉人，樞密院祕書。

黎崱　安南志略二十卷

張立道　安南録

贍思　西國圖經

王約　高麗志四卷

　　　右地理類,六十九家,一千四百五十五卷。

金 完顏勗　女直郡望姓氏譜

元 姓氏大全十卷　<small>一作十八卷。失名。</small>

陳櫟　希姓略一卷

梁益　史傳姓氏纂

程峴　程氏世譜三十卷　<small>字和卿,休寧人。</small>

汪壽昌　隴右汪氏世系勳德録　<small>御史中丞。</small>

汪松壽　汪氏淵源録十卷　<small>字正心,休寧人,肇慶路儒學教授。</small>

孔克己　孔氏世系一卷　<small>克己爲清江三孔後。</small>

孔文昇　闕里譜系　<small>文昇家於溧陽。</small>

臨川危氏家譜一卷　<small>泰定二年,危素序。</small>

排韻增廣事類氏族大全十卷　<small>失名。</small>

　　　右譜牒類,十一家,六十三卷。

元 法寶總目十卷　<small>失名。</small>

　　　右簿録類,一家,十卷。

　　　凡史部二百九十四家,六千四百五十五卷。

子　　部

金 趙秉文　揚子發微一卷　太玄箋贊一卷　文中子類説一卷
　　一作六卷。

李純甫　中國心學　字之純，襄陽人，承安二年經義進士。

張特立　集説　字文舉，東明人，泰和中進士。

元 耶律楚材　皇極經世義

許衡　魯齋遺書六卷

趙復　傳道圖　伊洛發揮　朱子門人師友圖　希賢録　取伊尹、
　顏淵言行以勉學者。

許謙　自省編　日聞雜記　謙門人記。

杜瑛　極學十卷　皇極引用八卷　皇極疑事四卷

安熙　續皇極經世書

趙居信　理學正宗一卷　采輯諸儒北溪書院記及宗旨。

邱富國　經世補遺三卷

史伯璿　管窺外編五卷　字文璣，溫州平陽人，隱居不仕。

趙順孫　近思録精義

方回　皇極經世考

馬端臨　義根守墨三卷

劉祁　處言四十三篇

吳澄　支言五卷

胡炳文　性理通

程直方　四聖一心

何榮祖　觀物外篇

孟夢恂　性理本旨

齊履謙　經世書八式一卷　經世外篇微旨一卷

鄭以忠　宮學正要二卷 _{凡五篇，曰主敬、曰講學、曰游藝、曰前言、曰往行。}

張巨濟　萬年龜鏡録十卷 _{采摭經史，因萬年節進呈。}

張光祖　言行龜鑑十卷

張養浩　經筵餘旨一卷

柳貫　近思録廣辑三卷

潘迪　格物類编

黃溍　日損齋筆記一卷

吳迁　先儒法言　先儒粹言

王廣謀　孔子家語句解三卷 _{字景猷。}

李純仁　顏子五卷 _{延祐高安人。凡十篇。}

蔣玄　學則二十卷 _{字子晦，東陽人。}

陳舜中　審是集一册

周公恕　近思録分類集解十四卷 _{吉安人。}

陳剛　性理會元二集四十六卷 _{字公潛，溫州平陽人。}

鮑雲龍　天原發微五卷 _{字景翔，歙縣人。}

劉霖　太極圖解 _{字雲章，安福人。}

時榮　洙泗源流八卷 _{至元閒金華人。采摭經、傳、子、史、注、疏，凡孔門弟子}
　　及釋奠諸儒事迹，聚爲一編。

黃瑞節　朱子成書十卷 _{字觀樂。}

張復　性理遺書十四卷 _{字伯陽，建安人，建寧路知事。}

何中　通書問

沈貴瑤　正蒙疑解 _{字成叔，德興人。}

蕭元益　洙泗大成集 _{字楚材，湖廣安化人。}

陳樵　太極圖解　通書解　性理大明　聖賢大意　石室新語
　　東陽人，入太霞洞著書。

祝泌　觀物解

季仁壽　春谷讀書記二百卷　婺州路儒學教授。

熊本　讀書記二十五卷　經問四十卷　吳山録二十卷

程時登　太極圖説一卷　西銘補注一卷

吕洙　太極圖説一卷

黄鎮戊　性理發微四卷

蔡仁　皇極經世衍數五十卷　後集五十二卷　別集十五卷
　續集十六卷　支集十五卷　字和仲，饒州人。

王德新　學則二篇　字君實，新野人。

曹涇　服膺録

張延　要言一卷

張淮遠編　周子書四卷

朱本　皇極經世解　太極圖解　通書解　字致其，豐城人，入明不就徵。

朱子方　皇極經世書解上篇十三卷　下篇五卷　字隱老，豐城人。

俞長孺　心學淵源　新昌人，諸暨州學正。

季致平　精覽歸一圖解二卷　青田人。

徐泰亨　端本書一卷　忠報録一卷　可可鈔書一卷　龍游人。

凌緯　董子雅言

申屠澂　孝全撰言

曹理孫　讀經史要略類編　字悦道，瑞安人。

張明卿　存養録十二卷　政事書一卷　天台人。

陳潛　朱子傳疑　紹興府人。

楊琦　上蔡師説

張輝　草堂語録　字子充，永嘉人。

衛富益　性理集義　崇德人。

程端蒙　小學字訓一卷

史若佐　景行録一卷

吳海　命本録一卷

王文煥　道學發明　又名子敬,字叔恭,松陽人。

黎仲基　語録八卷

惠希孟　家範五卷

吳宗元　王氏宗教一篇　字筠西,諸暨人。

許熙載　女教六卷　經濟録四卷　字敬臣,許有壬父。

丁儼　金閨彝訓八卷　字主敬,新建人。

馬順孫　帝王寶範六十二卷　稱江南布衣。以下不知時代。

許珍　性理正蒙分節解十七卷　太極圖解釋義一卷

葉涵　性理紀聞四卷

黃堂　理學要言十卷

胡次和　太玄集注十二卷人。　江原人。

余安行　至言十八篇

姚君大　教家要言　一作語。二卷

許　魯齋心法一卷　失名。

　　右儒家類,八十六家,八百九十一卷。

元 郝經　原古録

方回　虛谷閒鈔一卷

李冶　羣書叢削十二卷　泛説四十卷　古今黈四十卷　今止八卷。

吳師道　戰國策校注十卷　一作十一卷。又名《戰國策正誤》。

張樞　林下竊議一卷

雷光霆　史子辨義三十卷

汪自明　禮義林四十卷

俞琰　書齋夜話四卷　席上腐談二卷　幽明辨惑一卷

吾衍　聽玄集

包希魯　諸子纂言　字魯伯,進賢人。

鄭杓　覽古編

白廷湛　困静語二十卷

凌緯　董子雜言　<small>字景文，大德中書院山長。</small>

魯淵　策府樞要

莫惟賢　廣莫子　<small>字景行，錢塘人。</small>

吳亮　忍書一卷　<small>字明卿，杭州人。</small>

史弼　省己録一卷　<small>字君佐。</small>

朱本　日用漫筆

張穎　義命三編三卷　<small>不知時代。</small>

　　右雜家類，十九家，二百六卷。

元 司農司　農桑輯要七卷　<small>世祖時頒行。</small>

王禎　農書二十二卷　農桑通訣二十卷　農器圖譜二十卷
　穀譜十一卷

魯明善　農桑衣食撮要二卷　<small>新從《永樂大典》鈔出者，黃氏《書目》作《農桑機要》，亡卷數。</small>

羅文振　農桑撮要七卷

汪汝懋　山居四要四卷　<small>字以敬，浮梁人，至正中國史院編脩官。</small>

陸泳　田家五行拾遺一卷　<small>字伯翔。</small>

脩廷益　務本直言三卷　<small>以下不知時代。</small>

劉宏　農事機要

桂見山　經世民事録二卷

　　右農家類，九家，九十九卷。

金 王庭筠　叢語十卷

元 好問　續夷堅志

元 王惲　玉堂嘉話八卷

周密　齊東野語二十卷　癸辛雜識一卷　癸辛新識四卷

　癸辛後識四卷　癸辛續識二卷　澄懷錄二卷　續澄懷錄三卷

　浩然齋視聽鈔　浩然齋意鈔　浩然齋雅談

盛如梓　庶齋老學叢談三卷　<small>崇明州判官。</small>

陸友仁　硯北雜志二卷

吾衍　閒居錄二卷　山中新話

蘇天爵　春風亭筆記二卷

何中　搢頤錄十卷

唐元　見聞錄二十卷

張雯　繼潛錄

關漢卿　鬼董五卷

郭霄鳳　江湖紀聞十六卷　<small>字雲翼。</small>

吳元復　續夷堅志二十卷　<small>字山漁，鄱陽人。</small>

周達觀　誠齋雜記二卷

伊世珍　瑯環記三卷

沈鷹元　緝柳編三卷

常陽　女紅餘志二卷

邵文伯　浩然翁手鈔五色線二卷

李有　古杭雜記四卷

夏頤　東園友聞二卷

鄭元祐　遂昌山人雜錄一卷

姚桐壽　樂郊私語一卷

曹繼善　安遠堂酒令一卷

廣客談一卷　<small>失名。</small>

　　右小說家類，二十五家，一百五十六卷。

金張守愚　平遼議三篇　國子監齋長，承安元年進。

元趙孟頫　禽賦一卷

程時登　八陣圖解

俞在明　用武提要二十篇　錢塘人。

秦輔之　武事要略

王穎　三式風角用法立成十二卷　不知時代。

百戰奇法十卷　以下不知撰人。

行軍須知二卷

陣圖雜輯十卷

火龍神器圖法六卷

握機經傳六卷

戰寇神器二卷

勦寇陣圖二卷

兵機便覽十冊

　　右兵書類，十四家，八十四卷。

金楊雲翼　縣象賦一篇　五星聚井辨一篇

元趙友欽　革象新書二卷　字緣督，德興人。一云名敬，字子恭。

　　右天文類，二家，四卷。

金大明曆十卷　天會五年脩。

趙知微　重脩大明曆　司天監。

張行簡　改定太乙新曆

耶律履　乙未曆

元耶律楚材　庚午元曆二卷　曆説　乙未元曆　回鶻曆

郭守敬　授時曆推步七卷　立成二卷　曆議擬稿三卷　轉
　　神選擇二卷　上中下三曆注式十二卷　時候箋注二卷

脩改源流一卷　儀象法式二卷　以下皆測驗書。　二至晷景考二十卷　五星細行五十卷　古今交食考一卷　新測二十八舍雜座諸星入宿去極一卷　新測無名諸星一卷　月離考一卷

齊履謙　二至晷景考二卷　授時曆經串演撰八法一卷

程時登　閏法贅語

授時曆二卷　授時曆議二卷　失名。

授時曆法撮要　失名。

　　右曆數類，十家，一百二十四卷。

遼王白　百中歌　興國軍節度使。占卜書。

耶律純　星命祕訣五卷

金楊雲翼　氣數雜説

張居中　六壬無惑鈐六卷　司天判官

丞相兀欽　注青烏子葬經一卷

元吳澂　删定葬書

李道純　周易尚占三卷　保八爲序，舊誤以爲保八著。

馬貴　周易雜占一卷

王矗　易卦海底眼

陸森　玉靈聚義五卷　總録二卷　吳人。

王洪道　三元正經三卷　婚、宅、葬。

焦榮　選葬編録三卷

徐用徐施二先生元理消息賦注一卷　失名。

祝泌　祕鈐五卷　六壬大占　壬易會元　字子涇，德興人。

耶律楚材　五星祕語一卷　先知大數一卷

劉秉忠　平砂玉尺四卷　玉尺新鏡二卷

朱震亨　風水問答

周鍔　六甲奇書　不知何時人。

　　右五行類，十八家，四十三卷。

金紀天錫　集注難經五卷　泰安人。

張元素　潔古注叔和脈訣十卷　病機氣宜保命集四卷　一名《治
法機要》，後人誤以爲劉完素作。潔古諸書多附託，惟二書爲元素所著。潔古珍
珠囊一卷　潔古，元素字，金易州名醫。後人易其書爲韻語，以便誦習，謂之《東
垣珍珠囊》，非原書也。　東垣十書二十五卷　後人所輯。　東垣試效
方九卷　後人所輯。

劉完素　素問要旨八卷　素問玄機原病式二卷　治病心印一
卷　河閒劉先生十八劑一卷　宣明論方十五卷　此下六種名《河
閒六書》。　傷寒標本心法類萃二卷　傷寒心鏡一卷　傷寒直
格論方三卷　素問玄機氣宜保命集三卷　傷寒醫鑒一卷　字
守真，河閒人。

李慶嗣　傷寒纂類四卷　政正活人書二卷　傷寒論三卷　針
經一卷　醫學啓元　洺州人。

張從政　儒門事親十五卷　治病撮要一卷　傷寒心鏡一卷
張氏經驗方二卷　祕傳奇方二卷　字子和，睢州考城人。

元聖濟總録二百卷

李杲　辨惑論三卷　辨內傷外感。　脾胃論三卷　此事難知二卷
辨析經絡脈法，分比《傷寒六經》之則，王好古爲闡明之。　蘭室祕藏五卷
用藥法象一卷　醫學發明九卷　推明《本草》、《素》、《難》、脈理。

竇默　銅人針經密語一卷　標幽賦　王鏡澤注。　指迷賦　瘡瘍
經驗全書十二卷

王好古　湯液本草三卷　湯液大法四卷　醫壘元戎十二卷
陰症略例一卷　斑論萃英一卷　錢氏補遺一卷　字近之，趙人。

羅天益　衛生寶鑑二十四卷　試效方九卷　字謙甫，藁城人。

戴起宗　脈訣刊誤三卷

滑壽　難經本義二卷　十四經絡發揮三卷　胗家樞要一卷
　醫學引彀四卷　攖寧生五藏補瀉心要一卷　滑氏素問注鈔
　三卷　滑氏脈訣一卷　讀傷寒論鈔二卷　痔瘻論　醫韻四
　卷　字伯仁，許昌人，後家儀真。

李晞范　難經注解四卷　脈髓一卷　崇仁人。

李朝正　備急總效方四十卷

竇漢卿　瘡瘍經驗全書十二卷

王鏡澤　增注醫鏡密語一卷　失其名，蘭溪人。

鮑同仁　注通玄指要二賦　經驗針法　字用良，歙人，會昌州同知。

朱震亨　格致餘論一卷　金匱鉤玄三卷　傷寒論辨　本草衍
　義補遺　局方發揮一卷　平治薈萃方三卷　外科精要發揮
　丹溪治痘要法一卷　活幼便覽二卷　丹溪醫案一卷　丹溪
　治法語錄三卷　字彥修，義烏人。

鄧焱　運氣新書　字景文，蜀人。

王珪　參定養生主論十六卷　字均章，常熟人。

李鵬飛　三元參贊延壽書五卷

萬應雷　醫學會同二十卷　字震父，吳人。

葛乾孫　醫學啓蒙　經絡十二論　十藥神書一卷

朱撝　心印紺珠經二卷　字好謙。

趙良　醫學宗旨　金匱衍義

陳直　壽親養老書一卷　泰州興化令。

鄒鉉　壽親養老新書四卷

胡仕可　本草歌括八卷　瑞州路醫學教授。

吳瑞　日用本草八卷　字瑞卿，海寧醫士。

尚從善　本草元命苞七卷　傷寒紀玄妙用集十卷

熊景元　傷寒生意　字仲光，崇仁人。

申屠致遠　集驗方十二卷

危亦林　得效方二十卷

王履　醫經溯洄集一卷

薩德彌實　瑞竹堂經驗方十五卷　號謙齋,今改其名沙圖穆蘇。僅存
五卷。

李中南　錫類鈐方二十二卷

杜思敬　濟生拔萃方十九卷　延祐中人。

陸仲達　千金聖惠方　青陽人。

堯允恭　德安堂方一百卷　京口人。

殷震　簡驗方　道士。

吳以寧　去病簡要二十七卷　歙縣人。

齊德之　外科精義二卷　充御藥院外科太醫。

曾世榮　活幼心書二卷　衡州人。

馮道玄　全嬰簡易方十卷

孫允賢　醫方大成十卷

右醫方類,四十五家,八百三十二卷。

元鄭杓　衍極五卷　衍極紀載三篇　字子經,興化人,泰定中南安教諭。

蘇霖　書法鉤玄四卷

劉惟忠　字學新書七卷　摘鈔一卷　崇安人。

袁裒　書學集要　字德平,鄞縣人,宋大學生,入元不仕。

唐懷德　書學指南

李溥光　大字書法　號雪菴,大同人。初爲僧,工詩善書,元宮殿扁額皆出其手。
後官昭文館大學士。

陳繹曾　翰林要訣

盛昭　法書考八卷

吳　失名。　法書類要二十五卷　錢塘人。

周密　雲煙過眼録四卷

朱珪　名蹟録六卷　印文集考 字伯益，崑山人。

夏彦文　圖繪寶鑑五卷

華光和尚　梅品一卷

李衎　竹譜詳輯一卷 薊邱人。

黄公望　山水訣一卷 字子久，別號大癡道人。

梓人遺制八卷 失名。

　　右雜藝術類，十六家，七十九卷。

金鄭當時　韻類節事　羣書會要 字仲康，洪洞人，大定中進士，汾州
　教授。

元楊惟中　太平廣彙十集九十六篇 字彦誠，宏州宣撫使。

高恥傳　羣書鉤玄十二卷 臨卭人。

劉應李　事文類聚翰墨全書前集一百四十二卷　後集六十三
　卷 字希泌，建陽人。

富大用　事文類聚新集三十六卷　外集十五卷

祝淵　事文類聚遺集十五卷

張諒　經史事類書澤三十卷 字子惠，建安人。

陰時夫　韻府羣玉二十卷 字幼遇。其兄中夫幼達注。

錢全袞　韻府羣玉掇遺十册 華亭人。

鄭起潛　聲律關鍵八卷

錢緒　萬寶事山二十卷

凌緯　事偶韻語

吳黼　丹墀獨對十卷

俞希魯　竹素鉤玄三十卷

白珽　經子類訓二十卷　集翠裘二十卷

唐懷德　破萬總録一千卷 凡所讀之書，輒撮其諸凡，而附之以論辯。

鉤玄集

書林廣記二十卷　<small>以下失名。</small>

羣書一覽十卷

士林龜鏡

羣書會元截江網三十五卷　<small>失名。舊作"十六卷，胡煦著"。</small>

纂圖增注羣書類要事林廣記四十卷

　　右類書類，二十一家，一千六百五十二卷。

元吳澄　老子道德經注四卷　<small>更定一百六十八字。</small>　南華內篇訂正
　二卷

贍思　老莊精語

趙學士　<small>失名。</small>　集解四卷　全解二卷

李衎　息齋老子解二卷

李道純　道德經注一卷　中和集六卷　太上大道經注一卷　<small>字
元素，都梁人。</small>

雷思齊　注莊子

俞琰　全陽子周易參同契發揮九卷　全陽子參同契釋疑二
　卷　陰符經解一卷

陳致虛　上陽子參同契注三卷　金丹大要十卷　<small>字觀五。</small>

戴起宗　悟真篇注疏三卷

邱長春　磻溪集五卷　語錄一卷　西游記二卷

蕭廷芝　金丹大成集五卷　<small>字元瑞。</small>

董漢醇　羣仙要語二卷　仙學摘粹二卷

陳沖素　內丹三要一卷

趙友欽　緣督子仙佛同源論一卷　金丹正理　盟天錄

陳虛白　規中指南一卷

盤山栖雲大師語録一卷　舊俱入道家，今仍之。

張天雨外史　出世集三卷　碧巖玄會録二卷　字伯雨，吳郡人，道名嗣真，別號真居。

洪恩　靈濟真人文集八卷　元道士。編輯南唐徐知訓、徐知證乩筆。

趙道一　歷代真仙體道通鑑前集三十八卷　後集四卷

玄風慶會録五卷　失名。

金蓮正宗記　失名。

　　右道家類，二十一家，一百三十一卷。

金李之純　鳴道集説五卷

元惟則　楞嚴會解疏十卷　楞嚴擲丸一卷　天台四教儀要正　字天如，永新人。

明本　中峰和尚廣録三十卷　中峰廣慧禪師一花五葉集四卷　中峰懷淨土詩一卷　庵事須知一卷

劉謐　靜齋學士三教平心論二卷

清筏　宗門統要續集十二卷

至雲編　石屋和尚山居詩并當湖語録二卷　語録一卷　名清珙，常熟人。

優曇　蓮宗寶鑑十卷　丹陽僧。

普會　禪宗頌古連珠通集四十卷

心泰　佛法金湯編十卷

大訴　松雲普鑑二卷

海弓　古梅禪師語録二卷　廣州僧。

恕中和尚語録六卷

元叟端禪師語録八卷

雪村　聚語録　金壇人，居句容崇明寺。

盛勤　源宗集　嘉興資善寺僧。

志磐　佛祖統紀五十四卷

霅夢堂　唐宋高僧傳

覺岸　釋氏稽古略四卷

念常　佛祖通載二十二卷

禪林類聚二十卷　<small>以下失名。</small>

淨髮須知二卷

至元心燈錄

　　右釋家類,二十二家,二百四十九卷。

　　凡子部三百八家,四千五百五十卷。

集　　部

元虞廷碩　歷代制誥五卷　詔令四卷　字君輔，建安人。

蘇天爵　兩漢詔令　合林慮、劉昉二書爲一，而取洪咨夔《總論》冠於首。

　　　右制詔類，二家，九卷。

金完顏綱　類編陳言文字二十卷

元趙天麟　太平金鏡策八卷　東平人，世祖時，以布衣進是策，切於時事。

鄭介夫　太平策　字以吾，開化人。凡一綱二十目，成宗覽而嘉之，授雷陽教授，
　　後官金谿丞。

王惲　烏臺筆補

卜天璋　中興濟治策二十篇　文宗天曆二年表上。

馬祖常　章疏一卷

蘇天爵　松廳章疏五卷

吳明　定本萬言策　大同人，國子助教。

張明卿　政事書一卷

趙順孫　奏稿

　　　右表奏類，十家，五十五卷。

元郝經　皇朝古賦一卷

馮子振　受命寶賦一卷

虞廷碩　古賦準繩十卷

元賦青雲梯三卷　不知撰人。

古賦題十卷　後集六卷　不知撰人。

　　　右騷賦類，五家，三十一卷。

金完顏璹　如菴小稿六卷　世宗孫,越王長子,封密國公。

完顏永成　樂善居士集　封豫王。

徒單鎰　宏道集六卷　右丞相、廣平郡王。

劉豫　曹王集十卷

吳激　東山集十卷　字彥高,宋宰臣栻子,翰林待制,出知深州。

張斛　南游北歸等詩　字德容,漁陽人,祕書省著作郎。

蔡松年文集　字伯堅,尚書右丞相,諡文簡。

蔡珪　文集五十五卷　字正甫,松年子,禮部郎中。

高士談　蒙城集　字子文,一字季默,翰林直學士。

馬定國　薺堂集　字子卿,茌平人,翰林學士。

祝簡　鳴鳴集　字廉夫,單父人,太常卿兼直史館。

朱之才　霖堂集　字師美,洛西人,仕劉豫爲諫官,出爲泗水令。

施宜生　三桂老人集　字明望,浦城人,翰林學士。

趙可　玉峰散人集　字獻之,高平人,翰林直學士。

劉汲　西巖集　字伯深,南山翁撝子,翰林供奉。

劉瞻　攖寧居士集　字巖老,亳州人,史館編修。

劉蹟　南榮集　東平人,宋相莘老子,右相長言父,儀真令。

劉仲尹　龍山集　字致君,益州人,後遷沃州,都水監丞。

郝俣　虛舟居士集　字子玉,太原人,河東北路轉運副使。

張公藥　竹堂集　字元石,孝純孫,鄖城令。

史旭　詩一卷　字景陽,歷臨真、秀容二縣令。

耶律履　文獻集十五卷　字履道,東丹王七世孫,諡文獻。

董師中　漳川集　字紹祖,邯鄲人,徙洺州。

王寂　拙軒集六卷　字元老,玉田人,中都轉運使。

張行簡文集三十卷　字敬甫,諡文正。

李仲略　丹源釣徒集　字簡之,高平人。

劉迎　山林長語　字無黨,東萊人。

党懷英　竹溪集十卷　字世傑，奉符人。

趙渢　黄山集　字文孺。

王庭筠　翰林文集四十卷　字子端，熊岳人。

趙秉文　滏水集三十卷　字周臣，滏陽人。分《内》、《外集》，今《外集》十卷佚。

劉中文集　字正夫，漁陽人。

路鐸　虛舟居士集　字宣叔，貞祐初，爲孟州防禦使。城陷，投沁水死。

酈權　披軒集　字元興，安陽人。

李純甫　内稿　論性理及閲佛道二家者。　外稿　應物文字。宏州人。

史肅　澹軒遺稿　字舜元，京兆人。

蕭貢　文集十卷　字真卿，咸陽人，謚文簡。

史公奕　洹水集　字季宏，大名人，翰林直學士。

馮延登　横溪翁集　字子駿，吉州人，禮部侍郎。京城陷，自投井死。

王若虛　滹南遺老集四十五卷　傭夫集　字從之，藁城人。

劉從益　蓬門集　字虞卿，南山翁撝曾孫。

張建　蘭泉老人集　字吉甫，蒲城人。

毛麾　平水集　字牧達，平陽人。

王琢　姑汾漫士集　字器之，平陽人。

吕中孚　清漳集　字信臣，南宫人。

景覃　渭濱野叟集　字伯仁，華陰人。

劉鐸　柳溪集　字文仲，襄强人。

秦略　西溪老人集　字簡夫，臨川人。

張琚　韋齋集　字子玉，河中人。

杜佺　錦溪集　字真卿，武功人。

李之翰　漆園集　字周卿，濟南人。

楊與宗　龍南集　高陵人。

黽會　澶水集　字公錫，高平人。

郭長倩　崑嵛集　字曼卿，文登人。

郭用中　寂照居士集　字仲正,平陽人。

張邦彦　松堂集　字彥才,平陽人。

王元節　遯齋詩集　字子充,宏州人。

王世賞　浚水老人集　字彥功,汴人。

桑之維　東皋集　字之才,恩州人。

張庭玉集　字子榮,易縣人。

王敏夫集　五臺人。

李獻甫　天倪集　字欽用,湖州人,鎮南軍節度副使,死蔡州難。

元德明　東巖詩集三卷　秀容人,好問父。

元好問　遺山集四十卷　附錄一卷　遺山詩集二十卷　字裕之,
太原人。

李俊民　莊靖集十卷

曹珏　卷瀾集三卷　字子玉,滏陽人,徙居方城。

曹望之詩集二十卷　臨潼人。

李愈狂愚集二十卷　正平人。

張鉉　韋齋集　河中人。

宗經　雲巖文集　稷山人,舉進士。

段克己　段成己　二妙集八卷　河東人,克己字復之,成己字誠之。

郝太古詩集　羽士。

譚處端　水雲集　羽士。

元耶律楚材　湛然居士集三十五卷　缺七卷至十二卷,又缺二十二卷、二
十三卷。

文集十四卷　履子。

耶律鑄　雙溪醉隱集八卷　楚材子。

耶律希亮　愫軒集三十卷　鑄子,翰林學士承旨。皆塞外從軍紀行之作。

楊奐　還山集六十卷　紫陽遺稿二卷　附錄二卷

劉秉忠　藏春詩集六卷　文集十卷　詩集二十二卷

郝經　陵川文集三十九卷　附録一卷

張洪範　淮陽詩集一卷

許衡　魯齋遺書八卷　附録二卷　重輯魯齋遺書十四卷　大全集三十卷

王鶚　應物集四十卷　字百一，東明人，金正大元年狀元及第，入元官翰林學士承旨。

高鳴　河東文集五十卷　太原人，徙相州。

李冶　敬齋文集四十卷

徐世隆　瀛州集一百卷

閻復　靜軒集五十卷

楊恭懿　潛齋集

楊果　西庵集

魏初　青崖集十卷　今五卷。宏州順聖人，諡忠肅。

李之紹　果齋文集　平陰人。

張立道　效古集　平蜀總論

王惲　秋澗大全集一百卷

陳祐　節齋集　一名天祐，趙州寧晉人，浙東道宣慰使。

何榮祖　大畜十集　載道集

申屠致遠　忍齋行稿四十卷

胡祗遹　紫山大全集六十七卷　今二十六卷。

劉因　丁亥集五卷　靜修文集三十卷

吳澄　支言集一百卷　文集五十二卷　草廬輯粹七卷

程鉅夫　雪樓集三十卷　本名文海，避武宗諱，以字行，建昌人。

姚燧　牧庵文集五十卷　今三十六卷。

盧摯　疏齋文集

楊宏道　小亨集十卷　今六卷。字叔能，淄川人，諡文節。

康曄　淡軒文集　字韞之，高唐州人，金至大詞賦甲科，入元，嚴實聘爲詞林祭酒。

趙孟頫　松雪齋集十卷　外集一卷　續集一卷

劉祁　神川遯士集二十二卷

方回　桐江續集五十卷　今三十七卷。　虛谷集　字萬里,歙人,宋進士,
知建德府。入元,爲建德路總管。

蒲壽晟　心泉學詩稿六卷　蒲壽庚之弟。

任士林　松鄉文集十卷　字叔實,奉化人。

戴表元　剡源文集三十卷　字帥初,一字曾伯,奉化人。一作二十八卷。

牟巘　陵陽集三十四卷　字獻之,陵陽人,居吳興。

白珽　湛淵文集二十卷　詩集二十卷　今一卷。字廷玉,錢塘人。

仇遠　金淵集六卷　山村遺集一卷　字仁近,錢塘人,溧陽州儒學教授。

金履祥　仁山文稿

許謙　白雲集四卷　許文懿古詩一卷

史伯璇　牖巖遺稿

程端禮　畏齋集十卷　今六卷。字敬叔,慶元人。

胡炳文　雲峰集十卷　一作二十卷。字仲虎,婺源人。

陳櫟　定宇集十六卷　別集一卷　字壽翁,休寧人。

曹涇　書文韻儷稿五卷　字清甫,新安人。

吳龍翰　古梅吟稿十六卷　詩集六卷　字式賢,新安人。

劉辰翁　須溪集一百卷　四景集四卷　須溪記鈔八卷　字會孟,
盧陵人。

劉壎　水村文集二十八卷　今十五卷。　水村詩集十卷

熊朋來　豫章家集三十卷

劉詵　桂隱文集四卷　詩集四卷

王義山　稼村類稿三十卷　別本十卷　字元高,豐城人,宋進士。入元,
提舉江西學事。

姚雲　江村近稿十三卷　字聖瑞,高安人,宋進士,仕元。

何中　知非堂稿六卷　一作十七卷。

敖繼公文集二十卷　字君善，福州人，家烏程。

劉邊　自家意思集四卷　字近道，建安人。

陳普　石堂遺集二十二卷　詠史詩　寧德人，一名尚德。

徐見心　詠史詩　蘭谿人。

韓性　同遺書二卷　寧德人，陳普弟子。

陳巖　九華詩集四卷　風髓集　集杜詩。字清隱，青陽人。

曹仲埜　詩文講義二卷　新安人。

洪焱祖　杏庭摘稿十卷　一作五十卷。

倪士毅　道川集　字仲弘，休寧人。

汪漢卿　養浩集二十卷　字景辰，黟縣人。

史蒙卿　果齋文集四十卷　鄞人，寓居臨海。

胡長孺　石塘文集五十卷　瓦缶編　南昌集　海寧漫鈔　顏樂齋稿　字汲仲，永康人。

張樞　弊帚編

張伯淳　養蒙文集十卷　字師道，嘉興人。

陳孚　觀光玉堂交州三稿三卷　附錄一卷

梁曾　學士詩集

滕玉霄文集

劉敏中　中菴集二十五卷　今二十卷。章邱人，謚文簡。

王約　潛邱集三十卷　字彥博，真定人。

王結　文忠集十五卷　今六卷。字儀伯，定興人。

宋衜　秬山集十卷　字次道，長子人。

楊公遠　野趣有聲畫二卷

艾性夫　剩語二卷　孤山晚稿

趙㳂　青山集八卷

錢觀光　屏巖小稿一卷

劉將孫　養吾齋集三十二卷

徐明善　芳谷集二卷

陳宜甫　秋巖詩集二卷

張翌文集

蕭㪺　勤齋文集十五卷　今八卷。

同恕　榘菴文集二十卷　今十五卷。

安熙　默菴集五卷　一作十卷。

杜瑛　中山文集十卷

杜秉彝　文集四十卷　瑛曾孫。

商琥　彝齋文集

馮子振　梅花百咏一卷　號海粟，寧鄉人。

鄧文原　巴西集一卷　內制集

袁桷　清容居士集五十卷　致亭集三十七卷

曹元用　超然集四十卷　汶上人。

曹伯啓　漢泉漫稿十卷　續稿三卷　碭山人。

張養浩　歸田類稿二十八卷　附錄一卷

敬儼　詩文集

王旭　蘭軒文集二十卷　今十六卷。字景初，鄆城人。

滕安上　東菴稿十六卷　今四卷。字仲禮。

王士元　拙菴集　山西平陽人。

王泰亨　康莊文集　平陽人，諡清獻。

張之翰　西巖集二十卷　元貞閒邯鄲人。

元明善　清河集三十九卷

張起巖　華峰漫稿　華峰類稿　金陵集

陳景仁　愛山詩稿　至大閒嘉禾人。

劉岳　東崖稿　字岷泰，吳人，世祖時以醫召入，知其能文，改官翰林學士。

張慶之　海峰文編三卷　字子善，吳人。

龔璛存　悔齋詩一卷　補遺一卷　字子敬，真州人。

陳深　寧極齋集一卷　東游小稿　<small>字子微,吳人。</small>

周自得　斐然集　<small>字性善,新喻人。</small>

卞南仲　溪居集　江行集　<small>字應午,長興人,官溧陽州判官,遂家焉。</small>

元淮　金囷集一卷　<small>崇仁人。</small>

宋无　翠寒集八卷　<small>今一卷。</small>　唫嘩集一卷　<small>字子虛,吳人。</small>

鄭滁孫文集

聞人夢吉詩集二卷　<small>字應之,婺源人。</small>

劉應　龜山南集二十卷　<small>字元益,義烏人。所著集爲《夢稿》、《癡稿》、《聽雨
留稿》。</small>

韓性　五雲漫稿十二卷　<small>字明善,會稽人,諡莊節。</small>

馮翼翁文集二十卷

胡助　純白類稿二十卷　附錄二卷　<small>字履信,一字古愚,東陽人。</small>

鄭覺民　求我齋集三十三卷　<small>字以道,鄞人。</small>

黃叔英　戁菴下筆二卷　詩文二十卷　<small>字彥實,慈谿人。</small>

王厚孫　遂初稿三十卷　<small>字叔載,鄞人,王應麟孫。</small>

趙偕　寶雲堂文藝二卷　寶峰先生遺集　<small>字子永,慈谿人。</small>

翁森　一瓢稿　<small>字秀卿,仙居人。</small>

吳鎮　梅道人遺墨二卷　<small>字仲圭,嘉興人。</small>

洪淵　環中集十卷　<small>豐城人。</small>

龍仁夫文集　<small>字觀復,永新人。</small>

龍雲從　魚軒集　<small>字子高,廬陵人。</small>

羅志仁　薊門行卷　姑蘇筆記　古香篇　倦游集　<small>字壽可,新
喻人。</small>

真山民　詩集一卷　<small>浦城人。</small>

虞集　道園學古錄五十卷　道園類稿五十二卷　道園遺稿
　十六卷　虞伯生詩續稿三卷

揭徯斯　文安集五十卷　<small>楊士奇《文籍志》云"缺",案今止十四卷,乃門人雪不</small>

華所編。　揭文一卷　詩三卷　文粹一卷　文續録二卷

楊載　仲宏詩集八卷　集古詩二卷　_{浦城人,徙居杭州。}

范梈　德機詩七卷　_{字亨父,清江人。}

黄溍　日損齋稿二十三卷　文獻集四十三卷　又　集十卷

柳貫文集四十卷　又　集三十卷　待制文集二十卷　別集二
　十卷

歐陽原功　圭齋文集十五卷　附録一卷

許熙載　東園小稿　_{字獻臣,許有壬父。}

高克恭　文簡文集七卷　_{字彦敬,本西域人,後家房山。}

小雲石海涯　酸齋文集

孛术魯翀文集六十卷

烏古孫良楨　約齋詩文奏議

馬祖常　石田文集十五卷

贍思文集三十卷　_{字得之,其先大食國人,後居真定。}

也先忽都詩集十卷　_{賀太平子。}

迺賢　金臺集二卷　海雲清嘯集　金臺後集一卷　_{字易之,本回鶻}
　_{人,後家四明。}

薩都剌　雁門集六卷　詩集三卷　集外詩一卷　_{雁門人。}

許有壬　至正集八十一卷　圭塘小稿十卷　別稿二卷　外稿
　二卷　續稿一卷　_{弟有孚倡和之作亦在焉,後不別出。}

宋本　至治集四十卷

宋褧　燕石集十五卷　附録一卷

王守誠文集　_{陽曲人,諡文昭。}

李泂文集四十卷　_{字溉之,勝州人。}

王元明　達意集十卷　_{蜀人。}

王都中　本齋詩集三卷

呂思誠文集

呂誠來　鶴亭詩一卷　補遺一卷　疑與呂思誠是一人。

曹鑑文集　字克明，宛平人，謚文穆。

武恪　水雲集　字伯威，宣德府人。

蒲道源　閒居叢稿二十六卷

貢奎　雲林小稿六卷　字仲章，宣城人。他所著有《聽雪齋記》、《青山漫吟》、《倦游集》、《豫章稿》、《上元新錄》、《南湖紀行》，皆逸不傳。

柯九思　敬仲詩一卷

鮮於樞　困學齋集

楊剛中　霜月齋集四十卷　字志行，上元人。

楊翮　佩玉齋集十卷　字文舉，上元人。

吳師道　禮部集二十卷

陸文圭　牆東類稿二十卷

梁益　三山稿

孟夢恂　筆海雜録五十卷　字長文，台州黃巖人。

宇文公諒　折桂集　觀光集　辟水集　以齋行稿　玉堂漫稿　越中行稿

朱德潤　存復齋集十卷　字澤民，吳人。

吾衍　竹素山房集三卷

葉森　瓦釜鳴集三卷　字景瞻，錢塘人。

莫維賢　廣莫子稿　字景行，錢塘人。

俞漢　象川集十卷　字仲雲，諸暨人。

岑安卿　栲栳山人集三卷　字靜能，餘姚人。

黃庚　月屋樵吟四卷　今止《漫稿》一卷。字星甫，天台人。

程珦　柳軒逸稿十卷　字晉甫，烏程人。

薛聞孫　甬東野人語四卷　鄞縣人。

薛觀　學箕集三卷　一名孟，字景荀，鄞人。

薛明道　瑞堂稿七卷　鄞人。

邱世良　梯雲集六卷　字子正，錢塘人。

范霖　歲寒小稿一卷　縉雲人，家於吳。

尹廷高　玉井樵唱三卷

黄玠　弁山小隱吟録二卷

侯充中　艮齋詩集十四卷

郭豫亨　梅花字字香前集一卷　後集一卷

劉鶚　惟實集四卷　外集一卷

王沂　伊濱集二十四卷　《明志》有王沂《徵士集》八卷，或非一人。

程端學　積齋集五卷

袁士元　書林外集七卷　字彦章，鄞人。

沈貞　茶山集十卷　字元吉，長興人。

洪震老　觀光集一卷　字復翁，淳安人。

吳曒　青城集二十卷　字朝陽，淳安人。

李序　絪緼集　字仲脩，東陽人。

李庸　詩集五卷　宮詞一卷　字仲常，序弟。

于石　紫巖詩選五卷　字介翁，蘭谿人。

周權　此山詩集四卷　字衡之，松陽人。

應恂純　朴翁稿　字子孚，永康人。

方誼　虎林高隱集五卷　附録一卷　錢塘人。《附録》皆同時人詩文。

陳樸　味道編　雲軒集　奉化人，陳樫兄，家於吳。

唐元詩文五十卷　今《筠軒集》十三卷。字長孺，歙人。

汪可孫　雲窗法語一卷　績溪人。

方瀾詩一卷　字叔困，莆田人，居於吳。

王元杰　水雲清嘯集　詩。　貞白英華集　文。字子英，吳江人。

衞培　過耳集十卷　字寧深，吳人。

師餘　縷裂集一卷　字爲翁，眉州人，居於吳。

陳鐸　壯游集八卷　字子振，吳人。

鄭潛　樗菴類稿二卷　字彥昭，歙人。

黎仲基　瓜園集十卷　名載，以字行，臨川人。

曾德裕　小軒初稿　字益功，永豐人。

曾巽申　超然集二卷　明時類稿　德裕弟。明時者，元京師坊名，巽申所居也。

吳景南　南窗吟稿四卷　吳溥曾祖。

劉霖　雲章集　安福人。

孫轍　淡軒詩　臨川人。

黃河清　叔美詩一卷　盰江人。

葛元喆　遺稿十卷　金谿人。

周應極　拙齋集二十卷　字南翁，鄱陽人，周伯琦父。

吳存　月灣谿詩稿　字仲退，鄱陽人。

黃巽　節菴集三十卷　字民同，都昌人，一云星子人。

丁儼　小溪集四卷　小溪寓興十卷　字主敬，新建人。

劉應登　耘廬集　安福人。

黃堅　遜世遺音一卷　字子貞，豐城人。

龔道原　雲山夜話集　字土元，新建人。

楊顯夫　水北山房集　南昌人。

蕭士贇　冰崖詩集

王大中　文忠文集十五卷

王立中　息菴寓齋稊隱三集二十卷　字彥强，閬州人，居於吳。

支渭興　龍溪詩集　四川長寧人。

朱文霆　葵山文集　莆田人。

林善同　泉山文集二卷　莆田人。

朱希顏　瓢泉吟稿四卷　後至元閩人。

衞宗武　秋聲集十卷　雲間人。

李京　鳩巢集　河間人。

張昌　寓道集十卷

王仁輔　文稿十卷　字文友，翼昌人，居常州。

虞薦發　薇山文集二十卷　丹陽人，居常州。

顧觀　容齋集二卷　字利賓，金壇人，一作丹陽人。

高皓孫　屠龍集十卷　字商叟，丹徒人。

楊如山　詩集十卷　字少游，本蜀人，後家京口。

張敏　月山集九卷　富平人。

趙若　澗邊集二十卷　字順之。

劉炳詩一卷　字元亮，崇安人。《明志》有《春雨軒集》十卷者，不知即此人否。

楊士宏　鑑池春草集　字伯謙，本襄城人，居清江。

林全　小孤山人集二卷

洪希文　續軒渠集十卷　附錄一卷　莆田人。父名巖虎，宋咸淳貢士，有集曰《軒渠》，故此名曰續。《附錄》即其父詩也。

柯橆　竹圃夢語二卷　莆田人。

黃清老　樵水集　字子肅，邵武人。

黃鎮成　秋聲集四卷

劉有定詩集八卷　泮宮歟一卷　莆田處士。

嚴士貞　桃溪百咏一卷　江漢百咏集　字正卿，崇陽人。

胡天游　傲軒集一卷　平江人。

柴潛道　秋巖小稿　襄陵人，詩爲集句。

壺弞　樵雲集　字怡樂，烏程人。

朱名世　鯨背吟一卷　字希顏，吳人，以武弁領海運。集皆航海之作。

謝宗可　咏物詩一卷　臨川人，一云金陵人。

蘇天爵　滋溪文稿三十卷　詩稿七卷

王士熙　江亭集

張延　文集十卷　藁城人。

潘昂霄　蒼崖類稿　蒼崖漫稿　濟南人。

安思承　竹齋詩集　磁州人，謚貞肅。

陳旅　安雅堂集十三卷　字衆仲，莆田人。

程文　䳐南生集三十八卷　師意集　蚊雷小稿四卷　字以文，婺源人。

李孝光　雁峰文集二十卷　今六卷。樂清人。

杜本　清江碧嶂集一卷

劉岳申　中齋文集十五卷　字高仲，吉水人。

林希元　長林存稿　台州人。

盧琦　圭齋集二卷

林泉生　覺是集二十卷　字清源，福州永福人。

吳萊　文集六十卷　淵穎集十二卷　宋濂訂。　附錄一卷

李士瞻　經濟文集六卷　東安人。

李延興　一山文集九卷　字繼本，士瞻子。

張翥　蛻菴集四卷

吳當　學言詩稿六卷　吳澄孫

傅若金　與礪文集十二卷　詩集八卷　附錄一卷　新喻人。

蔣易　鶴田集二十卷

俞希魯　聽雨軒集二十二卷　一作十一卷。京口人。

成原常　居竹軒集四卷

俞遠　豆亭集　字之近，常州人。

張端　溝南集　字希尹，江陰人。

項壽　山中言志前後續集共八卷　字彥高，龍泉人。

徐夢吉　琴餘雜言　龍游人。

徐夢高　菊存稿一卷　字明叟，淳安人。

何景福　鐵牛翁詩集一卷　字介夫，淳安人。

戴羽詩一卷　德安人。

楊和　灤京百咏一卷　號西雲，一云名和吉，今作楊允孚。

陳廷言　詒笑集二卷　江湖詩品二卷

李存　俟菴文集三十卷　字仲公，安仁人。

吳景奎　葯房樵唱二卷　附錄一卷　字文可，蘭谿人。

陳樵　鹿皮子集四卷　字君采，金華人。

周聞孫　鼇溪文集三卷　字以立，吉水人。

丁復　檜亭詩稿九卷　字仲容，天台人。

周潤祖　柴巖稿　臨海人。

秦輔之　忠孝百咏　嘉定人。

郭鏜　梅西集　字德基，福建長樂人。

吳志大　詩一卷

董嗣杲　廬山集　西湖百咏一卷　字德明，杭州人。後爲僧，改名思學，字無益。

陳深源　片雲小稿一卷

郭鎬　遺安集十一卷

張植　瀘濱集五卷　一作《瀘濱性情集》。

吳炳　待制集一卷

王彥高集十卷

徐文俊　從好集

劉德玄　亦玄集

王毅　訥齋文集四卷　字剛叔，栝蒼人。元末，與其徒章溢集鄉民禦寇有功，後死於寇。

王時潛　石梁文集

徐霽野　幽放集

李顯卿　寓菴文集

陳顯曾　師雨軒稿

呂溍　金臺稿

陳清隱　九華詩集四卷　爲五言絶句，題詠九華之勝。

袁易　靜春堂集四卷　字通甫，吳人。

余闕　青陽集六卷　附錄二卷

劉仁本　羽庭集六卷

黃昺　殷士詩

鄭玉　餘力稿五卷　遺文六卷　師山集八卷　附錄一卷

濟美錄四卷　字子美，歙縣人，鄭潛子。至正十四年，徵爲翰林待制，道阻。明兵
至，强起之，自縊死。

張仲深　子淵詩集六卷

陳鑑　午溪集十卷

成廷珪　居竹軒集四卷

郭翼　林外野言二卷

汪澤民　巢深燕山宛陵三稿　字叔志，宣城人，謚文節。

陳泰所　安遺集一卷　字志同，茶陵州人。

劉耕孫　平野集　茶陵州人，寧國路推官，死鎭南班之難。

陳方　子貞詩集一卷　京口人，居於吳，死張士誠之難。

潘省中集　黃巖人。

吳訥詩集五卷　字克敏，休寧人，建德路判官兼義兵萬戶，與明兵戰敗，不屈自裁。

王翰　友石山人遺稿一卷　字用文，其先靈武人，居廬州，爲潮州路總管。元
亡，辟地福州，明太祖召之，乃屬其子偁於友人吳海，自引決。

吳海　聞過齋集八卷　字朝宗，閩縣人，元亡不仕。

貢師泰　玩齋集十卷　一作十二卷。　拾遺一卷

周伯琦　近光集三卷　扈從紀行集一卷　字伯溫，鄱陽人。

劉聞　太史集六卷　字文霆，安福人。

孟昉待制文集　字天暐，本西域人，居北平。

馬玉麟　東皋詩集五卷　字伯祥，海陵人。

方澄孫　烏山小稿　莆田人。

許恕　北郭集六卷　補遺一卷

金涓　青村遺稿一卷

舒頔　貞素齋集八卷　附録一卷　北莊遺稿一卷

李繼本　一山文集九卷

甘復　山窗餘稿一卷

吳皋　吾吾類稿三卷

葉顒　樵雲獨唱六卷

魯貞　桐山老農文集四卷

郭鈺　靜思集十卷

楊翮　佩玉齋類稿十卷

方道叡　愚泉詩稿十卷　字以愚

錢惟善　江月松風集四卷　一作十二卷。字思復,錢塘人。

鄭元祐　僑吳集十二卷　字明德,遂昌人,從父居吳。

陳高　不繫舟漁詩集十二卷　一作十六卷,今九卷。字子上,永嘉人。

倪瓚　雲林詩集六卷　清閟閣集十五卷　一作十二卷。

顧瑛　玉山璞稿一卷

王禮　麟原文集二十四卷

朱希晦　雲松巢集三卷

周巽　性情集六卷

鄧雅　玉笥集十卷

呂則耕　得月稿六卷　新昌人,生而聾,自號"石鼓山聾者"。

葉廣居　自得齋集

趙德光　松雲樵唱四卷　桃園舊稿二卷　筆鄉紀謬三卷　字子明,龍泉人。

程從龍　梅軒詩集　字登雲,嘉魚人。

熊本　舊雨集五十卷

鄭東　鄭采　連璧集十四卷　東字季明,采字季亮,温州平陽人。

方樸　方壺集二卷

胡行簡　樗隱集六卷 _{字居敬，新喻人。}

王茂　東村野叟詩稿 _{字伯昌，曹州人，行省右丞。明初官之，力辭，因安置安}
慶，後放歸。

楊俊民　滹川文集 _{真定人。}

張淵　心遠堂集 _{字清夫，吳江人。}

呂肅　來鶴亭稿　　旣白軒稿　　番禺稿　　竹洲歸田稿 _{字敬夫，初名}
誠，崑山人。

黃錫孫　穀山集 _{字禹疇，常熟人。}

韓謔　五雲書屋稿六卷 _{字致用，韓性從兄。}

朱隱老　瀁峰精舍文集 _{字子方，豐城人。}

馬瑩　歲遷集四十卷　　雜古文十二卷 _{字仲珍，浙江建德人。}

王朝　德輝文集十卷 _{莆田人。}

唐懷德　存齋雜稿

張明卿　言志稿四卷　　六藝編六卷

段信苴　征行集 _{大理僰人，從兀良哈台征交阯道里所作。}

傅若金妻孫蕙蘭　綠窗遺稿一卷

鄭允端　蕭雍集一卷 _{字正肅，吳人，宋丞相鄭清之裔孫，同郡施伯仁婦。}

僧圓至　筠溪牧潛集七卷

僧善住　谷響集四卷 _{今一卷。}

僧元珙　石屋山居詩二卷

僧大訢　蒲室集十五卷

僧大圭　夢觀集二十四卷

釋英　白雲集三卷

僧廷俊　泊川文集五卷 _{字用章，樂平人。}

僧允中　雲麓文稿

僧栯堂集

鄧牧　伯牙琴一卷 _{字牧心，錢塘人，隱大滌山。}

馬臻　霞外詩集十卷

張雨　句曲外史集三卷　補遺三卷　集外詩一卷　字伯雨,吳郡人,棄家入道,隱茅山。

朱本初　貞一稿　臨川人,從吳全節,居大都。

雷思齊　空山漫稿　字齊賢,臨川人,玄教講師。

亡名氏　看雲集三卷　揭奚斯奉敕編,不詳何人。

馬需菴集　至元間人,失其名。

朱松亭詩集　以下皆不得爵里及其名或字。

吳仲孚詩

鄧大隱居士詩

郭野菴詩稿

杜東洲吟稿

王漢章　輞川集

王兼善　四時比興

馬紹詩文　金鄉人,河南行中書省右丞。

陳可齋文集二十卷

　　　右別集類,四百七十六家,五千二百零二卷。　舊載戴良、王逢、梁寅、楊維楨、陶宗儀、貢性之、謝應芳、張昱、李祁、張憲、華幼武、郭奎、趙汸、汪克寬、陳基、邵亨貞、葉顒、沈夢麟、宋禧、丁鶴年二十家,《明志》已錄入,兹不復著。

金元好問　中州樂府一卷　遺山樂府二卷

白樸　天籟集二卷

韓玉　東浦詞一卷　字溫甫,北平人。

段克己　菊莊樂府一卷

段成己　遯齋樂府一卷

孫鎮注　東坡樂府　字安常,隆州人。

元劉秉忠　藏春詞一卷

劉因　樵菴詞一卷

仇遠　樂府補題一卷

虞集　道園樂府一卷

彭致中　鳴鶴餘音

張翥　蛻巖樂府三卷

袁易　靜春詞一卷 <small>字通甫，吳郡人。</small>

沈禧　竹莊詞一卷 <small>字廷錫，吳興人。</small>

張埜　吉山樂府二卷 <small>字埜夫，邯鄲人。</small>

張養浩　雲莊休居自適小樂府一卷

喬吉　小令一卷 <small>字夢符，太原人。</small>

張洪範　詩餘一卷

張久可　小山小令二卷 <small>以路吏轉民務官。</small>

汪元亨　小隱餘音一卷　雲林清賞一卷

陸輔之　詞旨一卷

鄭杓次　夾漈餘聲樂府 <small>字子經，興化人。</small>

耶律鑄　雙溪醉隱樂府十一冊 <small>分前、續、別、外、新五集。</small>

趙粹夫　陽春白雪集

楊朝瑛　朝野新聲太平樂府九卷　陽春白雪後集五卷 <small>青城人。</small>

鍾嗣成　錄鬼簿二卷

鳳林書院詞選二卷 <small>一名《續草堂詩餘》。以下失名。</small>

南北宮詞十八卷 <small>《南詞》六卷，《北詞》六卷，《北詞別集》六卷。</small>

南呂九宮譜十卷

　　　右詞曲類，二十九家，八十四卷。

金元好問　唐詩鼓吹十卷 <small>元中書右丞郝天挺注。</small>　中州集十卷

房祺　河汾諸老詩集八卷

元蘇天爵　國朝文類七十卷

虞集　邵菴文選心訣一卷

馮翼翁　文章旨要八卷

吳鑑　天爵堂類編十卷　集鄱陽吳氏歷代制誥及士大夫賦頌。

吳宏道　中州啓牘四卷

柳貫　金石竹帛遺文十卷

韓謥　彙萃魏國家集十二卷　類編名人詩文八卷　尺牘一卷

趙景良　忠義集七卷

金履祥　濂洛風雅七卷

汪澤民　張師愚　宛陵羣英集二十八卷　今十二卷。

鄭滁孫　義陽詩派

左克明　古樂府十卷

仇遠　批評唐百家詩選

吳萊　楚漢正聲二卷

楊士宏　唐音遺響八卷　一作十五卷。字伯謙，襄陽人，家清江。

周南瑞　天下同文五十卷　今佚六卷。廣陵人。

杜本　谷音二卷

蔣易　皇元風雅三十卷

許有壬等　欸乃集二卷　有壬兄弟及子楨客、馬煦詩詞。

金宏　乾坤清氣　錢塘人。選元作者三十人詩。案明偶桓亦有《乾坤清氣集》十
四卷，疑各一書。

傅習　皇元風雅十二卷

孫存吾　皇元朝野詩集十二卷　續傅習之後。

馬瑩　唐五百家詩選五卷　南渡諸家詩選一卷

蔡正孫　詩林廣記前集十卷　後集十卷　至正中人。

方道壑　選唐詩一卷

陳士元　武陽耆舊詩宗一卷　邵武人。

計有功　唐詩紀事八十一卷　臨卭進士。

何元適　倪希程　詩準四卷　詩翼四卷

方回　瀛奎律髓四十九卷

謝翱　手鈔詩二十卷　天地間集五卷 今僅存一卷。

劉會孟　古今詩統六卷

施少愚　秋浦類集

吳渭　月泉吟社詩一卷 號潛翁，浦陽人。

何新之　詩林萬選十八卷 衢州西安人，知忠安軍，死節。

顧阿瑛　玉山名勝集八卷　草堂雅集十三卷 皆玉山交游諸人詩。

　玉山餞別寄贈詩一卷　玉山紀游一卷 袁華編。華已入明，而此諸人
皆在元時，故附此。

周砥等　荆南唱和詩一卷 與馬治唱和。治後入明，而詩則作於元時，故
繫此。

楊維楨等　西湖竹枝詞一卷

祝堯　古賦辨體八卷　外集二卷

賴良　大雅集八卷

劉履　風雅翼十二卷

呂虛彝　瀛海紀言十七卷 字與之，奉化黃冠。

僧圓至　注周弼三體唐詩二十卷 今六卷。

萬寶詩山三十八卷 類書中有錢絅《萬寶事山》，此書疑亦其人。

古今大成詩選正宗二十卷 以下不知撰人。

歲時雜詠四十卷

元音遺響十卷 疑亦出楊士宏。

諸公大雅二帙

青白一隅十卷

古文精粹十卷

古文大全二十二卷

古文規鑒一百卷

性理文錦八百卷

右總集類,五十四家,一千六百八十二卷。

金元好問　杜詩學一卷　東坡詩雅三卷　錦機一卷　詩文自
　警一卷

王繪注　太白詩 字賢夫,濟南人。

元李塗　文章精義二卷 臨川人。

王構　脩詞鑒衡二卷

潘昂霄　金石例十卷 濟南人。

陳繹曾　古文矜式二卷　文說一卷　文筌八卷　文譜一卷 字
　伯敷,處州人。

吳師道　禮部詩話二卷

楊士宏　杜陵詩律一卷

申屠致遠　杜詩纂例十卷

范梈　詩林要語一卷　詩學禁臠一卷　木天禁語三卷

傅與礪　詩法源流三卷

無名氏　增廣文章精義一卷

羅椅　陸放翁詩選十卷 字子遠。

劉會孟　精選陸放翁詩八卷

楊齊賢　蕭士贇　分類補注李太白詩集二十五卷

杜梴　批選李太白詩四卷　杜子美詩六卷

張性　杜律衍義二卷 字伯成,臨川人。後人以此書託名虞集。

傅若川　杜詩類編三卷 類輯楊仲宏、揭曼碩、范德機所解杜詩。

曾巽申　韻編杜詩十卷　補注元遺山詩十卷

唐仲英　陸宣公文集菁華二卷

劉霖　杜詩類注

吳師道注　絳守居園池記一卷

釋慶閑　箋注范成大田園雜興詩一卷　字無逸，吳人。

　　右文史類，二十三家，一百三十六卷　箋注亦附此類。

元涂漻生　易義矜式　周易疑擬題三卷　宜黃人。

王充耘　書義矜式

陳悦道　書義斷法六卷

倪士毅　尚書作義要訣四卷

林泉生　詩義矜式十卷

歐陽起鳴　論範六卷

陸可淵　策準三卷

　　右制舉類，七家，三十二卷。

　　凡集部六百六家，七千二百三十一卷。

　　以上總四部一千七百十家，二萬二千二百二十卷。

海寧諸生張錦雲，字繼才，　有《元史藝文志補》，此兼採之。

補三史藝文志

[清] 金門詔 撰

陳錦春 整理

底本:清光緒十七年廣雅書局刻本

補三史藝文志序從《金東山文集》鈔出。

粵自墳索既興，典章代備，創自羲皇，顯於姬室，彬彬郁郁，盛蕘加矣。洎乎道湮迹熄，文獻無徵，異端邪説，百家混淆，宣聖懼焉，爲之繫《易》删《書》，訂禮正樂，修《春秋》，著《孝經》，燦然如日月之經天，照耀萬古矣。雖秦火暫延，而斯文未喪。迄於漢代，除挾書之律，開獻書之路。自孝武至成帝，訪求數世，充積秘府，爰命劉向校書天禄。子歆繼軌，撰爲《七略》。後漢班固因之以作《藝文志》，誠千古文苑之津梁，而爲藏書者之鴻寶也。迨至魏，祕書郎鄭默始制《中經》，祕書監荀勖又因《中經》更著《新簿》，分爲甲乙丙丁，而四部之名由兹以起。然甲經乙子，史次子後，詎爲確然。宋祕書監謝靈運造《四部目録》，祕書丞王儉又造《目録》，別撰《七志》。齊祕書丞王亮監謝朏、梁祕書監任昉及殷鈞復有《四部目録》，阮孝緒乃更爲《七録》。唐興，長孫無忌等奉敕撰《隋書》，綴緝藝文，更名《經籍》。所云遠覽馬《史》班《書》，近觀王、阮《志》、《録》，約文緒義，凡五十五篇，各列小序於本條之下，而首經次史，然後繼之以子，終之以集，條理森然，義既精密，而"經籍"之名，方諸"藝文"，彌稱體要。蓋自有書契以來，依類參稽，展卷瞭如，邁《漢志》多矣。降兹以還，唐宋皆分四庫，而甲乙丙丁載於志者，仍因四部之名，復追《藝文》之號。縱序説不及《隋書》周詳，而隋以後之著作藉以參稽，亦非細故也。近者焦太史竑竊取鄭樵《通志》之例，仍依《隋書》名以《經籍》，上下數千年，繁蕪充棟，類聚羣分，燦然明備，厥功偉矣。獨惜其於遼、金、元三朝之書缺略爲多，統覽今古，於兹未備，不無遺憾焉。遼有耶律庶成、蕭韓家奴之徒，

以文學著；金有虞仲文、徒單鎰、張行簡、楊雲翼、趙秉文之輩，
以經術顯；元則郝經、許衡、吳澂、齊履謙、元明善、黄溍、吳萊、
金履詳、許謙、陳櫟、胡一桂、黄澤、吳師道之屬，幾于接踵歐、
曾，嗣音濂、洛矣。雖片簡隻字，所當珍惜，而不可失者也。可
無稽乎？竊不自揆，乃取三史所載，并旁搜博採，合爲一志，以
當拾遺補闕之一助云。

經　　部

易　經　類

遼道宗頒定《易傳疏》一部，清寧元年頒賜學校。

　　　右遼

王弼、韓康伯《易經注》，天德三年國子監印定。

女直字譯《易經》一部，世宗大定二十三年，譯經所譯。

趙秉文　易經叢説十卷

趙秉文　象數雜説

　　　右金

詔定《易經注疏》，仁宗皇慶二年，詔定《周易》，以程氏、朱氏爲
　主，兼用注疏。

郝經　易經外傳

郝經　太極演

許衡　讀易私言一卷

劉肅　讀易備忘

劉因　繫辭説

吳澂　易纂言十三卷　又　校定周易　又　易經著録

袁桷　易説

齊履謙　易繫辭旨略二卷　又　易本説四卷

王結　易説一卷

陳櫟　易編

胡方平　易學啓蒙通釋一卷　又　易餘聞記

胡一桂　周易本義　附録　纂疏十五卷　又　周易啓蒙翼傳
　三卷　外篇一卷

胡炳文　周易本義通釋十二卷

黄澤　易經解　又　十翼舉要　又　周易辨忘　又　象略辨
　同論　又　易學濫觴

鄭滁孫　大易法象通贊　又　周易記玩

龍仁夫　周易集傳十八卷

吳師道　易雜説

周敬孫　易象占　仁榮父。

贍思　奇偶陰陽消息圖

鄭玉　周易纂注

張特立　周易集説

何中　易類象二卷

李簡　學易記九卷

俞琰　大易集説十卷　一作《會要》。　又　大易纂圖二卷　又　古
　占法一卷

熊良輔　周易本義集成十二卷

董真卿　周易會通十四卷

雷思齊　易圖通變五卷

張理　易象圖説三卷　又　大易象數鈎深圖三卷

倪淵　易圖説二十卷

黄舜祖　易説

陳尚德　易説

潘迪　周易述解

惠希孟　易象鈎玄

邵整　六十四卦圖説

黄超然　周易通義

吳夢炎　周易集義

熊凱　易傳集疏

李學遜　周易精解

何逢原　易解説

彭福　易學源流

涂晉生　易義矜式

祝堯　大易衍義

吳存　程朱易傳

吳存　本義折衷

張延　周易備忘

胡特　周易直解

劉霖　周易本義四卷

黃鎮成　周易通義十卷

歐陽貞　易問辨三十卷

吾衍　重正卦氣一卷

　　右元

書　經　類

室昉《尚書·無逸篇》一卷，統和元年進。

頒定《書經傳疏》一部，道宗清寧元年頒賜學校。

《五子之歌》一卷，大安四年，命燕國王延禧寫。

　　右遼

孔安國《尚書傳注》，天德三年，國子監印定。

女直字譯《尚書》一部，大定二十三年，譯經所進。

趙秉文《無逸直解》，正大年進。

呂造《尚書要略》，正大閏萬壽節，同知集賢院呂造進。

右金

蕭㪍《酒誥》一卷,大德十一年,右諭德蕭㪍書以獻。

元明善譯《尚書節文》一部,皇慶元年,仁宗詔元明善、宋文陞
同譯。

吳澂　書經纂言四卷　又校定《書經》一部 一作《書經序錄》。

趙孟頫　尚書注

齊履謙　書傳詳説

吳萊　尚書標説六卷

陳櫟　書傳纂疏六卷

金履祥　尚書表注四卷 廉訪使鄭允中表上。

韓性　書經辨疑一卷

許謙　書傳叢説六卷

吳師道　書經雜説

梁益　尚書補遺　又　七政疑解

何中　書傳補遺

陳尚德　書傳補遺

黃鎮成　尚書通考十三卷

韓信同　書經講義五百餘篇

何逢原　書經通旨

徐蘭　書經體要

陳樵　洪範傳

于房　書傳

邱葵　書經直解

呂椿　書經直解

胡誼　尚書釋疑

胡一中　定正洪範一卷

吾衍　尚書要略

王充耘　書經管見二卷

周聞孫　書經一覽

王天與　尚書纂傳四十六卷

蘇鼎　書傳六卷

陳師凱　書經蔡傳旁通六卷

朱祖義　尚書句解十三卷

　　　右元

詩　經　類

頒定《詩經傳疏》一部，清寧元年頒賜學校。

　　　右遼

《毛鄭詩經》一部，天德三年，國子監印定。毛萇注，鄭玄箋。

　　　右金

禿忽思錄《毛詩》一部，至元五年，敕從臣禿忽思等錄。

塔失不花《豳風圖》，皇慶二年進。

吳澄　校定詩經

許謙　詩經集傳　又　詩名物鈔八卷

陳櫟　詩記

胡一桂　詩傳　附錄　纂疏

韓性　詩音釋一卷

吳師道　詩雜說

梁益　詩傳旁通

朱公遷　詩傳疏義二十卷

黃舜祖　國風小雅說

劉瑾　詩傳通釋

蕭山　讀詩傳十卷

王都中　詩集三卷

顏達　詩經講說

邱葵　詩口義

楊舟　詩經發揮

雷光庭　詩義指南十七卷

熊凱　風雅遺音

朱倬　詩經疑問七卷

　　右元

春　秋　類

頒定《春秋傳疏》，清寧元年頒賜學校。

　　右遼

杜預《左傳注》，天德三年，國子監印定。

楊雲翼　左氏賦一篇

　　右金

刊定陸淳《春秋纂例辨疑微旨》，延祐五年，太保曲出請梓。

郝經　春秋外傳

李昶　左氏遺意二十卷

吳澂　春秋纂言　又　校定春秋

袁桷　春秋說

齊履謙　春秋諸國統紀六卷

敬儼　春秋備忘四十卷　一作敬鉉。　春秋憲章

吳萊　春秋世變圖二卷　又　春秋傳授譜一卷

胡炳文　春秋集解

黃澤　春秋經解　又　三傳義例考　又　筆削本旨　又　元年春王正月辨　又　諸侯娶女立子通考　又　魯隱公不書即位義　又　春秋指要　又　丘甲辨

程端學　春秋本義三十卷　又　春秋三傳辨疑二十卷　又　春秋或問十卷

吳師道　春秋胡傳　附　辨

周敬孫　春秋類例

杜瑛　春秋地理源要十卷

張樞　春秋三傳歸一義三十卷

呂椿　春秋精義

苟宗道　春秋外傳五十卷　又　春秋三傳序論一卷

王原傑　春秋讞議

吳儀　春秋裨傳類編　又　春秋五論辨

劉聞　春秋通旨

陳琢　春秋旨要

彭絲　春秋辨疑

林泉生　春秋論斷

郭正子　春秋傳論

臧夢解　春秋發微

潘迪　春秋述解

魯淵　春秋節傳

戴良　春秋經傳考

魯貞　春秋按斷

黃清志　春秋經旨

李應龍　春秋纂例

李廉　春秋傳會通二十四卷

邱葵　春秋通義

戴栩　春秋説

田君右　春秋管見

高元之　春秋義宗五十卷　集春秋説三百餘條

王惟賢　春秋旨要十二卷

楊維禎　春秋大義　又　左氏君子論　又　春秋透天關

劉希賢　春秋比事

張樞　三傳歸一義

章樵　補春秋繁露

張浚　春秋中的

牟楷　春秋建正辨

王申子　春秋類傳

梅致和　春秋

　　　右元

四　書　類

四書譯解　温迪罕締達　宗璧阿魯　張克忠等譯　一作楊克忠。

趙秉文　中庸説一卷　又　删集論語解十卷　又　删集孟
　子解

李純甫　中庸集解

劉章　剌剌孟

　　　右金

許衡　大學直説　又　大學要略

王鶚　論語集義一卷

李昶　孟子權衡遺説五卷

劉因　四書精要三十卷　又　四書語録

齊履謙　大學四傳小注一卷　又　中庸章句續解一卷　又

言仁通旨二卷

吳萊　孟子弟子列傳二卷

金履祥　大學章句疏義二卷　又　論語孟子集注考証十七卷

許謙　四書叢説二十卷

陳櫟　四書發明三十八卷　又　四書考異十卷

胡炳文　四書通三十四卷　又　四書辨疑　又　大學指掌圖

贍思　四書闕疑

杜瑛　語孟旁通八卷

孟夢恂　四書辨疑

陳沂　大學論語説

黃季全　論語人物志

薛搜　孔子集

黃鎮成　中庸章旨二卷

陳尚德　四書集解

何逢原　四書解説

邱葵　四書日講

林起宗　四書圖解

黃清老　四書一貫數十卷

黎立武　大學發微

程復心　四書章圖纂釋二十二卷

張存中　四書通證六卷

詹道傳　四書纂義二十六卷

朱公遷　四書通旨六卷

四書辨疑十五卷　失名。

景星　學源啓蒙一卷

　右元

孝　經　類

唐玄宗《孝經注》，天德三年，國子監印定。

女直字《孝經》，大定年譯。

　　右金

《國字孝經》，大德十一年，右丞孛羅鐵木兒進。

趙孟頫手録《孝經》，至治元年奉命書。

小雲石海涯　直解孝經一卷

許衡　孝經注　　一作《直説》。

吳澂　孝經定本

胡一桂　孝經傳贊

李孝光　孝經圖説　　至正七年進。又　孝經義疏

林起宗　孝經圖解

董鼎　孝經大義

朱申　孝經句解

　　右元

小　學　類

太祖契丹大字　耶律庶成制

李德明　番書十二卷

　　右遼

太祖女直大學　完顔希尹撰

熙宗女直小字　完顔希尹撰

蔡珪　續金石遺文跋尾十卷

　　右金

泰不華　復古編十卷

楊桓　六書統二十卷　又　六書泝源十三卷　又　書學正韻
　三十六卷

申屠致遠　集古印章三卷

劉因　小學語録

柳貫　字系二卷　金石竹帛遺文十卷

周伯琦　六書正譌　又　説文字原

許謙　假借論

蕭斞　小學標題駁論

杜本　六書通編

八思巴　蒙古新字

孫吾與　韻會定正四卷

黄玠纂　韻録

陶九成　書史會要七卷

　　右元

經 解 總 類

遼道宗頒定《五經傳疏》，清寧元年頒定。

　　右遼

《五經譯解》，大定年，詔温迪罕締達、宗璧阿魯、楊克忠譯解，移
　剌傑、移剌履講究其義。

馬定國　六經考

　　右金

《九經講義》，太宗命梁鶿、王萬慶、趙著等釋。

《五經要語》,至元三年,商挺、姚樞、竇默、王鶚、楊果等纂進。

余闕　五經傳注

李好文　端本堂經訓要義十一卷

張頤　經説

黃澤　六經補注　又　翼經罪言

牟應龍　五經音考

贍思　五經詩問

杜本　四經表義

楊維楨　五經建鈴

歐陽長孺　九經治要十卷

　　右元

史　　部

正　史　類

頒定《史記》、《漢書》，咸雍十年頒定。

《五代史譯解》，重熙十五年，蕭韓家奴奉詔譯。

　　　右遼

徒單鎰《史記譯解》，大定六年，以女直字譯。

蕭貢　注史記一百卷

徒單鎰《西漢書譯解》，大定六年譯。

蔡珪《南北史》三十卷，合沈約、蕭子顯、魏收書作《南北史》。

蕭永祺　遼史紀三十卷　志五卷　傳四十卷

黨懷英《遼史》，陳大任繼修。

　　　右金

張樞　刊定三國志六十五卷　又　續後漢書七十三卷　分漢本紀、魏、吳載紀。

郝經　續後漢書九十卷

脫脫　遼史一百十五卷　又　金史一百三十五卷　又　宋史四百九十六卷

　　　右元

編　年　類

蕭韓家奴　通曆譯

　　右遼

《續資治通鑑》,大安中,詔儒臣楊雲翼等續纂。

《龜鑑萬年錄》,正大閒,趙秉文與楊雲翼同撰進。

　　右金

郝經　通鑑書法

金履祥　通鑑前編二十卷

張特立　歷年係事紀

胡一桂　歷代編年

陸以道　宋鑑提綱

何中　綱目測海三卷

　　右元

實　錄　類

遼先朝事迹二十卷,林牙、耶律庶成、蕭韓家奴同撰。重熙十三
　年,詔錄遙輦可汗至重熙以來事跡。

皇朝實錄七十卷　樞密直學士耶律儼等撰

統和實錄二十卷,北府宰相室昉、翰林學士刑抱朴等撰,統和四
　年進。

　　右遼

金始祖以下十帝實錄,穆宗子金源郡王完顏勗撰,皇統元年進。

太祖實錄二十卷,完顏勗撰,皇統八年宗弼進。

《太宗實錄》,紇石烈良弼、張景仁、曹望之、劉仲淵等同修。

《睿宗實錄》,尚書左丞相紇石烈良弼等修,太定十一年進。

熙宗實錄　鄭子聃撰

《世宗實錄》,承安三年,尚書右丞完顏匡進。

章宗實錄，興定四年，尚書右丞高汝礪監修，參知政事張行信、
　王若虛等同修。

　　右金

元太祖以來累朝實錄，翰林學士撒里蠻等纂修。

太宗實錄，大司徒撒里蠻、翰林學士承旨三魯帶等進。

世祖實錄，王約、董俊、姚燧、趙孟頫、孛朮魯翀等修。

太宗、世宗、憲宗三朝實錄，元貞二年，兀都帶等進。

《金書世祖實錄節文》一冊，《漢字實錄》十冊，大德八年，翰林學
　士承旨撒里蠻進。

順宗實錄，至大元年，命翰林元明善等修。

成宗實錄，至大元年，鄧文原、暢師文、程鉅夫、元明善等修。

武宗實錄，皇慶元年，程鉅夫、元明善、楊載等修。

武宗實錄，至順元年，蘇天爵重修。

仁宗實錄，曹元用、元明善、李之紹等同修，拜住正定至治三
　年進。

英宗實錄，吳澂、曹元用、馬祖常、廉惠山、海牙等修。

泰定、天曆兩朝實錄，張起巖、歐陽玄等修。

四朝實錄，翰林學士歐陽玄修。

泰定帝、明宗、文宗三朝實錄，蘇天爵、謝端、成遵等修。

　　右元

起 居 注 類

遼興宗起居注，重熙中，耶律良修。

　　右遼

金天德朝起居注，天德三年，翰林待制宗敘修。

世宗起居注,大定七年,詔紇石烈良弼、石琚、楊邦基、夾谷衡等
　同修。

章宗起居注,守貞等修。

　　右金

世祖起居注,至元十五年修。

順帝起居注,至正元年修。

　　右元

雜　史　類

唐三紀行事　聖宗時,馬得臣錄唐高祖、太宗、玄宗三紀行事可
　法者以進。

譯貞觀政要　蕭韓家奴譯

　　右遼

君臣政要　趙秉文與楊雲翼同集自古治術。

趙秉文　龜鑑

興亡金鏡錄一百卷　傳慎微纂

女直字貞觀政要　徒單鎰譯

貞觀政要　申鑒　趙秉文

金四朝聖訓　承安五年,右補闕楊廷秀等類編。

熙宗尊號册文　完顏勗撰

大定遺訓　正大四年,同知集賢院史公奕進。

初政錄十五篇　范拱撰

會同記錄　張行簡撰　又　朝獻記錄　又　禘祫記錄
　又　喪葬記錄

金源野史　元好問撰

劉祁歸　潛志　從益之子

　　右金

兩漢通紀　呂思誠撰

漢唐會要　孟夢恂撰

觀史治忽幾微　許謙撰

十七史纂　胡一桂撰

大寶錄　李好文撰，言歷代治亂興廢。

大寶龜鑑　李好文撰，言前代是非善惡。

史評一卷　德安戴羽撰，虞集序。

歷代史鉞　楊維禎撰

史論三十卷　王約撰

皇圖大訓　馬祖常撰

承華事略　馬祖常撰

天興近鑑三卷　楊奐撰

正統書六十卷　楊奐撰　一作《正統八例》。

汝南遺事二卷　王鶚撰

平蜀論　張立道撰

安南錄　張立道撰

承華事略　五惲撰

守成事鑑十五篇　王惲撰進成宗。

世宗聖訓六卷　王惲撰

平宋事蹟　暢師文撰

國統離合表　姚燧撰

雲南實錄五卷　郝天挺撰

　　右元

故　事　類

經世大典八百八十卷　目録十二卷　公牘一卷　纂修通議一
　　卷　天曆二年，命趙世延、虞集等撰。悉取諸有司掌故修之。
歷代帝王故事百有六篇　李好文撰
　　　右元

職　官　類

官制　許衡　劉秉忠　張文謙同撰
相鑑五十卷　王惲撰
中堂事記　王惲撰
烏臺筆捕　王惲撰
玉堂嘉話　王惲撰
相業一編　鄧光薦撰
　　　右元

儀　注　類

禮書　耶律庶成　蕭韓家奴同撰
　　　右遼
大金禮儀　楊雲翼校
　　　右金
朝儀　許衡　徐世隆撰
釋奠通禮三卷　申屠致遠撰

太常集禮五十卷　李好文撰
　　右元

法　令　類

皇統制條大定律例　移剌愷撰
　　右金
風憲宏綱　趙世延撰，世延所較定律令。
審聽要訣　贍思撰
至元新格　何榮祖撰
　　右元

傳　記　類

遼三臣行事一卷　耶律孟簡撰
　　右遼
張行簡　清臺記　又　皇華記　又　戒嚴記　又　爲善自
　公記
韓玉　元勳傳
王鬱　王子小傳
　　右金
孟子弟子列傳　吳萊撰
國朝名臣事略十五卷　蘇天爵撰
牟應龍　隆山雜記
吳師道　敬鄉錄
贍思　正大諸臣列傳

瞻思　異人傳

張翥　曲江張公年譜

張翥　忠義錄　集至正兵興來死節死事之人。

　　右元

譜　牒　類

女直郡望姓氏譜　完顏勖撰

　　右金

史傳姓氏纂　梁益撰

　　右元

地　理　類

蔡珪　補正水經五篇

蔡珪　晉陽志十二卷

　　右金

皇慶　處州路志

張立道　雲南風土記　又　六詔通說

王惲　汲郡志十五卷

暢訥地理指掌圖注　暢師文父撰

王約　高麗志四卷

黃溍　義烏志七卷

蕭㪺　九州志

吳萊　古職方錄八卷

韓性　郡志八卷

贍思　鎮陽風土記　又　續東陽志　又　重訂河防通議　又
　西域圖經

　　右元

子　部

儒　家　類

楊子發微一卷　趙秉文撰　又　太玄箋六卷　又　文中子類
　　說一卷

李純甫　鳴道集解

　　　右金

吳澂　校證太玄經　又　校定皇極經世書　又　學基學統
　　二卷

朵爾直班　治原通訓四卷

郝經　太極演　又　原古錄

何榮祖　載道集　又　觀物外篇

齊履謙　經世書入式一卷　又　外篇微旨八卷

柳貫　近思錄廣輯三卷

李洞　輔治篇

趙復　傳道圖　又　伊洛發揮　又　師友圖　又　希賢錄

許謙　自省編

胡一桂　人倫事鑑

程端禮　讀書日程

孟夢恂　性理本旨

鄭文嗣　家範三卷

杜瑛　皇極引用八卷　又　皇極疑事四卷　又　極學十卷

馬佐順　寶範　英宗所賜名。

季仁壽　春谷續書紀　<small>共二百卷。</small>

　　右元

道　家　類

老子集解　李純甫撰

南華略釋一卷　趙秉文撰

莊子集解　李純甫撰

列子解一卷　趙秉文撰　<small>一作《列子補注》。</small>

莊、列賦各一篇　楊雲翼撰

　　右金

吳澂　校證老子　又　校證莊子

贍思　老莊精論

俞琰　陰符經解

趙材卿　陰符經注

　　右元

釋　家　類

梵覺經　咸雍三年，夏國遣使進。

御書華嚴經五頌　咸雍八年，道宗書。

頒定《高麗佛經》，太康四年，詔僧善知讐校高麗所進佛經。

　　右遼

無量壽經　承安二年印，一萬卷。

李純甫　楞嚴經解

李純甫　金剛經解

李純甫　西方父教　純甫解上二經，統數十萬言，號《西方父教》。

張珣注　金剛般若經

　　右金

**必蘭納識里譯　楞嚴經　又　大乘莊嚴寶度經　又　乾陀般
若經　又　大涅槃經　又　大乘功德經　又　不思議禪
觀經**

王當陽　精語　元初，遇異人，能幻化之術，撰《精語》。

　　右元

天 文 家 類

移剌履　乙未曆

楊雲翼　五星聚井辨一篇　又　象數雜説　又　句股機要

　　右金

庚年元曆　耶律楚材撰　又　麻答把曆　楚材依《回鶻曆》撰。

授時曆　許衡　郭守敬撰

李治　測圓鏡海十二卷

**郭守敬　推步七卷　又　立成曆二卷　又　曆議擬稿三卷
　又　上中下三曆注式十二卷　又　時候箋注二卷　又　修
改源流二卷　又　儀象法式二卷　又　二至測影考二卷
　又　五星細行考五十卷　又　古今交食考一卷　又　新測
二十八舍雜坐諸星入宿去極一卷　又　新測無名諸星一卷
　又　月離考一卷**

齊履謙　二至測影考二卷　又　經串演撰八法一卷

杜瑛　律曆志十卷

陳尚德　石塘算書

右元

五 行 家 類

王白　百中歌　卜筮類。

右遼

郭守敬　轉神選擇二卷

劉因　櫝蓍記

吳澂校定郭璞《葬書》

右元

兵 家 類

吳澄　校證八陳圖

右元

縱 橫 家 類

吳師道　戰國策校注十卷

右元

農 家 類

暢師文　農桑輯要七卷

王禎　農桑通訣二十卷

右元

雜　家　類

徒單鎰譯《白氏策林》,大定四年上,女直字譯。

趙秉文　資暇録十五卷

王庭筠　蕖辨十卷　一作《蕖談》。

王庭筠　張汝方　品第書法名畫五百五十卷

元好問　錦機一卷　又　壬辰雜編

　　右金

李冶　壁書蕖削十二卷　又　古今難四十卷　又　益古衍疑
　　三十卷

黃溍　筆記一卷

蘇天爵　春風亭筆記一卷

胡長孺　寧海漫鈔

孟夢恂　筆海雜録

陶九成　輟耕録三十卷

杜本　十原

　　右元

小　説　家　類

李冶　泛説四十卷

張樞　林下竊議一卷

陶九成　説郛一百卷

俞瑛　席上輔談二卷

鄭元祐　遂昌山樵雜録二卷

李有　古杭集記一卷

右元

醫　家　類

耶律庶成　譯方脈書

直魯古　鍼灸書

右遼

劉完素　運氣要旨論　又　精要宣明論　又　素問元機原
病式

張子和汗下吐法　張從正撰　又　儒門事親十四卷　又　六
門二法

李慶嗣　傷寒纂類四卷　又　改政活人書二卷　又　寒傷論
三卷　又　針經一卷

紀天錫　注難經五卷

右金

至元增修本草　世祖至元二十一年，命翰林承旨撒里蠻、集賢大學士許國禎，集
諸路醫學教授修。

申屠致遠　集驗方十二卷

李杲　醫書　又　東垣十書

右元

藝　術　類

義宗射騎圖　又　獵雪圖　又　千鹿圖

右遼

衍慶宮功臣圖像畫宰相韓企先等像

徒單克寧圖像　世宗二十八年，詔畫克寧像藏內府。

　　右金

楊奐　硯纂

趙孟頫　印史二卷

吾衍　古印文二卷

王厚之　復齋印譜

　　右元

集　　部

別　集　類

遼道宗清寧集　耶律良編

平王隆先　閬苑集

蕭孝穆　寶老集

耶律資忠　西亭集

耶律庶成集

楊佶　登瀛集

耶律孟簡集

耶律谷欲集

王棠集

耶律氏　常哥集

　　　　右遼

金源郡王完顏勗集

豫王永成　樂善居士集　世宗子。

虞仲文集

宇文虛中集

高士談　蒙城集

完顏璹　如菴小稿

李愈　狂愚集二十卷

徒單鎰　弘道集六卷

路鐸　虛舟居士集

張行簡　叔甫集十五卷

楊雲翼　之美集

趙秉文　淦水集

韓玉　應制集

李獻甫　天倪集

蔡松年集

蔡珪　正甫集五十五卷

吳激　東山集十卷

馬定國集

趙可　玉峯散人集

郭長倩　崑嵛集

鄭子聃集二千餘篇

趙渢　黃山集

王庭筠集四十卷

劉從益　蓬門集

呂中孚　蘭泉集　又　清漳集

李純甫　内集　又　外稿

王鬱集

王若虛　傭夫集　又　滹南遺老集四十五卷

元德明　東山集三卷

元好問集十二卷①　又　詩文自警十卷　又　中州集

曹班　卷瀾集二卷

章建　蘭泉老人集

閏詠　復軒集

---

① "集",原奪,據《二十五史補編》本補。

右金

馬祖常　石田集十五卷

小雲石海涯集

余闕　青陽集八卷

耶律楚材集十二卷

楊奐　還山集六十卷

劉秉忠　太保集十卷

郝經　文忠集三十卷　一作《陵川集》。

王鶚　應物集四十卷

商挺　藏春集六卷　一作《彝齋集》。

高鳴　河東集五十卷

李冶　敬齋集四十卷

徐世隆　瀛洲集一百卷

閻復　靖軒集五十卷

楊果　西菴集

李之紹集

張立道　效古集

王惲　秋澗集一百卷

陳祐　節齋集

何榮祖　大畜十集　又　載道集

申屠致遠　忍齋行稿四十卷

劉因　靜修集十三卷

吳澄　文正集五十二卷

許衡　文集三十卷

程鉅夫　雪樓集

趙孟頫　松雪集十卷

趙孟堅　彝齋外編四卷

鄧文原集　又　内外制集

袁桷　清容居士集五十卷

曹元用　超然集四十卷

馬紹集

姚燧　牧菴集五十卷

曹伯啓　漢泉漫稿十卷　又　續集十卷

劉敏中　中菴集二十五卷

王約　潛邱稿三十卷

王結集十五卷

宋衜　秬山集十卷

張伯淳　學士集十卷

耶律希亮　愫軒集三十卷

元明善　清河集三十九卷

虞集　道園類稿五十卷

揭傒斯　曼碩集五十卷

黃溍　日損齋稿三十三卷

柳貫　文肅集四十卷

吳萊集六十卷　又　淵穎集十二卷

張起巖　華峯漫稿　又　金陵集

歐陽玄　圭齋集十六卷

許有壬　至正集八十一卷　又　圭塘小稿十卷

宋本　至治集十卷

王守誠集

孛术魯翀集六十卷

李洞集四十卷

蘇天爵　文稿三十卷

王克敬集

呂思誠集

張翥　蛻餘集二卷

烏古孫良楨　約齋集

貢師泰　雲林集十卷　又　奎章集六卷

周伯琦　近光集三卷

金履祥　仁山集

許謙　白雲集四卷　一作《魯齋集》。

胡炳文　雲峯集二十卷

張翌集

蕭㪍　勤齋集　一作《貞敏集》十五卷。

同恕　榘菴集三十卷

安熙　默菴集五卷

胡長孺　瓦缶編　又　南昌集　又　顏樂齋稿

熊朋來集三十卷

戴表元　剡源集

鄭陶孫集

陳孚　剛中集四卷

楊載　霜月集

劉詵　桂隱集

龍仁夫集

劉岳申集

韓性集十二卷

程端禮　畏齋集十卷

吳師道　禮部集三十卷

陸文圭　牆東類稿二十卷

梁益　三山稿

張旅　安雅堂集四十卷

程文　黔南集三十八卷

李孝光集二十卷

宇文公諒　折桂集　又　觀光集　又　辟水集　又　玉堂
　漫稿

贍思集三十卷

鄭玉　師山集二十卷

黃㫬集

杜瑛集十卷

張樞　敝帚編

孫轍集

何中　知非堂稿十七卷　又　太虛知非堂稿六卷

武恪　水雲集

楊弘道　小亨集十卷

王元明　達意集十卷

何蠖閣集八卷

任士林　松鄉集十卷

宋褧　燕石集十卷　一作聚。

王旭　蘭軒集二十卷

曾仲啓集十卷

魏初　青崖集十卷

許承爵　滋溪集三十卷

宋元禧稿三十卷

高文簡集七卷

衛宗武　秋聲集八卷

熊豫章集三十卷

蒲道源　叢稿二十六卷

朱右　白雲稿九卷

陳深源　片雲小稿一卷

董嗣杲　廬山集

朱希顏　瓢泉集四卷

張光弼集二卷

鄭彥昭　栲栳類稿二卷

滕安上　東菴稿十六卷

郭鎬　遺安集十一卷

劉聞　容窗集十卷

趙文　青山稿三十一卷

陳可齋集二十卷

李曾伯集十卷　又　續集七卷

姚江　村近稿十三卷

劉申齋集十五卷

吳鑑　天爵堂類編十卷

馬玉麟　東皋集五卷

傅若金集十一卷

宋元集六卷

楊志行　待制霜月集四十卷　又　仲弘集四卷

吳海集四卷

周霆震集十卷

張養浩　文忠集十八卷

張昌　寓道集二卷

余希魯　聽雨軒集十一卷

戴良　九靈山房集三十卷

李維本　一山集九卷

朱德潤　存復齋集十卷

凌彥翀　柘軒集五卷

華彥清　黃梅集六卷

成原常　居竹集四卷

蒲洪　軒渠集十卷

王冕　竹齋集二卷

李存　仲公集三十卷

周權　此山集一卷

張憲　玉笥集九卷

宋㲄　紫陽遺稿二卷

黃四如集十卷

陳樵　鹿皮子集四卷

王彥高集十卷

胡天游　敖軒集一卷

袁彥章　書林集七卷

沈夢麟　花谿集三卷

方誼　虎林高隱集五卷

呂則耕　得月稿六卷

　　右元

詩　集　類

遼天祚文妃蕭氏　諷諫歌

平王隆光　閬苑詩

義宗詩

馬得臣詩

蕭柳　歲寒集千篇

耶律資忠　西亭詩集

耶律庶成詩集

楊晳詩

耶律韓留　述懷詩

蕭韓家奴　六義集十二卷

王鼎詩

耶律孟簡詩

耶律谷欲詩

邢簡妻陳氏詩

耶律氏　常哥詩　又　迴文詩

　　　右遼

金源郡王完顏勗詩集

虞仲文詩

完顏璹　樂府詩一百首　又　詩三百首　又　如菴小稿詩

曹望之詩集三十卷

趙秉文　詩資

鄭子聃詩　又　忠臣猶孝子詩

王庭筠　秋山應制詩三十首

王元節詩集

李汾詩

元好問詩集二十卷

　　　右金

也先忽都詩集十卷

劉秉忠詩集二十二卷

王鶚　應物詩

王惲詩

劉因　詩丁亥集五卷

曹元用詩

曹伯啓詩

王結詩

蘇天爵詩稿七卷

王都中詩集三卷

張翥詩集三卷

周伯琦詩　又　學言稿

宇文公諒　以齋詩稿　又　玉堂漫稿　又　越中行稿

黃㫤詩

梁益　詩緒餘

吳志大詩一卷

黃叔翼詩一卷

丁復　檜亭詩稿九卷

梁棟隆吉詩集一卷

薩都剌　天錫詩二卷

周密　蠟屐集一卷

許文懿　古詩一卷

周權　此山詩集十卷

楊維楨　古樂府十卷　又　麗則遺音四卷

吳景奎　藥房樵唱三卷

范梈　德機詩七卷

葉顒　樵雲獨唱集六卷

黃庚　月屋樵吟四卷

黃堅　遯世遺音一卷

僧善經　谷響集四卷

僧克新　雪廬稿一卷

　　右元

詩　選　類

杜詩學一卷　元好問

東坡詩雅三卷　元好問

　　右金

楚漢正聲一卷　吳萊

樂府編類一百卷　吳萊

唐人鼓吹集十卷　郝天挺

唐律删要三十卷　吳萊

杜詩纂例十二卷　申屠致遠編

　　右元

賦　類

蕭魯賦

耶律庶成　四時逸樂賦

蕭韓家奴　四時逸樂賦

　　右遼

東狩射虎賦　熙宗獵於海島，三日之間，親射五虎，完顏勗獻。

一日獲三十六熊賦　施宜生

徒單鎰　漢武中興賦　世宗大定十五年上。

楊雲翼　左氏莊列賦

鄭子珊　不貴異物民乃足賦

　　右金

奏　疏　類

梁襄　世宗幸金蓮川疏一卷

陳規　章奏

許古　章奏

　　右金

蘇天爵　松廳章疏五卷

　　右元

策　論　類

蕭韓家奴　策對一卷

　　右遼

鄭子珊　憂國如飢渴論

許安仁　無隱論

　　右金

暢師文　時政十三策

　　右元

表　類

金源郡王完顏勗　諫表韓昉集

　　右金

書　　類

劉輝　上書

耶律昭　答蕭撻凜書

　　　右遼

劉炳　便宜十事書

　　　右金

碑　　類

遼太宗功德碑　蕭韓家奴撰

　　　右遼

金太祖睿德神功碑　韓昉撰

　　　右金

元史藝文志

[清]錢大昕 補纂

張緒峰 整理

底本：2002年上海古籍出版社《續修四庫全書》
　　　影印（潛研堂全書）本
校本：1937年開明書店排印《二十五史補編》本

　　《元史》不立藝文志，國朝晉江黃氏、上元倪氏，因承修《明史》，并搜訪宋、元載籍，欲裨前代之闕，終格於限斷，不得附正史以行。大昕向在館閣，留心舊典，以洪武所葺《元史》，冗雜漏落，潦艸尤甚，擬仿范蔚宗、歐陽永叔之例，別為編次，更定目錄，或删或補，次弟屬艸，未及就緒。歸田以後，此事遂廢。唯《世系表》、《藝文志》二稿，尚留篋中。吳門黃君蕘圃家多藏書，每有善本，輒共賞析，見此志而善之，并為糾其踳駁，證其同異，且將刻以問世。若劉子政父子親校祕文，故能成《別錄》、《七略》之作。今之著斯錄者，果盡出目覩乎？前人之失當者，我得而改之。後之笑我者，方日出而未有已也。從吾所好，老而不券，彈射之集，亦無懍焉。嘉慶庚申十二月大昕記。

第一（經類）

　　自劉子駿校理祕文，分羣書為六略。曰六藝者，經部也。詩賦者，集部也。諸子、兵書、術數、方技，皆子部也。《世本》、《戰國策》、《楚漢春秋》、《太史公書》、《漢著紀》，則入之春秋類。《古封禪羣祀》、《封禪議對》、《漢封禪羣祀》，入之禮類。《高祖傳》、《孝文傳》，入之儒家類。是時固無四部之名，而史家亦未別為一類也。晋荀勖撰《中經簿》，始分甲、乙、丙、丁四部，而子猶先於史。至李充為著作郎，重分四部：五經為甲部，史記為乙部，諸子為丙部，詩賦為丁部，而經史子集之次始定。厥後王亮、謝朏、任昉、殷鈞撰書目，皆循四部之名。雖王儉、阮孝緒析而為七，祖暅別而為五，然隋唐以來，志經籍、藝文者，大率用李充部叙而已。宋時，三館圖籍號稱大備，汴京既破，輦歸金源氏。高宗南渡，復建祕書省，搜訪遺闕，優獻書之賞，館閣儲藏不減東都盛時。元起朔漠，未遑文事，太宗八年始用耶律楚材言，立經籍所於平陽，編集經史。世祖至元四年，徙置京師，改名弘文院。九年，置祕書監，掌歷代圖籍，并陰陽禁書。及大兵南伐，命焦友直括宋祕書省禁書圖籍。伯顏入臨安，遣郎中孟祺籍宋祕書省、國子監、國史院、學士院圖書，由海道舟運至大都。祕書所藏，彬彬可觀矣。唐以前，藏書皆出鈔寫，五代始有印板，至宋而公私板本流布海內，自國子監祕閣刊校外，則有浙本、蜀本、閩本、江西本，或學官詳校，或書坊私刊，士大夫往往以插架相誇。世祖用許衡言，遣使取杭州在官書籍板及江西諸郡書板，立興文署以掌之。諸路儒生著述，輒由本路官呈進，下翰林看詳。可傳者，命各行省檄所在儒學及書院，以係官錢刊行。鄱陽馬氏《文獻通考》，且出於羽流之呈進，亦一時嘉話也。至正儒臣撰《祕書監志》，僅紀先後送庫若干部、若干册，而不列書名。明初，修史又不列藝文之科，遂使石渠、東觀所儲漫無稽考。兹但取當時文士撰述，録其都目，以補前史之闕，而遼、金作者亦附見焉。檮昧尟聞，諒多漏落，部分雜厠，亦恐不免。拾遺糾繆，以俟君子。

經類十有二：曰易、曰書、曰詩、曰禮、曰樂、曰春秋、曰孝經、曰論語、曰孟子、曰經解、曰小學、曰譯语。

易　　類

斡道沖　周易卜筮斷　字宗聖，西夏國相。

趙秉文　易叢説十卷　象數雜説　卷亡。

雷思　易解　字西仲，渾源人。

馮延登　學易記　字子駿，吉州人。國子祭酒，權刑部尚書。

吕豫　易説　字彦先，修武人。

單渢　三十家易解　平原人。

王天鐸　易學集説　字振之，惲之父。開興初户部主事。

袁從義　周易釋略　字用之，虞鄉人，中條山道士。

張氏　易解十卷　失其名。以上金。

胡方平　易學啓蒙通釋二卷　至元己丑自序。外易四卷　易餘閑記一卷

俞玉吾　大易會要一百三十卷　或作一百卷。　周易集説四十卷　讀易舉要四卷　易圖纂要二卷　一名纂圖。　易古占法一卷　經傳考証　卷亡。　讀易須知一卷　六十四卦圖　卷亡。卦爻象占分類一卷　易圖合璧連珠説　卷亡。周易象辭二卷

陳深　清全齋讀易編三卷　字子微，吳人，天曆間以能書薦，不就。

周敬孫　易象占

黃超然　周易通義二十卷　　周易或問五卷　　周易釋蒙五卷　周易發例一卷　字立道，黃巖人。

郝經　周易外傳八十卷　　太極演二十卷　　太極傳一卷

劉肅　讀易備忘

胡祇遹　易直解　字紹聞，磁州武安人。翰林學士。

李簡　學易記九卷

薛微之　易解　華陰人，以薦得應縣教授，改河南軍儲轉運使。中統初，召為平陽、太原宣撫，提舉河南學校，俱不赴。

許衡　讀易私言一卷

方回　讀易析疑

張特立　易集說

吳澄　易纂言十卷　或作十二卷。　易纂言外翼八卷　　易叙錄十二篇

齊履謙　周易本說四卷　　易繫辭旨略二卷

熊凱　易傳集疏　字舜夫，南昌人。

龍仁夫　周易集傳十八卷　今存八卷。字觀復，永新人，湖廣儒學提舉。

鄭滁孫　大易法象通贊七卷　　周易記玩　卷亡。　中天述考一卷　述衍一卷

熊禾　易說　字去非，建安人。宋咸淳進士。邵武軍司户。

胡一桂　周易本義附錄纂疏十五卷　或作十四卷。　易學啟蒙翼傳三篇　外篇一篇

胡炳文　周易本義通釋十卷　或作十二卷。一作《義通》，八卷。　周易啟蒙通釋二卷

齊夢龍　周易附說卦變圖　字覺翁，饒州德興人。宋末進士。

程時登　周易啟蒙輯說　字登庸，饒州樂平人。

劉因　易繫辭説

程龍　補程子三分易圖一卷　筮法一卷　字舜俞，婺源人。宋景定進士，仕至徽州路同知。

繆主一　易經精藴　字天德，永嘉人。

丁易東　周易象義十卷　大衍索隱三卷　易傳十一卷　字漢臣，龍陽人。沅陽書院山長。

史蒙卿　易究十卷

趙采　周易程朱傳義折衷三十三卷　字德亮，潼川人。

黃定子　易説　字季安。

汪標　周易經傳通解　字國表，鄱陽人。

程直方　程氏啓蒙翼傳　四聖一心　觀易堂隨筆　字道大，婺源人。

何中　易類象二卷

胡震　周易衍義十六卷

唐元　易傳義大意十卷　字長孺，歙人。徽州路儒學教授。

劉淵　易學須知　讀易記　字學海，蜀人。永州路學正。

李恕　易音訓二卷　字省中，廬陵人。

范大性　大易輯略　蜀人。

倪淵　周易集説二十卷　圖説序例一卷　字仲深，烏程人。

熊棟　易説　字季隆。

陳櫟　東埠老人百一易略一卷

吳鄹　周易注十卷　永新人。初名張應珍。由從事郎歷秘書監丞，遷秘書少監，更今姓名。

彭絲　庖易　字魯叔，安福人。

王申子　大易緝説十卷　字巽卿，邛州人。南陽書院山長。

張清子　周易本義附錄集注十一卷　字希獻，建安人。

徐之祥　讀易蠡測　字麒父，韶州德興人。賓州上林簿。

胡次焱　易説　婺源人。

嚴養晦　先天圖義一卷　山陰人。

吳迂　易學啓蒙　字仲迂，浮梁人。

倪公晦　周易管闚　字孟暘，金華人。

傅立　易學纂言十八卷　字權甫，饒州德興人。集賢院大學士，謚文懿。

王結　易說十卷　一作一卷。

何榮祖　學易記

鄧文原　讀易類編　卷亡。

楊□龍　易說綱要　字明夫，清江人。

王希旦　易通解　字愈明，一字葵初，饒州德興人。一作《易學摘編》。

張延　周易備忘十卷　字世昌，藁城人。真定路教授。

曹說　易說

劉傳　易說　字芳伯，鄱陽人。

葉瑞　周易釋疑十卷　字宗瑞，金谿人。江西儒學副提舉。

鮑雲龍　筮草研幾一卷　字景翔，歙人。

胡允　四道發明　號潛齋，饒州樂平人。

余苣舒　讀易偶記　字德新，饒州德興人。

程珙　易說　字仲璧，饒州德興人。

劉莊孫　易志十卷　字正仲，天台人。

楊剛中　易通微說　字志行，建康人。翰林待制。

李學遜　大易精解

彭復初　易學源流　安福人。

盛象翁　易學直指本源　字景則，台州太平人。昌國州判官。

程燾　易學啓蒙類編　新安人。

侯克中　大易通義　字正卿，真定人。

謝仲直　易三圖十卷　上饒人。

張理　易象圖說内篇三卷　外篇三卷　大易象數　鈎深圖三卷　字仲純，清江人。延祐中，福建儒學提舉。

保八　易原奧義一卷　周易原旨六卷　繫辭二卷　字公孟，黃州路總管。

紇石烈希元　周易集傳二十卷　成都人。

贍思　奇偶陰陽消息圖一卷

袁桷　易説

任士林　中易　字叔實，奉化人。至大初安定書院山長。

陳禧　周易略例補釋一卷　潮陽人。

熊良輔　周易本義集成十二卷　字季重，南昌人。舉延祐丁巳鄉試。

蕭漢中　讀易考原一卷　字景元，吉州泰和人。

董真卿　周易纂注會通十四卷　易傳因革一卷　字季真，鄱陽人。

潘弼　讀易管見四卷　字良輔，麗水人。龍興路司獄。

史公珽　蓬廬學易衍義　象數發揮　字搢叟，鄞人。

許天笈　易象圖説　字時翁，吉水人。

陶元幹　易注　襄陽人。

吾衍　重正卦氣　字子行，錢塘人。

惠希孟　易象鉤玄十卷　江陰人。

祝堯　大易衍義　字君澤，上饒人。延祐進士，無錫州同知。

魯真　周易注　字起元，[①]開化人。

蔣宗簡　周易集義　字敬之，鄞人。

嚴用父　易説發揮二卷　高安縣尹。

解蒙　易精蘊大義十二卷　字求我，吉水人。

解季通　易義　吉水人。

韓信同　易經旁注　字伯循，寧德人。

李公凱　周易句解十卷　字仲容，宜春人。

衛謙　讀易管窺三十卷　字山甫，華亭人。進士。

吳存　周易傳義折衷　字仲退，鄱陽人。寧國路教授。

朱祖義　周易句解十卷　字子由，廬陵人。

---

① “元”，原誤作“兀”，據《二十五史補編》本改。

盧觀　易集圖　字彥達,崑山人。

吳夢炎　補周易集義　歙人。後至元中,紫陽書院山長。

胡持　周易直解　武安人。祇遹之子。官太常博士。

郭鏜　易説　字德基,長樂人。宋進士。至元中,興化路教授。

黃鎮成　周易通義十卷　字元鎮,昭武人。至元間謚貞文處士。

陳應潤　周易爻變義蘊四卷　字澤雲,天台人。

石伯元　周易演説

趙良震　易經通旨　字伯起。

錢義方　周易圖説二卷　字子宜,湖州人。

黃澤　易學濫觴一卷　十翼舉要　忘象辨　象略　辨同論　卷並亡。

呂洙　易圖説　字宗魯,永康人。從許謙游。

盛德瑞　易辨五卷　字祥父,崑山人。平江路訓導。

葉登龍　周易記　麗水人。

黃瑞節　易學啓蒙注四卷　字觀樂,安福人。泰和州學正。

朱隱老　易説　字子方,豐城人。

陳謙　周易解詁二卷　河圖説二卷　或作一卷。　占法一卷　字子
平,吳人。

曾貫　易學變通六卷　字傳道,泰和人。紹興路照磨。

雷杭　周易注解　字彥舟,建安人。潮陽縣丞尹,以死事贈奉化州知州。

鄭玉　周易大傳附注　史作《周易纂注》,今據《神道碑》。　程朱易契

余闕　易説五十卷

鄧錡　大易圖説二十五卷

范氏　竹溪易説　九江人,失其名。

趙氏　讀易記　大易忘筌一册　無名氏。

包希魯　易九卦衍義一卷　字魯伯,進賢人。

周聞孫[①]　河圖洛書序説　字以立,吉水人。

秦輔之　易注　_{嘉定人。}

雷思齊　易圖通變五卷　易筮通變三卷　_{字齊賢，臨川道士。}

吳霞舉　易管見六十卷　_{歙人。}

趙然明　意官圖辨五十卷　_{婺源人。}

陳樵　易象數新說

孟文龍　易解大全　_{無錫人。}

石一鼇　互言總論十卷　_{字晉卿，義烏人。宋鄉貢進士，入元不仕。}

曾巽申　周易鑑　_{字巽初，永豐人。翰林應奉。}

黎立武　周易說約一卷　_{字以常，新喻人。}

王愷　易心三卷　_{台州寧海人。}

張志道　易傳三十卷　_{字潛夫，金壇人。}

劉霖　易本義童子說　_{安福人。}

趙元輔編　大易象數鈎深圖三卷

陳廷言　易義指歸四卷　_{字君從，寧海人。}

周之翰　易象管見　易四圖贊　_{字申甫，華亭人。}

邵整　六十四卦圖說

饒宗魯　周易輯說　易經庸言

邱葵　易解義

陳宏　易童子問一卷　易象發揮　易孟通旨　_{莆田人。宋末徙華亭。}

張希文　十三卦考一卷　_{字質夫，瑞州新昌人。}

潘迪　周易述解　_{元城人。國子司業。}

翟思忠　易傳　_{邳州人。常州知事。}

書　　類

趙秉文　無逸直解

王若虛　尚書義粹三卷　_{一作二卷。字從之，藁城人。}

呂造　尚書要略　金正大間同知集賢院。以上金。

金履祥　尚書表注四卷　或作十二卷，一作一卷。

尚書注十二卷　尚書雜論一卷

繆主一　書説

周敬孫　尚書補遺

何逢原　尚書通旨　字文瀾，分水人。宋中書舍人。至元中，授福建儒學提舉，不赴。

趙孟頫　書今古文集注　洪範圖一卷

吳澄　書纂言四卷

齊履謙　書傳詳説一卷

胡一桂　書説

程直方　蔡傳辨疑一卷

陳櫟　書解折衷　書集傳纂疏六卷

劉莊孫　書傳上下篇二十卷

胡炳文　書集解

董鼎　尚書輯録纂注六卷　字季亨，都陽人。真卿之父。

何中　書傳補遺十卷

余芑舒　讀蔡傳疑一卷　書傳解

張仲實　尚書講義

程龍　書傳釋疑

許謙　讀書叢説六卷

俞元變　尚書集傳十卷　或問二卷　字邦亮，建寧人。徙於吳。

吳萊　尚書標説六卷

王充耘　讀書管見二卷　字與耕，吉水人。永州同知。

李天篪　書經疏　吉水人。

王天與　尚書纂傳四十六卷　字立大，梅浦人。大德中臨江路儒學教授。

王希旦　尚書通解　書説

韓信同　書經講義　一作《集解》。

呂樁　尚書直解　字之壽，晉江人。

黃鎮成　尚書通考十卷

陳師凱　書蔡傳旁通六卷　彭蠡人。

李公凱纂集　柯山尚書句解三卷

吳迂　書編大旨

吾衍　尚書要略

周聞孫　尚書一覽

余日强　尚書補注　字伯莊，崑山人。

朱祖義　尚書句解十三卷

馬道貫　尚書疏義六卷　字德珍，金華東陽人。

胡一中　定正洪範集說一卷　字允大，諸暨人。紹興路錄事。

謝章　洪範衍義

陳樵　洪範傳一卷

田澤　洪範洛書辨一卷　居延人。延祐中常德路總管府推官。

邱迪　尚書辨疑　字彥啓，吳人。

王文澤　尚書制度圖纂三卷　字伯雨，松江人。

韓性　尚書辨疑一卷

鄒季友　書蔡傳音釋六卷　鄱陽人。

邵光祖　尚書集義六卷　字宏道，饒州人。家於吳。

陳希聖　洪範述

姚良　尚書孔氏傳　字晉卿。

胡之純　尚書或問　字穆仲，金華人。

張性　尚書補傳　字伯成，金谿人。元進士。

詩　類

李簡　詩學備忘二十四卷

俞玉吾　絃歌毛詩譜一卷

何逢原　毛詩通旨

趙悳　詩辨說七卷　一作一卷。宋宗室，隱居豫章。

熊禾　毛詩集疏

陳深　清全齋讀詩編

雷光霆　詩義指南十七卷　字友光，寧州人。

胡一桂　詩傳附錄纂疏八卷

劉莊孫　詩傳音旨補二十卷

程直方　學詩筆記

胡炳文　詩集解

程龍　詩傳釋疑

安熙　詩傳精要

陳櫟　詩經句解　詩大旨　讀詩記

吳迁　詩傳衆說

李恕　毛詩音訓四卷　黃丕烈云:《經義考》別有《毛詩詁訓》四卷。似是一書重出。

朱近禮　詩疏釋　盱江人。

蔣宗簡　詩答問

周聞孫　學詩舟楫

劉瑾　詩傳通釋二十卷　字公瑾，安福人。

梁益　詩傳旁通十五卷　詩緒餘　字友直，江陰人。

許謙　詩集傳名物鈔八卷　一作十二卷。

羅復　詩集傳音釋二十卷　字中行，廬陵人。

朱公遷　詩傳疏義二十卷　字克升，樂平人。處州學正。

李公凱　毛詩句解二十卷

曹居貞　詩義發揮　廬陵人。

蘇天爵　讀詩疑問一卷

吳簡　詩義　字仲廣，吳江人。紹興路學録。

楊舟　詩經發揮　《江西通志》：字道濟，吉水人。《湖廣通志》：字梓夫，慈利人。登進士，為茶陵同知，歷遷翰林待制。

韓性　詩音釋一卷

貢師泰　詩補注二十卷

秦玉　詩經纂例　字德卿，崑山人。

余希聲　詩説四卷　青田人。

焦悦　詩講疑　字子和。

顏達　詩經講説　江陵人。

夏泰亨　詩經音考　字叔通，會稽人。翰林院編修。

盧觀　詩集説

楊燧　詩傳名物類考　字元度，餘姚人。歷寧海、縉雲及本州學官。

周鼎　詩經辨正　字仲恒，廬陵人。

方道叡　詩記　字以愚，淳安人。至正進士，翰林編修，改杭州判官。

朱倬　詩疑問七卷　一作八卷。字孟章，建昌新城人。以進士授遂安尹。至正十二年，寇至，不屈死。

包希魯　詩小序解一卷

曾堅　詩疑大鳴録一卷　字子白，臨川人。翰林直學士。

劉玉汝　詩纘緒十八卷　字成之，廬陵人。

禮　　類

趙秉文　中庸説一卷

李純甫　中庸集解一卷　以上金。

吳澂　周禮經傳十卷　儀禮逸篇八篇　傳十篇　禮記纂言三十六卷

王申子　周禮正義

臧夢解　周官考三卷

毛應龍　周官集傳二十四卷　今存十六卷。　周官或問五卷　字介石，豫章人。大德間澧州教授。

吳當　周禮纂言

周禮附音重言重意互注十二卷　未詳撰人。

陳深　考工記句詁一卷　周禮訓雋十卷　周禮訓注十八卷

敖繼公　儀禮集說十七卷　字君善，長樂人。信州教授。

顧諒　儀禮注八卷　字季友，吳江人。

葉起　喪禮會記　字振卿，永嘉人。

戴右玉　治親書　凡三篇：一曰《釋親》，二曰《宗法》，三曰《服制》。

張翠　喪服總類

趙居信　禮經葬制

繆主一　禮記通考

彭絲　禮記集說四十九卷

陳伯春　禮記解　字耀卿，晉江人。

呂椿　禮記解

陳澔　禮記集說十卷　一作十六卷。字可大，都昌人。

程時登　禮記補注　深衣翼一卷　大學本末圖說一卷　中庸中和說

陳櫟　禮記集義詳解十卷　深衣說一卷　中庸口義一卷

程龍　禮記辨證

周尚之　禮記集義　字東陽，南安路上猶縣尹。

韓性　禮記說四卷

王夢松　禮記解　字曼卿,青田人。

張宏圖　大禮記　字巨濟,福清人。

葉遇春　禮記覺言八卷

楊維楨　禮經約

汪汝懋　禮學幼範七卷　深衣圖考三卷　字以敬,嚴陵人。定海縣尹。

劉莊孫　周官集傳二十卷　深衣考一卷

許衡　中庸說

李思正　中庸圖說一卷　中庸輯釋一卷　江西德興人。

劉惟思　中庸簡明傳一卷　字良貴。

夏侯文卿　中庸管見　華亭人。

齊履謙　中庸章句續解一卷　大學四傳小注一卷

王奎文　中庸發明一卷

薛子晦　中庸注　東陽人。

程逢午　中庸講義三卷　字信叔,休寧人。元貞中海鹽州教授。

魯真　中庸解一卷

黃鎮成　中庸章旨二卷

練魯　中庸說一卷　松陽人。

金履祥　大學章句疏義一卷　大學指義一卷

馬端臨　大學集傳一卷　字貴與,樂平人。

李師道　大學明解一卷

王文煥　大學發明一卷　字子敬,括蒼人。

吳浩　大學講義一卷　字義夫,休寧人。

許衡　大學要略直說一卷

熊禾　大學廣義二卷

胡炳文　大學指掌圖一卷

李朝佐　大學治平輻鑑　雲陽人,失其名。

程仲文　大學釋旨一卷　失其名。

呂洙　大學辨疑一卷　永嘉人。

呂溥　大學疑問一卷　字公甫,永嘉人。

錢天祐　大學經傳直解　延祐初人。

潘迪　庸學述解

葉瑞　庸學提要六卷

曾貫　庸學標旨

饒魯　中庸大學纂述二卷　庸學十一圖一卷

袁明善　大學中庸目錄　字誠夫,臨川人。

倪公晦　學庸約說

黃文傑　大學中庸雙說　字顯明,上猶人。大德中安遠教授。

鄭奕夫　中庸大學章旨

秦玉　大學中庸標說

吳澄　三禮考注六十八卷　或云晏璧偽託。

蕭㪺　三禮記四卷

韓信同　三禮旁注

湯彌昌　周禮解義　字師言,吳人。瑞安州判官。

惠希孟　雜禮纂要五卷

吳霞舉　文公喪禮考異

周成大　服制考詳　豫章人,不詳其名。

黃澤　二禮祭祀述略　禮經復古正言　殷周諸侯禘祫考　周廟太廟單祭合食說

陳友仁　周禮集說十二卷　字君復,湖州人。

邱葵　周禮全書六卷　周禮定本三卷

黎立武　中庸指歸一卷　提綱一卷　大學發微一卷　本旨一卷

趙友桂　夏小正解　字誐仲。

史季敷　夏小正經傳考三卷　鄞人。

馮翼翁　士禮考正　<small>永新人。</small>

張才卿　葬祭會要一卷

程榮登　翼禮

龔端禮　五服圖解一卷　<small>泰定間人。</small>

樂　類

程時登　律呂新書贅述

余載　皇元中和樂經二卷　<small>一作十卷。</small>

皇元韶舞九成樂譜一卷

劉瑾　律呂成書二卷

彭絲　黃鐘律說八篇

吾衍　十二月樂舞譜

鐵柱　琴譜八卷　<small>字明善，畏吾人。</small>

鄭瀛　琴譜二卷　<small>浦陽人。</small>

俞玉吾　琴譜四十篇

苗彥實　琴譜

熊朋來　瑟譜六卷

春　秋　類

吳澄　春秋纂言十二卷　總例二卷

李昶　春秋左氏遺意二十卷

張樞　春秋三傳歸一義三十卷

敬鉉　春秋備忘四十卷　<small>一作四十六卷，一作三十卷。</small>　**明三傳例八卷**

敬儼　續屏山杜氏春秋遺說八卷

臧夢解　春秋發微一卷

袁桷　春秋說

齊履謙　春秋諸國統記六卷　目録一卷

郝經　春秋外傳八十一卷　《春秋章句音義》八卷,《制作本原》十卷,《比類條目》十二卷,《三傳折衷》五十卷,《三傳序論》、《列國序論》一卷。

杜瑛　春秋地理原委十卷

吳萊　春秋世變圖二卷　春秋傳授譜一卷　春秋經說胡氏傳正誤　未脫稿。

周敬孫　春秋類例

程端學　春秋本義三十卷　三傳辨疑二十卷　春秋或問十卷　綱領一卷

吳師道　春秋胡傳補說

虞槃　非非國語

黃澤　春秋三傳義例考　筆削本旨　春秋師說三卷　門人趙汸類次。

季立道　春秋貫串　字成甫,處州龍泉人。臨汝書院山長。

彭絲　春秋辨疑

劉淵　春秋例義　春秋續傳記　左氏紀事本末

胡炳文　春秋集解　指掌圖

陳櫟　三傳節注

熊復　春秋會傳　或作成紀。字庶可,新建人。

徐安道　左傳事類

張鑑　春秋綱常

程直方　春秋諸傳考正　春秋旁通

俞皋　春秋集傳釋義大成十二卷　字心遠,新安人。

程龍　春秋辨疑

葉正道　左氏窺斑　失其名,台州臨海人。

吳化龍　左氏蒙求　字伯秀,又字漢翔。

俞漢　春秋傳三十卷　字仲雲,諸暨人。

單庚金　春秋三傳集説分紀五十卷　春秋傳説集略十二卷　字君範，剡源人。

劉莊孫　春秋本義二十卷

陳則通　春秋提綱十卷

王申子　春秋類傳

呂椿　春秋精義

郭鐘　春秋傳論十卷

安熙　春秋左氏綱目

劉彭壽　春秋正經句解　春秋澤存　字壽翁，淳安縣尹。

吳迂　左傳義例　左傳分紀　春秋紀聞

李應龍　春秋纂例　字玉林，光澤人。

尹用和　春秋通旨　安福人。

黃琢　春秋舉要　字玉潤，吉水人。

蔣宗簡　春秋三傳要義

潘迪　春秋述解

許謙　春秋温故管闚　春秋三傳義疏

黃景昌　春秋公穀舉傳論

周正如　傳考二卷　字明遠，浦江人。

張君立　春秋集議　豫章人。

楊如山　春秋旨要十卷　字少游，蜀嘉定州人。淮海書院山長。

黃清老　春秋經旨　字子肅，邵武人。泰定進士、翰林編修、湖廣儒學提舉。

俞師魯　春秋説　字唯道，婺源人。至治中廣德路儒學教授。

戚崇僧　春秋纂例原旨三卷　春秋學講一卷　字仲咸，金華人。

馮翼翁　春秋集解　春秋大義

鄭枸　春秋解義　或作表義。字子經，福州人，一云興化人。泰定中南安儒學教諭。

鄧淳翁　春秋集傳　邵武人。

吳噉　麟經賦一卷　字朝陽，淳安人。泰定進士，鎮平縣尹。

林泉生　春秋論斷　字清源，永福人。天曆進士，翰林直學士，諡文敏。

劉聞　春秋通旨　字文霆，安福人。天曆進士，翰林院修撰、知河陽府。

方道叡　春秋集傳十卷

蘇壽元　春秋經世　春秋大旨　字伯鸞，福安人。

吾衍　春秋説

王惟賢　春秋旨要十二卷　字思齊，鄞人。

萬思恭　春秋百問六卷

曾震　春秋五傳　廬陵人。

汪汝懋　春秋大義一百卷

梅致　春秋編類二十卷　一作致和，宣城人。

鍾伯紀　春秋案斷補遺　大梁人。

潘著　聖筆全經　字澤民，嘉興人。湖安路儒學正。

吳儀　春秋稗傳　春秋類編　春秋五傳論辨　字明善，金谿人。

王元杰　春秋讞義十二卷　字子英，吳江人。黃丕烈云：此書有干文傳序，
《千頃堂》別出干文傳《春秋讞義》十二卷，似重出。

鄭玉　春秋經傳闕疑四十五卷

李廉　春秋諸傳會通二十四卷　字行簡，安福人。至正壬午進士，贛州路信
豐縣尹，遇寇亂，戰敗，守節死。

王莊　春秋釋疑

曹元博　左氏本末　松江人。

魏德剛　春秋左氏傳類編　鉅鹿人。

陳植　春秋玉鑰匙一卷　永豐人，翰林待制。

陳大倫　春秋手鏡　字彥理，諸暨人。

魯真　春秋案斷

楊維楨　春秋定是録十二卷　或作《春秋大意》。　左氏君子議　春
秋胡傳補正　春秋透天關十二卷

王相　春秋主意十卷　字吾素，吉水人。延祐進士、國子助教，擢翰林修撰。

魯淵　春秋節傳　字道源,淳安人。至正進士、華亭丞。

蔡深　春秋纂十卷　字淵仲,江西樂平人。徽州路學教授。

謝翶　春秋左傳續辨

吳思齊　左傳闕疑　字子美,永康人。

許瑾　春秋經傳十卷　字子瑜,紹興人。

徐文鳳　春秋捷徑十卷　字伯恭,壽昌人。

邱葵　春秋通義

陳深　清全齋讀春秋編十二卷　一作三卷。

熊禾　春秋通解　一作《詮考》。

張著　春秋臠括三卷

趙孟何　春秋法度編　字漢弼,鄞人。

趙惟賢　春秋集傳

張在　四傳歸經　字文在,真定藁城人。濮州教授。

孝　經　類

圖象孝經　大德十一年刊行。

吳澂　孝經定本一卷　即《孝經章句》。

李孝光　孝經圖説一卷

小雲石海涯　直解孝經一卷

白賁　孝經傳　汴人。

許衡　孝經直説一卷

江直方　孝經外傳二十二卷　南充人。

程顯道　孝經衍義　婺源人。

錢天祐　孝經直解

張翌　孝經口義一卷

林起宗　孝經圖解一卷　字伯始,内邱人。

楊少愚　續孝經衍義 <small>青陽人。</small>

余芑舒　孝經刊誤一卷

陳樵　孝經新説

吳迁　孝經附録一卷

沈易　孝經旁訓一卷 <small>字翼之,松江人。</small>

鈞滄子　孝經管見一卷 <small>至正間人,失其名。</small>

董鼎　孝經大義一卷

朱申　孝經句解一卷 <small>字周翰。</small>

許衍　孝經注一卷

論　語　類

斡道沖　論語小義二十卷

趙秉文　删集論語解十卷

王若虛　論語辨惑五卷 <small>以上金。</small>

王鶚　論語集義一卷

金履祥　論語集注考证十卷

齊履謙　論語言仁通旨二卷

劉莊孫　論語章指

單庚金　增集論語説約

陳櫟　論語訓蒙口義

林起宗　論語圖

郭好德　論語義 <small>字秉彝。</small>

歐陽溥 <small>一作"博"。</small>　魯論口義四卷

任士林　論語指要

吳簡　論語提要

劉豈蟠　論語句解十二卷　<small>盧陵人。</small>

沈易　論語旁訓

俞杰　論語訓蒙　<small>字仁仲，麗水人。處州路儒學教授。</small>

石洞紀聞十七卷　<small>泰定間人，或曰宋饒魯著。</small>

葉由庚　論語纂遺　<small>字成父，義烏人。</small>

鄭奕夫　論語本意

陳立大　論語正義二十卷

孟　子　類

趙秉文　删集孟子解十卷

王若虛　孟子辨惑一卷

劉章　剌剌孟一卷　<small>以上金。</small>

李昶　孟子權衡遺説五卷

金履祥　孟子集注考証七卷

吳萊　孟子弟子列傳二卷

吳迁　孟子集注附録　讀孟子法一卷　孟子年譜一卷　孟子
　冢記一卷

夏侯文卿　原孟

許衡　孟子標題

孟子通解十四卷　<small>以下四部不詳譔人。</small>

孟子衍義十四卷

孟子思問録一卷

孟子旁解七卷

經　解　類

馬定國　六經考

王若虛　五經辨惑二卷　四書辨惑一卷　以上金。

五經要語　姚樞、竇默、王鶚、楊果、商挺同纂,分二十八類。

贍思　五經思問

張壁　經說　四經歸極一册

黃澤　六經辨釋補注　翼經罪言　經學復古樞要

杜本　四經表義

陸正　七經補注　字行正,海鹽人。

鄭君老　五經解疑　字邦壽,長溪人。

王所　五經類編二十五卷　字喻叔,黃巖人。

俞玉吾　經傳考注

熊朋來　五經說七卷　本名《熊先生經說》。

胡炳文　五經會意

王希旦　五經日記　字葵初,德興人。

李恕　五經旁注六卷　字省中,廬陵人。

何異孫　十一經問對五卷

周聞孫　五經纂要

蕭志仁　經解佩觿録十卷　字無惡,廬陵人。

潘迪　六經發明

余國輔　經傳考異

牟應龍　九經音考　字成父。

馬瑩　五經大義　字仲珍,建德人。

趙孟玉　九經音釋九卷

歐陽長孺　九經治要十卷

吳仲迂　經傳發明

宋元翁　五經約說　名未詳。

歐陽侊　五經旨要　字以大，長樂人。

陳樵　經解

汪逢辰　七經要義　字虞卿，歙人。崇德州教授。

雷光霆　九經輯義五十卷　一作十五卷。

吳師道　三經雜說八卷　《易》、《詩》各一卷，《書》六卷，一作通十卷。

楊叔方　五經辨　吉水人。

曾巽申　經解正訛

季仁壽　易書詩春秋四書衍義　字山甫，龍泉人。婺州路教授。

趙居信　經說

唐懷德　六經問答　字思誠，金華人。

陳剛　五經問難

楊維楨　五經鈐鍵

桂本　五經統會

趙友桂　詩書易諸疑辨　字誐仲。

虞槃　經說

李巖　經筵講稿四十九卷

葉夢鸑　經史音要　建安人。

倪鏜　詩書集要三冊　易春秋筆記

熊本　經問四十卷

劉因　四書集義精要三十卷

瞻思　四書闕疑

孟夢恂　四書辨疑

許謙　四書叢說二十卷　今存《大學》一卷，《中庸》二卷，《孟子》二卷。

陳櫟　四書發明三十八卷　四書考異十卷

胡炳文　四書通三十四卷　四書辨疑

杜瑛　語孟旁通八卷

陶宗儀　四書備遺二卷

鄭樸翁　四書指要二十卷　字宗仁,溫州平陽人。入元不仕。

龔霆松　四書朱陸會同注釋二十九卷　舉要一卷　貴溪人。宋咸淳
鄉舉以省薦,授漢陽教授,不就。"龔",一作"張"。

胡一桂　四書提綱

趙悳　四書箋義纂要十二卷　紀遺一卷

熊禾　四書標題

陳天祥　四書選注二十六卷　四書辨疑十五卷　偃師人。

張淳　四書拾遺　字子素,南樂人。

郭鏜　四書述

劉霖　四書纂釋

蕭元益　四書演義　字楚材,安仁人。

石鵬　四書家訓　字雲卿。

何安子　四書說　字定夫。

薛延年　四書引證　字壽之,平水人。

陳紹大　四書辨疑　字成甫,黃巖人。

牟楷　四書疑義

劉彭壽　四書提要

周良佐　四書人名考　清江人。

詹道傳　四書纂箋二十八卷　《大學》、《中庸》各一卷,《大學》、《中庸或問》各
一卷,《論語》十卷,《孟子》十四卷。臨川人。

張存中　四書通證六卷　字德庸,新安人。

王充耘　四書經疑貫通八卷

林處恭　四書指掌圖　臨海人。

汪九成　四書類編二十四卷　字又善,新安人。

解觀　四書大義　吉水人。

邵大椿　四書講義　字春叟,壽昌人。至元中晦庵書院山長。

包希魯　點四書凡例　字魯伯,進賢人。

安熙　四書精要考異

程復心　四書章圖二十二卷　四書章圖纂括總要發義二卷　字子見,婺源人。徽州路儒學教授。

吳存　四書語録

薛大猷　四書講義　湯陰人。

戚崇僧　四書儀對二卷

蕭鎰　四書待問八卷　一作二十二卷。字南金,臨江人。

歐陽佽　四書釋疑

黄清老　四書一貫四十卷　一作十卷。

陳剛　四書通辨　字子潛,溫州平陽人。

王桂　四書訓詁　字仲芳,東陽人。麗水主簿。

何文淵　四書文字引證九卷　泰定間人。

陳尚德　四書集解　寧德人,即石堂陳氏。

祝堯　四書明辨

涂搢生　四書斷疑　字自昭,宜黄人。濂溪書院山長。

蔣子晦　四書箋惑　一字若晦,東陽人。

馬瑩　四書答疑

陳樵　四書本旨

吳大成　四書圖　字浩然,瑞安人。永嘉縣丞。

傅定保　四書講稿　南安人。

馮華　四書直解　字君重,閩人。劍南州儒學教授。

倪士毅　四書輯釋三十六卷

史伯璿　四書管窺八卷　字文璣,溫州平陽人。

韓信同　四書標注

馬豫　四書輯義六卷

趙遷　四書問答一卷

袁俊翁　四書疑節十二卷

曾貫　四書類辨

邊昌　四書節義　字伯盛，吳人。

黃寬　四書附纂

楊維禎　四書一貫録

黃仲元　四書講義　字四知，莆田人。

朱公遷　四書通旨六卷　四書約説四卷

桂本　四書通義

林起宗　中庸大學論語孟子諸圖

董彝　四書經疑問對八卷　字宗文，進士，至正辛卯刊本。

小　學　類

僧行均　龍龕手鑑四卷　遼。

韓孝彥　五音篇十五卷

韓道昭　改併五音集韻十五卷　字伯暉，真定人。

大定重較類篇十五册

草韻十册　張天錫、趙昌世撰。

鄭昌時　韻類節事　字仲康，洪洞人。汾州教授。以上金。

胡炳文　爾雅韻語

陳櫟　爾雅翼節本

洪焱祖　爾雅翼音釋三十二卷　字彥實，徽州人。休寧縣尹。

杜本　六書通編十卷　華夏同音

戴侗　六書故三十三卷　通釋一卷

楊桓　六書統二十卷　六書泝源十三卷　書學正韻三十六卷

何中　六書綱領一卷　補六書故三十二卷

周伯琦　六書正譌五卷　說文字原一卷

吳正道　六書淵源字旁辨誤一卷　六書存古辨誤韻譜　番陽人。

倪鏜　六書類釋三十卷

許謙　假借論一卷

包希魯　說文解字補義十二卷

吳叡　說文續釋　字孟思,濮陽人。

吾衍　說文續解　學古編　字子行,錢唐人。

戚崇僧　後復古編一卷

劉致　復古糾謬編

泰不華　重類復古編十卷

鄭构　衍極二卷

李文仲　字鑑五卷

張子敬　經史字源

樓有成　學童識字　字玉汝,義烏人。授無為路學録,不赴。

柳貫　字系二卷

劉鑑　經史正音切韻指南一卷　一名《四聲等子》。字士明,陝西人。

陳仁子　韻史三百卷　字同俌,茶陵人。

楊信父　鐘鼎篆韻五卷　名鈞,以字行,臨江人。

陳元吉　韻海　眉山人。

魏溫甫　正字韻綱四卷　廣東廉訪僉事。

李世英　類韻三十卷

黃公紹　熊忠　古今韻會舉要三十卷　公紹,字直翁。忠,字子中。皆昭武人。

陰時夫　韻府羣玉二十卷　字勁弦,奉新人。弟中夫復春編注。

錢全衮　韻府羣玉掇遺十卷　字慶餘,華亭人。

嚴毅　押韻淵海二十卷　字子仁，建安人。

盛輿　韻書羣玉　字敬之，吳江人。崇德州判官。

蔣子晦　韻原六十卷

李士濂　免疑字韻四卷

竹川上人　集韻　祥符戒壇寺僧。

何中　叶韻補疑一卷

邵光祖　韻書四卷

吾衍　鐘鼎韻一卷　續古篆韻一卷　周秦刻石釋音一卷　石
鼓詛楚文音釋一卷

潘廸　考定石鼓文音訓一卷

譯　語　類

遼譯五代史　重熙中，翰林都林牙蕭韓家奴譯。

遼譯貞觀政要　重熙中，蕭韓家奴譯。

遼譯通曆　重熙中，蕭韓家奴譯。

遼譯方脉書　邪律庶成。

金國語易經　國語書經　國語孝經　國語論語　國語孟子　國
語老子　揚子　文中子　劉子　國語新唐書　以上皆大定中譯。

女直字盤古書

女直字家語

女直字大公書

女直字伍子胥書

女直字孫臏書

女直字黃氏女書

女直字百家姓

女直字母　以上遼、金。

尚書節文　翰林學士元明善等譯進。

蒙古字孝經　大德十一年，中書右丞字羅鐵木兒譯進。

大學衍義節文　延祐四年，翰林學士承旨忽都魯都兒迷失等譯。

忠經

貞觀政要　天曆中，中書平章政事察罕譯。

帝範四卷　亦察罕譯。

皇圖大訓　天曆中，翰林奎章閣臣譯。

鮑完澤朵目　貫通集　聯珠集　選玉集　皆蒙古言語。字信卿，杭州人。

達達字母一册

蒙古字母百家姓一卷

蒙古字訓一册

第二(史類)

史類十有四:曰正史,曰實錄,曰編年,曰雜史,曰古史,曰史鈔,曰故事,曰職官,曰儀注,曰刑法,曰傳紀,曰譜牒,曰簿錄,曰地理。

正　史　類

蕭永祺　遼史七十五卷　《紀》三十,《志》五,《傳》四十。太常丞,皇統八年四月成。

陳大任　遼史　泰和中,翰林直學士。

完顏孛迭　中興事跡　翰林學士。以上金。

遼史一百一十六卷　都總裁中書右丞相脱脱,總裁官中書平章政事鐵睦爾達世,中書右丞賀惟一,御史中丞張起巖,翰林學士歐陽原功,侍御史呂思誠,翰林侍講學士揭傒斯,史官兵部尚書廉惠山海牙,翰林直學士王沂,秘書著作佐郎徐昺,國史院編修官陳繹曾,至正四年三月進。

金史一百三十五卷　領三史事中書右丞相阿魯圖,左丞相別兒怯不花,都總裁前中書右丞相脱脱,總裁官御史大夫帖睦爾達世,中書平章政事賀惟一,翰林學士承旨張起巖,翰林學士歐陽原功,治書侍御史李好文,禮部尚書王沂,崇文太監楊宗瑞,史官江西湖東道肅政廉訪使沙剌班,江西湖東道肅政廉訪副使王理,翰林待制伯顏,國子博士費著,祕書監著作郎趙時敏,太常博士商企翁,至正四年十一月進。卷首列總裁職名,有翰林侍講學士揭傒斯表,不載。

宋史四百九十六卷　領三史事中書右丞相阿魯圖,左丞相別兒怯不花,都總裁前中書右丞相脱脱,總裁官中書平章政事帖睦爾達世,御史大夫賀惟一,翰林學士承旨張起巖,翰林學士承旨歐陽原功,治書侍御史李好文,禮部尚書王沂,崇文太監楊宗瑞,史官工部侍郎幹玉倫徒,祕書卿泰不花,僉太常禮儀院事杜秉彝,翰林直學士宋裒，國子司業呂思誠，集賢待制干文傳，國子司業汪澤民，翰林待制張瑾，宣文閣鑒書博士麥文貢，翰林待制貢師道，太常博士李齊，監察御史余闕，翰林修撰劉聞，太醫院都事賈魯，國子助教馮福可，陝西行御史臺監察御史趙中，太廟署令陳祖仁，應奉翰林文字王儀，應奉翰林文字余貞，祕書監著作佐郎譚愷，翰林國史院編修官張翥，國子助教吳當，經筵檢討危素，至正五年十月進。

實　錄　類

耶律儼　皇朝實錄七十卷

室昉　統和實錄二十卷　以上遼。

金先朝實錄三卷　皇統元年左丞晁進。

太祖實錄二十卷　皇統八年宗弼進。

太宗實錄　大定七年右丞相監修國史紇石烈良弼進。

熙宗實錄

海陵實錄

睿宗實錄　大定十一年左丞相紇石烈良弼進。

世宗實錄　明昌四年國史院進。

顯宗實錄十八卷　泰和三年左丞完顏匡等進。

章宗實錄　興定四年高汝礪、張行簡進。

衞王事迹　蘇天爵謂《衞王實錄》，竟不及為。

宣宗實錄　正大五年進。以上金。

太祖實錄　大德七年，翰林國史院進太祖、太宗、定宗、睿宗、憲宗五朝實錄。

太宗實錄　至元二十七年，大司徒撒里蠻、翰林學士承旨兀魯帶進太宗、定宗實錄。

定宗實錄

睿宗實錄

憲宗實錄

世祖實錄二百一十卷　事目五十四卷　聖訓六卷 《成宗紀》，大德

八年翰林學士承旨撒里蠻進。金書《世祖實錄節文》一册，漢字《實録》八十册，翰林

學士承旨董文用、翰林學士王構、翰林學士王惲、趙孟頫。

順宗實錄一卷 皇慶元年十月，學士程鉅夫、待制元明善進。

成宗實錄五十六卷　事目十卷　制誥録七卷 皇慶元年，翰林學士程

鉅夫、修撰鄧文原、待制元明善進。

武宗實錄五十卷　事目七卷　制誥録三卷 皇慶元年，翰林學士承旨

程鉅夫、待制元明善、①修撰楊載進。

仁宗實錄六十卷　事目一十七卷　制誥録十三卷 至治三年二月

進。翰林學士元明善、侍講學士曹元用、袁桷。

英宗實錄四十卷　事目八卷　制誥録二卷 至順元年五月進。翰林學

士吴澂、侍講學士曹元用、馬祖常、謝端。

泰定實錄 翰林學士王結、翰林直學士歐陽原功、編修成遵。

明宗實錄 翰林直學士歐陽原功、侍講學士張起巖、翰林直學士謝端、編修成遵。

文宗實錄 翰林直學士歐陽原功、謝端、侍講學士張起巖、翰林學士王結、待詔蘇天

爵、編修成遵。

寧宗實錄 張起巖、歐陽原功、謝端。

編　年　類

楊雲翼等　續資治通鑑 金大安元年編。

郝經　通鑑書法

金履祥　通鑑前編十八卷

何中　通鑑綱目測海三卷

胡三省　音注資治通鑑二百九十四卷　釋文辨誤十二卷 字景

參，一字身之，天台人。

---

① 原闕"制"，據《二十五史補編》本補。

尹起莘　通鑑綱目發明五十九卷　遂昌人。

王幼學　通鑑綱目集覽五十九卷　字行卿，望江人。書成於泰定中。

劉友益　通鑑綱目書法五十九卷　字益友，永新人。

徐昭文　通鑑綱目考証五十九卷　字季章，上虞人。

金居敬　通鑑綱目凡例考異

吳迁　重定綱目

徐誽　續通鑑要言二十卷

曹仲埜　通鑑日纂二十四卷

董蕃　通鑑音釋質疑　字子衍，宜興人。釣臺書院山長。

潘榮　通鑑總論一卷

汪從善　通鑑地理志二十卷　字國良，杭州新城人，邵武路總管。

宋季三朝政要六卷　起寶慶，終祥興。無撰人姓名。皇慶壬子陳氏餘慶堂刊。

張特立　歷年係事記

胡一桂　歷代編年

察罕　帝王紀年纂要一卷

蘇天爵　遼金紀年

雜　史　類

遼遙輦可汗至重熙以来事迹二十卷　蕭韓家奴耶律庶成撰。

大遼古今錄　大遼事蹟　皆金時高麗所進。

大金弔伐錄四卷

張師顏　南遷錄一卷　金祕書省著作郎。以上遼金。

元好問　壬辰雜編

劉祁　歸潛志十四卷

贍思　金哀宗紀　正大諸臣列傳

王鶚　汝南遺事四卷　起天興二年六月，訖三年正月。

楊奐　天興近鑑三卷

北風揚沙録　記金國始末。

天興墨淚　記金亡事。皆不著撰人。

張樞　宋季逸事

劉一清　錢塘遺事十卷　記南宋事。

咸淳遺事二卷　不著撰人。

陳仲微　廣益二王本末一卷　宋兵部侍郎，國亡，避地，卒於安南。

吳萊　桑海遺録

秦玉　宋三朝摘要

張雯　繼潛録　字子昭，吳人。記宋末遺事。

鄧光薦　德祐日記　填海録　續宋書

周才　宋史略十六卷　字仲美，浦城人。

危素　宋史稿五十卷

聖武開天記　中書平章政事察罕譯，脱必赤顔成書。

太宗平金始末　同上。

元祕史十卷　續祕史二卷　不著撰人。記太祖初起及太宗滅金事，皆國語旁
譯，疑即脱必赤顔也。

和林廣記　至正直記所載有《和林志》。

平金録　至元十三年詔修。

平宋録十卷　至元十三年劉敏中奉詔修。

諸國臣服傳　至元十三年詔修。

伯顔平宋録二卷　不知撰人，或云平慶安作。

權衡　庚申外史二卷　一云《庚申大事記》。字以制，吉安人。隱於彰德黃華
山。察罕帖木兒聘之，不應。

史□　至正遺編四卷

陶宗儀　草莽私乘

古　史　類

蕭貢　注史記一百卷　字真卿，京兆咸陽人。户部尚書。
蔡珪　補南北史志六十卷
吾衍　晉史乘一卷　楚史檮杌一卷
王邁　東周四王譜
吳師道　戰國策校注十卷
呂思誠　兩漢通紀
王希聖　續漢春秋
郝經　續後漢書九十卷
張樞　續後漢書七十三卷　刊定三國志六十五卷
趙居信　蜀漢本末三卷　字季明，許州人。翰林學士，追封梁國公。
張延　東晉書二卷　稿城人。真定路教授。
謝翱　南史補帝紀贊一卷　唐書補傳一卷
陳翼子　唐史厄言三十卷
戚光　音釋陸游南唐書一卷
徐天祜　吳越春秋音注十卷　字受之，紹興人。國子監書庫官。

史　鈔　類

胡一桂　十七史纂古今通要十七卷
楊奐　正統書六十卷　正統八例序
姚燧　國統離合表
王約　史論三十卷
陳櫟　歷代通略四卷
陸以道　宋鑑提綱　無錫人，翰林待制。

楊如山　讀史説三卷

秦輔之　史斷

余瑾　史補斷　上海人。自號笐隱生。

許謙　觀史治忽幾微　起太皞氏,訖宋元祐元年司馬光卒。

戚崇僧　歷代指掌圖二卷

黃繼善　史學提要一卷

倪堯　史學提綱

夏希賢　全史提要編　廣信人,昭文館大學士。

鄭滁孫　直説通略十三卷

鄭鎮孫　歷代史譜二卷

張明卿　世運略八卷　字子晦,天台人。

倪士毅　歷代帝王傳授圖説

馮翼翁　正統五德類要三十四卷

陳剛　歷代帝王正閏圖説

柴望　丙丁龜鑑五卷

呂溥　史論

俞漢　史評八十卷

雷光霆　史辨三十卷

趙居信　史評

謝端　正統論辨一卷

錢天祐　叙古頌二卷

朱震亨　宋論一卷

楊維楨　史義拾遺二卷

曾先之　十九代史略十八卷

董鼎　汪亨　史纂通要後集三卷

吳簡　史學提綱

宋□　紀史奇蹟十五卷　傅若金序,稱侍御史魏郡宋公。

史略考　羅伯綱、王子讓撰，皆廬陵人。

故　事　類

士民須知

趙秉文　貞觀政要申鑒

楊廷秀　四朝聖訓　承安二年，編類太祖、太宗、熙宗、世宗聖訓。

大定遺訓　正大四年，同知集賢院史公奕進。

大金德運圖説　貞祐二年，尚書省集議。

范拱　初政録十五篇　以上金。

大元聖政國朝典章六十卷　始中統至延祐。

新集至治條例　不分卷，至治二年集。

經世大典八百八十卷　目録十二卷　公牘一卷　纂修通議一
　卷　至順三年二月進，中書平章政事趙世延、奎章閣侍書學士虞集總裁。預修者：
　奎章閣承制學士李泂、授經郎揭傒斯、藝文少監歐陽原功、藝林庫使王守誠等。

省部政典舉要一册

成憲綱要五册

諭民政要一册

六條政類　至正八年上。

會要格例六册

戈直　集注貞觀政要十卷

張立道　平蜀總論

大定治績二卷一百八十餘條　翰林直學士王磐、翰林侍講學士徐世隆、翰林
　學士承旨王鶚等進。

孟夢恂　漢唐會要

陳櫟　六典撮要

李好文　歷代帝王故事百六篇

揭傒斯　奎章政要

袁誠夫　征賦定考

徐泰亨　海運紀原七卷　<small>餘杭人。</small>

陳椿　熬波圖一卷

贍思　河防通議二卷

任仁發　水利書十卷　<small>華亭人。</small>

歐陽原功　至正河防記一卷

王喜　治河圖略一卷

韓準　水利通編

曹慶孫　水利論說

武祺　寶鈔通考八卷

王士點　禁扁五卷　<small>字繼志，東平人。</small>

內府宮殿制作一卷　<small>無撰人姓名。</small>

國初國信使交通書

梁琮　官吏須用十六卷　<small>安陽人，福建轉運副使。</small>

官民準用七卷　<small>無撰人。</small>

玉璽傳聞一卷　<small>卷末題阜昌宋隆夫書。</small>

歷代錢譜一卷　<small>至大三年編。</small>

　　　　　職　官　類

孫鎮　歷代登科記　<small>字安常，絳州人。金。</small>

徐勉之　科名總錄　<small>鄱陽人。</small>

元統元年進士題名錄一卷

陳剛　歷代官制說

金國官制一卷　無撰人。

祕書監志十一卷　王士點、商企翁同撰。點，字繼志，東平人。企翁，字繼伯，曹
州人。

風憲宏綱二十册　趙世延撰。

國朝憲章十五卷　敬儼撰。

趙承禧　憲臺通紀一卷

潘迪　憲臺通紀二十三卷

唐惟明　憲臺通紀續集一卷

索元岱　南臺備紀二十九卷

劉孟琛　南臺備要二卷

王惲　玉堂嘉話八卷　述翰林故事。

中堂事紀三卷　烏臺筆補十卷

高謙　吏部格例一百八十卷　雄州人，河間等路都轉運使。

曾德裕　考功歷式二卷　永豐人。大德中翰林直學士。

六曹法十二卷　不知撰人。

資正備覽三卷　資正院使札剌爾公撰。

李好文　成均志二十卷

儀　注　類

遼禮書三卷　重熙中，蕭韓家奴等撰。

楊雲翼　校大金禮儀

張行簡　禮例纂一百二十卷　會同朝獻禘祫喪葬録

大金集禮四十卷　明昌六年，禮部尚書張暐等進。以上遼金。

至元州縣社稷通禮

廟學典禮六卷　始太宗丁酉，訖成宗大德間。

太常集禮五十一卷　《郊祀》九,《社稷》三,《宗廟》二十一,《輿服》二,《樂》七,《諸神祀》三,《諸臣請謚》及《官制因革》、《典籍録》六。李好文、孛术魯翀等撰。

太常續集禮十五册　脱脱木。

續編太常集禮三十一册　王守誠。

太常至正集禮二十册

太常禮儀沿革一卷　必里牙教。

張翌　釋奠儀注一卷

申屠致遠　釋奠通禮三卷

袁桷　郊祀十議一卷

曾巽申　鹵簿圖五卷書五卷　郊祀禮樂圖五卷書三十卷　崇文鹵簿志十卷　致美集成三卷

任杙　三皇祭禮一卷　記至正祀三皇禮儀。

趙鳳儀　釋奠樂器圖一卷

大德編輯釋奠圖八卷　何元壽。

趙孟頫　祭器圖式十卷

范可仁　釋奠通載九卷　通祀纂要二卷　宣慰使。

黃以謙　通祀輯略三卷　至元間泉州路分教。

黃元暉　通祀輯略續集一卷　以謙從子。

吳夢賢　釋奠儀圖一卷

周之翰　朝儀備録五卷　朝儀紀原三卷　字子宣,大都人。由侍儀舍人至冠州知州。

張希文　丁祭考一卷　字質夫,瑞州新昌人。

刑　法　類

金國刑統

泰和律義三十卷　泰和元年十二月成。

泰和新定律令敕條格式五十二卷　《泰和律令》二十卷，《新定敕條》三卷，《六部格式》三十卷，泰和元年司空襄進。

承安律義　承安五年尚書省進。

皇統制條

大定重修制條十二卷　大理卿移剌愷撰。

李祐之　删注刑統賦　太原人。以上金。

至元新格　參知政事何榮祖撰。

大元通制八十八卷二千五百三十九條　至治三年，完顏納丹、曹伯啓纂集。

至正條格二十三卷

贍思　審聽要訣

刑統一覽五册

趙惟賢　刑統

徐泰亨　折獄比事十卷　字和甫，餘杭人。青陽縣尹。

王與　無冤錄二卷

鄭汝翼　永徽法經三十卷

梁琮　唐律類要六卷

王元亮　唐律疏義釋文三十卷　唐律纂例圖　不分卷。字長卿，汴梁人。江西行省檢校官。

吳萊　唐律删要三十卷

金玉新書二十七卷　不知撰人。

傳　記　類

王鼎　焚椒錄一卷　遼觀書殿學士。

七賢傳　不著撰人名。七人，皆遼世名流，耶律吼其一也。以上遼。

鄭當時　節義事實　金。

列女傳圖像　大德十一年刊行。

蘇天爵　國朝名臣事略十五卷

翟思忠　魏鄭公諫續録二卷

贍思　西域異人傳

吳武子　東坡事蹟　光山人。

陸友　米海岳遺事一卷

羅有開　唐義士傳一卷　德興人。

昭忠録一卷　記宋末事,不著撰人。

汪逢辰　忠孝録

黃一清　節孝録　休寧人。

張燾　忠義録三卷　集兵興以來死節死事之人。

徐顯　稗史集傳

楊元　忠史一卷　番陽人。起夏商至宋末,得八百餘人。

保越録一卷　記至正十八年,浙江行樞密院副使呂珍守紹興本末,不著撰人名字。

劉岳申　文丞相傳一卷　字高仲,吉水人。遼陽儒學副提舉。

龔開　文天祥傳一卷　陸秀夫傳

葉由庚　瘦叟自誌一卷

謝翱　浦陽先民傳一卷

海隄録一卷　至元己卯,餘姚州判葉恒敬常築石隄。子晉輯名賢述作以褒揚之。

舒彬　廣信文獻録　字文質,永豐人。

東陽人物表　胡潗著。

彭士奇　廬陵九賢事實録　進士。

隴右王汪氏世家勳德録　御史中丞汪壽昌撰。

元永貞　東平王世家三卷　木華黎。

戴羽　武侯通傳三卷　德安人。

吳師道　敬鄉前後錄二十三卷

黃奇孫　三朝言行錄　字行素。宋尚書黃度孫輯度事。

陳顯曾　昭先錄　記其祖父常州通判熠死難事。

吳夢炎　朱文公傳二卷

陳氏崇孝集一卷

張明卿　尚左編五卷

楊三傑　明倫傳五十卷　字曼卿，蜀人。

胡琦　關王事蹟一卷

辛文房　唐才子傳十卷　字良史，西域人。

運使復齋郭公言行錄一卷　福州路教授徐東編，紀福建都轉運鹽使郭郁事迹。

永豐尹辜君政績一卷　名中。

真定東和善政錄　字朝用，蒙古人。政和縣達魯花赤，縣人紀其事。

譜牒類

蕭貢　五聲姓譜五卷

金重修玉牒　承安五年大睦親府進。

女直郡望姓氏譜　太師金源郡王勗撰。　以上金。

十祖系錄

陳櫟　姓氏源流一卷　希姓略一卷

楊譓　姓氏通辨

排韻增廣事類氏族大全十卷　不著撰人。

梁益　史傳姓氏纂

程時登　孔子世系圖三卷

吳迁　孔子家世考異二卷

施澤之　孔氏實録十二卷

孔氏世家一卷　孔克己著，臨江人。

孔元祚　孔氏續録五册　孔子五十一代孫，編於延祐間。

孔聖圖譜三卷　大德間孔子五十三代孫澤刊。

張塾　闕里通載

孔濤　闕里譜系一卷　字世平，衢州人。潮州路知事。

張樞　曲江張公年譜一卷

張師曾　梅宛陵年譜一卷　宣城人，或云其兄師愚撰。

豫章羅氏族譜

盧龍趙氏族譜

金華俞氏家乘十卷　俞慶，字大有。

黃溍　義烏黃氏族譜圖

浦江柳氏宗譜　文肅八世孫穆修。

吳文正公年譜一卷

張文忠公　養浩。　年譜一卷　俱危素撰。

覃氏世系譜

稿城董氏世譜

晏氏家譜

雒陽楊氏族譜

羅氏族譜

臨川危氏族譜一卷

兩伍張氏家乘　江浙行省都事張天永撰，字長年，高郵人。

吳氏世譜　吳海撰。

程峴　程氏世譜三十卷　字和卿，休寧人。

汪氏勳德録　汪嗣昌撰。

汪松壽　汪氏淵源録十卷

簿　録　類

蔡珪　續歐陽公集録金石遺文六十卷　金石遺文跋尾十卷
　古器類編三十卷　<small>金。</small>

共山書院藏書目録　<small>柳貫《序》稱汲郡張公，不詳其名。延祐三年參議中書省。</small>

史館購書目録　<small>至正中危素撰。</small>

上都分學書目　<small>至正中助教毛文在購書一千二百六十三卷，為目，藏之崇文閣，一</small>
<small>藏開平儒學，一藏分學。</small>

陸氏藏書目録　<small>黃潛《序》稱吳郡陸君，不詳其名。</small>

地　理　類

蔡珪　晉陽志十二卷　補正水經三卷　<small>一作《水經補》，亡四十篇。</small>
　燕王墓辨一卷

呂貞幹　碣石志　<small>字周卿，大興人。</small>

王寂　遼東行部誌一卷　鴨江行部誌一卷　<small>以上金。</small>

聖朝混一方輿勝覽三卷

大一統志七百五十五卷　<small>至元二十八年，集賢大學士札馬剌丁、祕書少監虞應</small>
<small>龍等進。</small>

大一統志一千卷　<small>大德七年，集賢大學士字蘭肸、昭文館大學士祕書監岳鉉等上。</small>

郡邑指掌十册

蕭𣂪　九州志

郝衡　大元混一輿地要覽七卷

朱思本　輿地圖二卷　<small>字本初，臨川人。</small>

吴萊　古職方録八卷

汪從善　地理考異六卷

滕賓　萬邦一覽集

皇元建都記

楊奐　汴故宫記一卷

陳隨應　南渡行宫記

熊自得　析津志典 _{字夢祥,豐城人。崇文監丞。}

王惲　汲郡志十五卷

迺賢　河朔訪古記十六卷 _{今存二卷。}

瞻思　鎮陽風土記　續東陽志六卷　西國圖經

宋某　東郡志十六卷 _{侍御史。}

相臺續志十卷

于欽　齊乘六卷 _{字思容,益都人。兵部侍郎。}

李好文　長安志圖三卷

張鉉　金陵新志十五卷 _{字用鼎,陝西人。}

戚光　集慶路續志

太平路圖志十册

劉恭　松江志八卷 _{四明人,松江教授。}

錢全袞　續松江志十六卷

俞希魯　鎮江府志

王仁輔　無錫志二十八卷 _{字文友,鞏昌人。}

秦輔之　練川志

楊譓　崑山郡志

宣伯聚　浙江潮候圖説

韓性　紹興志八卷

袁桷　延祐四明志二十卷

王元恭　四明續志十二卷 _{字居敬,真定人。慶元路總管。}

章嶲　天台郡志

台州路志十册

元統赤城志　楊敬德修。

黃溍　義烏志七卷

黃鄰　諸暨志十二卷　至正丁酉。

上虞志　至正中，縣尹張叔温、延邑人張德潤裒集。後縣尹林希元、屬學博陳于壘
　　重修。

許汝霖　嵊志十八卷　至正。

奉化志十卷　至元中，縣尹丁濟屬邑人舒津、陳著撰，皇慶延祐重修。

昌國州圖志七卷　大德中馮復京、郭薦撰。

東陽志　延祐七年戴璧等輯。

永康志　延祐中陳安可修。

溫州路志十册

平陽州志　大德十一年永嘉教諭章嶲修。

處州路志十册　麗水梁載著。

吳萊　松陽志略　甬東山水古蹟記一卷

方回　建德府節要圖經　至元十四年安撫使。

謝翱　睦州山水人物古蹟記一卷　浙東西游録九卷　今存《金華游
　　録》一卷。

黃奇孫　南明志　南明在新昌縣。

徐碩　至元嘉禾志三十二卷

洪焱祖　續新安志十卷

汪元相　祁門志

汪幼鳳　星源續志　婺源人。

趙迎山　續豫章志十三卷

劉有慶　潘斗元　續豫章職方乘十四卷

吳存　鄱陽續志

李士會　樂平廣記三十卷　字有元,樂平人。

李彝　南豐郡志三册

李肖翁　豐水續志六卷　字克家,富州人。儒學提舉。

楊升雲　瑞陽志

致和三山續志

吳鑒　清源續志二十卷　字明之,閩人。

陳士元　武陽志略一卷　邵武人。

嚴士真　崇陽志

峽州路夷陵志三册

費著　成都志

吳萊　南海古迹記一卷

蔡微　瓊海方輿志　字希元,瓊山人。

南雄路志一册

張立道　雲南風土記　六詔通説

郝天挺　雲南實錄五卷

李京　雲南志略四卷　字景山,河間人。大德中烏撒烏蒙宣慰副使。

張道宗　紀古滇説集一卷　雲南人,起唐虞,訖咸淳。

潘昂霄　河源志　字景梁,濟南人。集賢侍讀學士,諡文簡。

李處一　西岳華山志一卷

張天羽　茅山志十五卷

劉大彬　茅山志三十三卷

楊少愚　九華外史　青陽人。

鄧牧　大滌洞天圖記三卷　字牧心,錢唐人。

天台山志一卷　無撰人。

曾堅　四明洞天丹山圖詠集一卷

陳性定　仙都志二卷　字此一。

元明善　龍虎山志三卷

黎崱　廬山游記三卷　字景高,安南人。

李孝光　雁山十記一卷

盛熙明　補陀洛迦山考

王約　高麗志四卷

張立道　安南録

黎崱　安南志略二十卷

李志剛　耽羅志略三卷　永嘉人。

周達觀　真臘風土記一卷

周致中　異域志三卷

汪煥章　島夷志略一卷　字大淵，豫章人。

耶律楚材　西游録

長春真人西游記二卷　李志常，述邱處機事。

劉郁　西使記一卷

楊奐　紫陽東游記一卷

郝經　行人志

張德輝　邊堠紀行

何中　蓟邱述游録一卷

元貞使交録

文子方　安南行記　禮部郎中，安南副使。

周密　武林舊事十二卷

吳自牧　夢粱録二十卷

古杭夢游録一卷　自題灌園耐得翁。

李有　古杭雜記四卷

郭天錫　客杭日記一卷　名畀，以字行，丹徒人。江浙行省掾史。

陸友　吳中舊事一卷

高德基　平江紀事一卷

凌緯　唐山紀事

姚桐壽　樂郊私語一卷　字樂年，桐廬人。餘干州教授。

第三（子類）

　　子類十有四：曰儒家，曰道家，曰經濟，曰農家，曰雜家，曰小說家，曰類事，曰天文，曰算術，[①]曰五行，曰兵家，曰醫方，曰雜藝，曰釋道。

儒　家　類

趙秉文　楊子發微一卷　太玄箋贊六卷　文中子類說一卷 _{金。}

顏子五卷 延祐李純仁編，高安人。

王廣謀　孔子家語句解三卷 字景猷。

趙復　傳道圖　伊洛發揮　朱子門人師友圖　希賢錄

許衡　小學大義　四箴說　語錄　魯齋先生遺書六卷　魯齋先生心法一卷 不知何人所編，皆與學者講說之意。

劉因　小學四書語錄

蕭㪺　小學標題駁論

許謙　自省編　日聞雜說 門人所記。

孟夢恂　性理本旨

吳澄　學基學統二篇

柳貫　近思錄廣輯三卷

張養浩　經筵餘旨一卷

李好文　端本堂經訓要義十一卷

---

　　① "算術"，《二十五史補編》本作"曆算"。

史伯璿　管窺外編五卷

吴仲迂　先儒法言　先儒粹言　字可翁，番陽人。

趙居信　理學正宗一卷

蔣子晦　學則二十卷

曾巽申　心性論　理氣辨

馮翼翁　性理羣書

陸正　正學編

胡炳文　性理通　純正蒙求三卷

程端禮　讀書分年日程三卷

陳剛　性理會元二集四十六卷　字公潛，溫州平陽人。

張復　性理遺書十四卷　字伯陽，建安人。建寧路知事。

時榮　洙泗源流八卷　金華人。

蕭元益　洙泗大成集　字楚材，安化人。

黄鎮成　性理發微四卷

王文焕　道學發明　一名子敬，字叔恭，松陽人。

張明卿　存養録十二卷

王德新　學則二篇

俞長孺　心學淵源　新昌人，諸暨州學正。

黄瑞節　朱子成書十卷

陳樵　太極圖解　通書解　聖賢大意　性理大明　答客問
　石室新語

程時登　太極圖説一卷　西銘補注一卷

吕洙　太極圖説一卷

劉霖　太極圖解

鄭謐　太極圖集義窮神　字彦淵，金華人。

何中　通書問一卷

朱本　太極圖解　通書解　皇極經世解　字致其，豐城人。福州路儒學提舉。明初以賢良徵，不至，安置和州。

張懷遠編　周子書四卷

鄭原善　補正蒙解

熊禾　小學句解　文公要語

熊朋來　小學標注

熊良輔　小學入門

韓準　小學書闕疑　字公衡，沛人。江南行臺侍御史。

李成己　小學書纂疏　字友仁，陝西人。

蔣捷　小學詳斷　字勝欲，宜興人。

薛延年　小學纂圖六册

熊大年　養正𦤶書一卷　養蒙大訓十二卷

周公恕　近思錄分類解十四卷

耶律楚材　皇極經世義

祝泌　皇極經世觀物篇解六十二卷　字子堅，宋季為提領幹辦公事。

方回　皇極經世考

齊履謙　皇極經世書入式一卷　外篇微旨一卷

杜瑛　皇極引用八卷　皇極疑事四卷　極學十卷

朱隱老　注皇極經世書十八卷

薛微之　皇極經世圖說　聖賢心學編

邱葵　經世書聲音既濟圖

安熙　續皇極經世書

徐驤　皇極經世發微　字伯驤，婺源人。

鄭松　皇極經世書續　一名復，字特立，樂安人。

蔡仁　皇極經世衍數一百五十四卷　前集五十五卷，後集五十三卷，别集
十五卷，續集十六卷，支集十五卷。字和仲，饒州布衣。或曰占卜書也。

邱富國　經世補遺三卷

何榮祖　觀物外篇

桂本　三極一貫圖　道統銘

鄭以忠　宮學正要二卷

曹涇　服膺録 字清甫，歙人。

史若佐　景行録一卷

茅知微　至性書 仙游人。

胡一桂　人倫事鑒

吳海　厚本録

惠希孟　家範五卷

浦江鄭氏家範三卷 鄭文融，字太和，撰。

吳宗元　吳氏宗教一篇 諸暨人。

丁儼　金閨彝訓八卷 字主敬，新建人。

許熙載　女教六卷 字敬臣，安陽人。

道　家　類

趙秉文　南華略説一卷　列子補注一卷

李純甫　老子解　莊子解

時雍　道德經全解六卷

李霖　道德經取善集十二卷

寇才質　道德經四子古道集解十卷

劉處元　陰符經注一卷 自號長生子。

唐淳　陰符經注二卷 以上金。

王珏　道德經注　還原奧旨 字君璋，常熟人。

李道純　道德會元二卷 字元素，臨濠人。自號瑩蟾子。

雷思齊　老子本義　莊子旨義

贍思　老莊精詣

吳澂　道德經注四卷　南華內篇訂正二卷

李衍　老子解二卷

劉莊孫　老子發微

呂與之　老子講義　慶元人，失其名。

陳岳　老子注　字甫申，天台人。自稱委羽山人。

趙學士　老子集解四卷　全解二卷

張慶之　老子注　字子善，吳人。

何南卿　南華注十三卷

杜道堅　道德經原旨四卷　原旨發揮二卷　關尹子闡玄三卷　文子纘義十二卷

褚伯秀　莊子義海纂微一百六卷　宋末杭州道士。

林志堅　老子注二卷　至正間人。

鄧錡　道德經三解四卷

劉惟永　老子集義大旨三卷　集義十七卷　丁易東校。

趙素　陰符經集解三十卷　字才卿。

俞玉吾　陰符經解一卷

經　濟　類

傅慎微　興亡金鑑錄一百卷　泰州人，禮部尚書。

楊雲翼　趙秉文等　龜鑑萬年錄二十篇

楊雲翼　趙秉文　君臣政要

楊伯雄　瑤山往鑑　棗城人，右補闕。

趙秉文　百里指南一冊　以上金。

王惲　守成事鑑十五篇　承華事略六卷　記東宮事。

相鑑五十卷

馬祖常　列后金鑑　千秋紀略

李泂　輔治篇

李好文　大寶録　大寶龜鑑

程時登　臣鑑圖

徐宗度　皇王大訓　<small>建安人。</small>

朱嗣榮　政鑒　<small>字文昌,金谿人。</small>

戴焴　歷代人臣正邪龜鑑二百卷　<small>婺源人。</small>

張養浩　三事忠告三卷　<small>三事:廟堂、風憲、牧民也。</small>

許熙載　經濟録四卷

蘇天爵　治世龜鑑一卷

張巨濟　萬年龜鑑録十卷

贍思　帝王心法

許師敬　皇圖大訓　<small>師敬為中書右丞日,因其父衡説而申衍之。</small>

歐陽原功等　太平經國二百十二卷

朵兒直班　治原通訓四卷

蘇霖　有官龜鑑十九卷

張明卿　政事書一卷

趙天麟　太平金鏡策八卷　<small>東平人,世祖時上。</small>

卜天璋　中興濟治策二十篇　<small>天曆二年表上。</small>

鄭介夫　太平策　<small>字以吾,開化人。</small>

吳明　定本萬言策　<small>大同人,國子助教。</small>

艾本固　太平十策　<small>臨川人。</small>

郭慶傳　經邦軌轍十卷　<small>臨江人。</small>

徐中立　平徭六策　<small>字宗道。</small>

葉留　為政善惡報應事類十卷

張光大　救荒活民書八卷

徐天瑞　吏學指南八卷　<small>字君祥,吳人。</small>

徐泰亨　吏學大綱十卷

彭天錫　政刑類要一卷　字仁仲，湖州人。

汪逢辰　太平要覽

秦輔之　資政格言一册

程珙　九疇策疏

農　家　類

王禎　農書二十二卷　《農桑通訣》六，《穀譜》四，《農器圖譜》十二。豐城縣尹。

至元農桑輯要書七卷　至元十年大司農輯。

魯明善　農桑衣食撮要二卷　一作《農桑機要》。畏吾人。以魯為氏，名
鐵柱。

羅文振　農桑撮要七卷

汪汝懋　山居四要四卷　字以敬，浮梁人。國史院編修。

陸泳　田家五行一卷　字伯翔，松江人。

農桑雜令　至元二十八年頒行。

栽桑圖説　延祐五年，大司農買住等進。司農丞苗好謙所撰。

費著　歲華紀麗譜一卷　記蜀中節候。

雜　家　類

王庭筠　叢辨十卷

王若虛　經史辨惑四十卷

趙秉文　資暇録十五卷

蕭貢　公論二十卷

張行簡　清臺記　皇華戒嚴記　為善記　以上金。

劉祁　處言四十三篇

張樞　林下竊議一卷

李冶　敬齋古今黈四十卷　今存八卷。"黈"，一作"難"。　羣書叢削十
　二卷　泛説四十卷

史弼　省己錄一卷　字君佐。

雷光霆　史子辨義三十卷

汪自明　禮義林三十卷

馬端臨　義根守墨三卷

包希魯　諸子纂言

凌緯　董子雜言

張光祖　言行龜鑑八卷

莫惟賢　廣莫子　字景行，錢唐人。

吳亮　忍書一卷　字明卿，杭州人。

俞德鄰　佩韋齋輯聞四卷

鮮于樞　困學齋雜錄一卷

季仁壽　春谷讀書記二百卷　婺州路儒學教授。

黃溍　日損齋筆記一卷

葉氏　愛日齋叢抄十卷

杜本　十原

鮑雲龍　天原發微五卷

熊本　讀書記二十五卷

楊漢英　明哲要覽九十卷

方宜孫　經史説五卷

張延　要言一卷

方回　虛谷閒抄一卷

白珽　湛淵静語二卷

李翀　日聞錄一卷　或作凌翀，誤。

陳櫟　勤有堂隨録一卷

劉壎　隱居通義三十一卷　字起潛，南豐人。延平教授。

陳世隆　北軒筆記一卷

郭翼　履雪齋筆記一卷

鄭枃　覽古編

孟夢恂　筆海雜録五十卷

蘇天爵　春風亭筆記二卷

吾衍　閒居録一卷　一作《閒中編》、《山中新話》。

王古心　筆録　上海人，失其名。

俞玉吾　易外別傳一卷　幽明辨惑一卷　席上腐談二卷　書
　齋夜話四卷

顧逢　船窗夜話一卷　負暄雜録一卷　字君際，吳人。

何中　揩頤録十卷

秦玉　齋居雜録

陸友　研北雜志二卷

宋无　寒齋冷話

尤玘　萬柳溪邊舊話一卷　吳人。

陳汝霖　休休居士雜録　無錫人。

盛如梓　庶齋老學叢談三卷　揚州人。

方用　茗谷叢説　望江人。

程龍　弄環餘説　“環”一作“丸”。

貢奎　上元新録　聽雪齋記　宣城人。

楊瑀　山居新語四卷

鄭元祐　遂昌雜録一卷

陶宗儀　南村輟耕録三十卷

周密　齊東野語二十卷　癸辛雜志前集一卷　後集一卷　續
　集二卷　別集二卷　澄懷録二卷　續澄懷録三卷　浩然齋

視聽抄浩然齋意抄　浩然齋雅談

仇遠　稗史一卷

虞集　就日録一卷

李材解　醒語一卷

夏頤　東園友聞二卷

清略録六卷　<small>自署灌園耐得翁，不知其名。</small>

廣客談一卷　<small>不著撰人。</small>

孔行素　至正直記四卷　<small>名齊。</small>

吳福孫　清容軒手抄　<small>字子善，杭州人。上海縣主簿。</small>

黃叔英　戀庵暇筆三卷　<small>字彥實，慈谿人。宋進士，元初為書院山長。</small>

熊太古　冀越集記二卷

陳世崇　隨隱漫録五卷　<small>臨川人。</small>

曾巽申　過聞録二卷

謝應芳　辨惑編四卷　<small>字子蘭，武進人。</small>

蔣子正　山房隨筆一卷

羅志仁　姑蘇筆記　<small>字壽可，新喻人。</small>

陳樵　負暄野録二卷

錢全袞　芝蘭室雜抄

汪從善　生意齋筆録三十五卷　讀書記十卷　中朝紀聞

唐元　見聞録二十卷

東南紀聞三卷　<small>無撰人。</small>

郭霄鳳　江湖紀聞十六卷　<small>字雲翼。</small>

周達觀　誠齋雜記二十卷

小 説 家 類

楊圃祥　百斛珠　<small>蜀人。金章宗時。</small>

元好問　續夷堅志四卷

吳元復　續夷堅志二十卷　一作四卷。字山漁，番陽人。

鍾嗣成　録鬼簿二卷　字繼先，汴梁人。

關漢卿　鬼董五卷

異聞總録四卷　不著撰人。

喬吉　青樓集一卷　字夢符，太原人。

陶宗儀　説郛一百二十卷　名姬傳

曹繼善　安遠堂酒令一卷

朱士凱　撲叙萬類　至正浙省掾。

張小山等　包羅天地

伊世珍　瑯環記三卷

沈麐元　緝柳編三卷

常陽妻龍輔　女紅餘志二卷

邵文伯　浩然翁手抄五色線三卷

類　事　類

鄭當時　羣書會要

泰和編類陳言文字二十卷　完顏綱、喬宇、宋元吉等修。以上金。

馬端臨　文獻通考三百四十八卷

周剛善　六藝類要六卷　臨江人。

潘迪　格物類編

舒天民　六藝綱目四卷　鄞人。

劉應李　事文類聚翰墨全書一百四十五卷　甲至癸。　后集六十
二卷　甲至戊。甲集十二：曰諸式，曰活套。乙集十八：曰冠禮，曰昏禮。丙集十
四：曰慶誕，曰慶壽。丁集十一：曰慶壽，曰喪禮。戊集十三：曰喪禮，曰祭禮。己集

十二。庚集十五：曰官職。辛集十六：曰儒學。壬集十七：曰儒學，曰人品。癸集十七：曰釋教，曰道教。后甲十五：曰天時，曰地理。后乙十三：曰地理。后丙十一：曰人倫，曰人事，曰姓氏。后丁十四：曰第宅，曰器物，曰衣服，曰飲食。后戊九：曰花木，曰鳥獸，曰雜題。凡廿五門。字希泌，建陽人。

高恥傳　羣書鈎玄十二卷　臨卭人。

張諒　經史事類書澤三十卷

錢縉　萬寶事山二十卷

凌緯　事偶韻語

俞希魯　竹素鈎玄三十卷

吳黼　丹墀獨對十卷

虞韶　小學日記故事十卷　建安人。

白珽　經子類訓二十卷　集翠裘二十卷

居家必用事類十卷　或云熊宗立撰。

唐懷德　破萬總録一千卷　鈎玄集

陳世隆　藝圃蒐奇二十册　徐一夔彙編。

富大用　古今事文類聚新集三十六卷　外集十五卷　字時可，南江人。

天　文　類

楊雲翼　懸象賦一篇　五星聚井一篇

岳熙載　天文精義賦三卷　天文祥異賦一卷　天文主管釋義三卷　注李淳風天文類要四卷　字壽之，湯陰人。金司天大夫。

張翼　天象傳　泰和中司天臺長行。以上金。

郝經　玉衡貞觀十二卷　變異事應

杜叔通　天地囊括圖説

曆　算　類

金大明曆十卷　<small>天會五年修。</small>

趙知微　重修大明曆

張行簡　改定太一新曆

耶律履　乙未元曆

楊雲翼　句股機要　象數雜說　<small>以上金。</small>

耶律楚材　西征庚午元曆二卷

郭守敬等　授時曆經三卷　推步七卷　立成二卷　轉神一卷
<small>一作《轉神選擇》二卷。</small>　上中下三曆注式十二卷　時候箋注二
卷　修改源流一卷　儀象法式二卷　二至晷影考二十卷　<small>齊
履謙傳二卷。</small>　五星細行考五卷　新測無名諸星一卷　月雜考
一卷　授時曆法撮要

李謙　授時曆議三卷

齊履謙　授時曆經串演撰八法一卷

札馬魯丁　萬年曆　<small>西域人。</small>

孟夢恂　七政疑解

程時登　閏法贅語

趙友欽　革象新書五卷

李冶　測圓海鏡十二卷　益古衍段三卷

彭絲　算經圖釋九卷

朱世傑　四元玉鑑二卷

五行類

王白　百中歌　<small>冀州人。興國軍節度使。</small>
耶律純　星命總括三卷　<small>以上遼。</small>

張謙　新校地理新書十五卷
丞相兀欽　注青烏子葬經一卷
張行簡　人倫大統賦一卷　<small>薛延年注，言相術。以上金。</small>

太乙統宗寶鑑二十卷　<small>不著撰人。大德癸卯曉山老人序。</small>
大乙星書二十卷　<small>元季人作。</small>
張居中　六壬袪惑鈐　<small>字正之。</small>
程直方　續元二集三卷
祝泌　六壬大占　壬易會元　祝氏祕鈐五卷
徐施二先生　玄理消息賦注一卷　<small>徐州人。</small>
回回課書一册
耶律楚材　五星祕語一卷　先知大數一卷
李欽夫　子平三命淵源注一卷　<small>字仁敬。</small>
神谷子　圖注解千里馬三命三卷　<small>文宗時人。</small>
王氏範圍要訣一卷　<small>嚴州人，失其名。言星命術。</small>
陸森　玉靈聚義五卷　總録二卷　<small>吳人，陰陽學教諭。</small>
王宏道　三元正經二卷　<small>龍興路陰陽學正。</small>
吳澄　删定葬書　<small>新喻劉則章注。</small>
鄭謐　釋注葬書一卷
吳海　葬書四卷
朱震亨　風水問答

余禎　地理十準

劉秉忠　平砂玉尺經六卷　後集四卷　玉尺新鏡二卷

焦榮　選葬編録三卷　<small>陝西陰陽學提舉。</small>

李道純　周易尚占三卷　<small>保八序，或以為保八著，誤。</small>

馬貴　周易雜占一卷

季克家　戎事類占二十一卷　<small>字肖翁，富州人。</small>

王磊　易卦海底眼

兵　家　類

張守愚　平遼議三卷　<small>金。</small>

秦輔之　武事要覽　<small>一作《要略》。</small>

趙孟頫　禽經一卷

吳澄　校正八陣圖

程時登　八陣圖通釋

俞在明　用武提要二十篇　<small>錢唐人。</small>

醫　書　類

直魯古　脉訣鍼灸書　<small>遼。</small>

成無己　注傷寒論十卷　傷寒明理論三卷　論方一卷

劉完素　<small>或作“元素”。</small>　傷寒直格三卷　<small>後集一卷　續集一卷　別集一卷</small>

　　運氣要旨論一卷　精要宣明論五卷　治病心印一卷　河間

　　劉先生十八劑一卷　素問要旨八卷　原病式二卷　<small>一作一卷。</small>

　　宣明方論十五卷　傷寒標本心法類萃二卷　傷寒直格論方

三卷　傷寒醫鑒一卷

張從正　汗下吐法　有六門二法之目。　治病撮要一卷　傷寒心鏡
一卷　祕録奇方二卷　儒門事親十五卷　張氏經驗方二卷
直言治病百法二卷　十形三療三卷　附《雜記》一卷。

李慶嗣　傷寒纂類四卷　改證活人書二卷　傷寒論三卷　鍼
經一卷　醫學啓元

紀天錫　集注難經五卷　一作三卷。　字齊卿,泰安人。醫學博士。

張元素　注叔和脈訣十卷　潔古本草二卷　潔古老人醫學啓
源三卷　病機氣宜保命集三卷　一名《活法機要》。

趙大中　風科集驗名方二十八卷　趙素訂補。　以上金。

太醫院新編本草　至元。

張存惠　重修經史證類本草三十卷　字魏卿,平陽人。

李杲　辨惑論三卷　蘭室祕藏六卷　一作五卷　脾胃論三卷　東
垣試效方九卷　内外傷寒辨三卷　用藥法象一卷　傷寒會
要　醫學發明九卷

王好古　醫壘元戎十二卷　此事難知二卷　湯液本草三卷
湯液大法四卷　陰證略例一卷　癍論萃英一卷　錢氏補遺
一卷　字進之,號汝莊,東垣弟子,醫學教授。

竇默　銅人鍼經密語一卷　標幽賦二卷　王鏡潭注。　指迷賦
瘡瘍經驗全書十二卷

羅知悌　心印紺珠一卷　字子敬,號太無。

羅天益　衛生寶鑑二十四卷　一作十五卷。　内經類編試效方九
卷　字謙甫,稿城人。東垣弟子。

劉純　傷寒治例一卷

楊士瀛　傷寒類書活人撚括七卷

潘濤　醫學繩墨　其目有十。

鄧文彪　醫書集成三十餘卷　字謙伯,金谿人。

危永吉　醫説一卷　字德祥,金谿人。素之父也。

高彭　醫書十事　字一清,道士。

王國瑞　扁鵲神應鍼灸玉龍經一卷

錢全衮　海上方

吳海　自試方

汪從善　博愛堂家藏方論

吳以寧　去病簡要二十七卷　字寧之,歙人。

戴起宗　脈訣刊誤三卷

王鏡潭　一作澤。增注醫鏡密語一卷　名仁整,蘭溪人。

鄭焱　運氣新書　字景文,蜀人。

王珪　泰定養生主論十六卷

李鵬飛　三元參贊延壽書五卷　自號澄心老人。至元九江儒醫。

葛乾孫　醫學啓蒙　經絡十二論　十藥神書一卷　字可久,吳人。

趙良　醫學宗旨　金匱衍義

朱震亨　丹溪醫案一卷　丹溪纂要八卷　丹溪治法語録三卷　丹溪手鏡二卷　格致餘論一卷　丹溪心法附餘二十四卷　丹溪治痘要法一卷　活幼便覽二卷　局方發揮一卷　傷寒辨疑　一作《論辨》。　本草衍義補遺　金匱鉤玄三卷　平治薈萃方三卷　傷寒摘疑一卷　外科精要新論

尚從善　本草元命苞九卷　傷寒紀玄妙用集十卷

李晞范　注難經四卷　脈髓一卷　崇仁人。

胡仕可　本草歌括八卷　瑞州路醫學教授。

危亦林　世醫得效方二十卷　南豐人。

薩德彌實　瑞竹堂經驗方十五卷　號謙齋。

齊得之　外科精義二卷　御藥院外科太醫。

曾世榮　活幼心書二卷　衡州人。

吴瑞　一作"瑞"。　日用本草八卷　字瑞卿,海寧人。文宗時人。

承天仁惠局藥方　太醫院使耿□集二十六門,二百七十五方。

黄大明　保嬰玉鑑四卷　傷寒總要三卷　脉法三卷　集驗良
方六卷　亦姓游,字東之,臨川人。

朱撝　心印紺珠經二卷　字好謙。

程汝清　醫學圖説　婺源人。

申屠致遠　集驗方十二卷

葛應雷　醫學會同二十卷　字震父,平江人。江浙醫學提舉。

吕復　内經或問　靈樞經脈箋　五色胗奇眩　切脈樞要二卷
運氣圖釋　養生雜言　脈緒脈系圖　難經附説　四時燮理
方　長沙傷寒十釋　松風齋雜著

倪維德　元機啓微二卷　眼科。　校訂東垣試效方　吴人。

王履　百病鈎玄二十卷　醫韻統一百卷　醫經泝洄集一卷
傷寒立法考　字安道,崑山人。

徐彦純　玉機微義五十卷　本草發揮四卷　一作三卷。字用誠,山陰
人。學於朱震亨。

杜思敬　濟生拔萃方十九卷　一作六卷。

滑壽　難經本義二卷　十四經絡發揮二卷　素問注抄三卷
傷寒論抄二卷　診家樞要一卷　醫家引殼一卷　五臟補瀉
心要一卷　滑氏脉訣一卷　醫韻一卷　痔瘻篇　字伯仁。

鮑同仁　通玄指要賦注二卷　經驗鍼法一卷　歙人。字用良,會昌州
同知。

何若愚　流注指微論三卷　指微賦一卷

鄒鉉　壽親養老新書四卷

熊景元　傷寒生意　字仲光,崇仁人。

李中南　錫類鈐方二十二卷

陸仲達　千金聖惠方　青陽人。

堯允恭　德安堂方一百卷 _{京口人。}

馮道元　全嬰簡易方十卷

孫允賢　醫方大成十卷

艾元英　如宜方二卷 _{東平人。}

道士殷震　簡驗方

黃存誠　診脈樞機 _{未詳其名。}

姚良玫　古鍼灸圖經一卷

忽先生　金蘭循經取穴圖解一卷 _{名公泰，字吉甫，翰林集賢直學士。}

璚瑤道人　八法神針二卷 _{黃土真序。}

王氏小兒形證方二卷 _{元貞初刻。}

吳恕　傷寒活人指掌圖三卷 _{號蒙齋，錢唐人。至正間刊。}

袁坤厚　難經本旨 _{字淳甫，成都醫學官。}

謝縉孫　難經説 _{字堅白，廬陵人。元統間遼陽路官醫提舉。}

陳瑞孫　難經辨疑 _{字庭芝，慶元人。溫州路醫學正。與其子宅之同著。}

端必瓦　成就同生要一卷　因得囉菩提手印道要一卷　大手
印無字要一卷 _{順帝所習演揲兒法也。}

忽思慧　飲膳正要三卷 _{天曆三年刊。}

賈銘　飲食須知八卷 _{海寧人。}

雲林堂　飲食製度集一卷

馬經通元方論六卷

安驥集八集

治馬牛駝騾等經三卷

雜 藝 術 類

品第法書名畫記五百五十卷 _{金翰林應奉王庭筠、秘書郎張汝芳修。}

李肯堂　西溪法帖

李溥光　雪庵字要一卷　大同人。昭文館大學士領頭陀教。

陳繹曾　翰林要訣

袁裹　書學纂要　字德平。

蘇霖　書法鉤玄四卷

劉惟志　字學新書七卷

唐懷德　書學指南

繆貞　書學明辨　字仲素，常熟人。

吳氏　法書類要二十五卷　錢唐人，不詳其名。

盛熙明　法書考八卷　龜茲人。

陶宗儀　書史會要九卷　補遺一卷

朱珪　名蹟録六卷

華光和尚　梅譜一卷

李衎　竹譜十卷　字仲賓。

劉美之　續竹譜一卷

黃公望　寫山水訣一卷　字子久，常熟人。

饒自然　山水家法一卷　字太虛，自號玉笥山人。

王繹　寫像祕訣采繪法一卷　字思善，錢唐人。

湯垕　畫鑒一卷　字君載。

莊肅　畫繼餘譜　字公肅，上海人。

夏文彥　圖繪寶鑑五卷　字士良，湖州人。

周密　雲煙過眼録四卷

湯允謨　雲煙過眼續録一卷

張雯　書畫補逸

趙孟頫　印史二卷

申屠致遠　集古印章二卷

陸友　印史　墨史二卷　硯史

吳福孫　古印史一卷

吳叡　集古印譜

通玄集　清遠集　清樂集　幽玄集　機深集　增廣通遠集
　玄玄集　忘憂集　以上皆圍碁譜。《玄玄集》，廬陵嚴德甫撰，晏天章録。餘不
知作者。

楊維楨　除紅譜一卷

梓人遺制八卷　不知作者。

陳翼子　重修考古圖十卷　茶陵人。

朱德潤　古玉圖一卷

陳敬　香譜四卷　字子中，河南人。

費著　蜀錦譜一卷　蜀牋譜一卷

釋　道　類

非濁　往生集二十卷　字貞照，清寧中，授燕京管内懺悔主菩薩戒師，加崇禄大
夫檢校太尉。遼。

李純甫　楞嚴外解　金剛經別解　鳴道集説五卷　金。

必蘭納識理　譯楞嚴經　大乘莊嚴寶度經　乾陀般若經　大
　涅槃經　稱讚大乘功德經　不思議禪觀經

祥邁　至元辨僞録五卷　大都路道者，山雲峯寺僧。

妙聲　九皋録　吳僧。

清珙　石室語録一卷　常熟僧。

念常　佛祖通載二十二卷　華亭人，嘉興祥符寺僧。

雪村語録　鎮江僧。

覺岸　釋氏稽古略四卷　字靈洲，湖州僧。

鄭思肖　釋氏施食心法一卷　太極祭煉一卷

百丈清規八卷

至元法寶勘同總録十卷

善良^①　十門指要約説三卷　指要餘論一卷　教觀撮要四卷

本巖禪師語録

一元釋氏護教編

元長　語録　字無明，號千巖，賜號佛慧圓明廣照無邊普利大禪師。烏口伏龍山聖
　　壽寺僧。

普濟　五燈會元二十卷　字大川，宋末靈隱僧。

心燈録　至元間雲壑瑞禪師所撰。或作《至元心燈録》。

空谷傳聲録三卷　林泉老人評唱。投子青和尚頌古參學，比邱義聰録。聰，字彥明。

虛堂習聽録三卷　林泉老人評唱。丹霞淳禪師頌古參學，比邱慧泉編。泉，字無竭。

僧祖明　四會語録　奉化人，徑山僧。

大圭　紫雲開士傳

曇噩　唐宋高僧傳　字夢堂。

續釋氏通鑑十五卷　京師大寶集寺住持則堂儀公所修。續宋僧本覺之書，始宋
　　太祖至今。

耶律楚材　辨邪論

萬松老人　評唱天童覺和尚頌古從容菴録

萬松老人　評唱天童拈古請益後録

萬松老人　釋氏新聞　萬壽語録

妙果禪師　語録　名水盛，字竺源。西湖僧。

海印　肇論注

真覺　慧燈集

惟則　楞嚴經會解十卷　楞嚴擲丸一卷　天台四教儀要正　字
　　天如，永新人。

明本　中峰和尚廣録三十卷　一花五葉集四卷　庵事須知

一卷

劉謐　静齋學士三教平心論二卷

清筱　宗門統要續集十二卷

普度　蓮宗寶鑑十卷　字優曇，廬山東林寺僧。

普會　禪宗頌古連珠通集四十卷

心泰　佛法金湯編十卷

大訴　松雪普鑑二卷

海弜　古梅禪師語錄二卷　廬州僧。

恕中和尚語錄六卷

元叟　端禪師語錄八卷

雪村　聚語錄　金壇人。

盛勤　源宗集　嘉興資善寺僧。

志磐　佛祖統紀五十四卷

神僧傳九卷　起摩騰法蘭，終八思巴。不著撰人。

禪林類聚二十卷　不詳撰人。

金萬壽　道藏經目錄十卷

净髮須知二卷　不詳撰人。

王嚞　全真集十三卷　重陽教化集三卷　分梨十化集二卷　金關玉瑣訣一卷　重陽授丹陽二十四訣一卷

馬鈺　金丹口訣一卷　神光燦一卷　洞玄金玉集十卷

王處一　雲光集四卷

大微仙君功過格一卷　又玄子編。大定間人。　以上金。

道藏經七千八百餘秩　披雲子刻於平陽府。

道藏闕經目錄二卷

王志謹　磐山語錄一卷　東明人，號棲雲真人。

林轅　谷神篇二卷　字神鳳。

戴起宗　悟真篇注疏八卷　至元元年。

董漢醇　羣仙要語二卷　仙學摘粹二卷

陳沖素　內丹三要一卷

陳虛白　規中指南一卷

洪恩　靈濟真人文集八卷　元道士編。南唐徐知訓、徐知證乩筆。

趙道一　歷代真仙體道通鑑前集六十卷　後集四卷

張天雨　玄品錄五卷　碧巖懸會錄二卷　外史出世集二卷

陶宗儀　金丹密語一卷

邱處機　大丹直指二卷　青天歌一卷　鳴道集語錄一卷

薛季昭　度人上品妙經注三卷　字顯翁，大德七年表上。

李道純　太上老君常清淨經注一卷　護命經注一卷　大通經
　注一卷　洞古經注一卷　中和集六卷　三天易髓一卷　全
　真集元秘要一卷

衛琪　文昌大洞經注十卷　自号中陽子。

徐道齡　北斗本命延生經注五卷

徐世隆　真武啟聖靈異錄一卷

體元真人　顯異錄一卷

俞玉吾　參同契發揮三卷　釋疑一卷

陳致虛　參同契分章注三卷　悟真篇三注五卷　度人經注三
　卷　金丹大要十六卷　金丹大要圖一卷　金丹大要仙派一
　卷　列仙志一卷　字觀吾，自號上陽子。

重陽立教十五論一卷　全真坐鉢捷法一卷　俱不著撰人。

陸道和　全真清規一卷　自號清玄子。

金蓮正宗記五卷　樗櫟道人編。

劉志玄　金蓮正宗仙源像傳一卷　字天素。

李道謙　七真年譜一卷　甘水儦源錄十卷　終南山祖庭仙真
　內傳三卷

玄風慶會錄一卷　移剌楚才奉勅編。

紙舟先生全真直指一卷　金月巖編。黃公望傳。

純陽帝君神化妙通紀七卷 苗善時校。

抱一含三秘訣一卷 金月岩編。黄公望傳。

趙友欽　僊佛同源十卷　金丹正理　盟天録

鄭源　非非懸解篇 浦陽人。

吾衍　道書援神契一卷　極元造化集

劉道明　武當福地總真集三卷

清微仙譜一卷 不著撰人。

清河真人　北游語録四卷 段志堅編。謂尹志平也。

丹陽真人語録一卷

瑩蟾子語録六卷

蔡栖雲　洞玄法書宗派圖一卷 臨湘人。

第四（集類）

集類八：曰別集，曰總集，曰騷賦，曰制誥，曰科舉，曰文史，曰評注，曰詞曲。

別　集　類

遼道宗皇帝　清寧集

平王隆先　閬苑集

蕭柳　歲寒集 詩千篇。

蕭孝穆　寶老集

蕭韓家奴　六義集十二卷

耶律良　慶會集

耶律資忠　西亭集

耶律孟簡　放懷詩一卷

耶律庶成詩文

楊佶　登瀛集 以上遼。

金豫王永成　樂善居士文集

密國公璹　如庵小稿六卷

蔡松年集

蔡珪文集五十五卷

吳激　東山集十卷

馬定國　薺堂集

趙可　玉峯散人集

趙渢　黄山集

王庭筠文集四十卷

劉從益　蓬門先生集

李純甫　内外稿 論性理及佛老者為《内稿》，應物文字為《外稿》。

王若虚　慵夫集　滹南遺老集四十五卷

王元節　遯齋詩集

元德明　東巖集三卷

宇文虚　中文集

高士談　蒙城集

李愈　狂愚集二十卷

徒單鎰　宏道集六卷

耶律履集十五卷

楊雲翼文集　左氏莊列賦各一篇

趙秉文　滏水集三十卷 今本二十卷。

李獻甫　天倪集

張行簡文集十五卷 一作三十卷。

張公藥　竹堂集 字元石，宰相永錫之孫。鄖城令。

史旭詩一卷 字景陽，秀容令。

王寂　拙軒集六卷　北遷録 字元老，玉田人。中都路轉運使。

劉仲尹　龍山集 字致君，蓋州人。都水監丞。

劉迎　山林長語 字無黨，東萊人。太子司經。

周昂　常山集 字德卿，真定人。行六部員外郎。

劉中文集 字正夫，漁陽人。左司都事。

酈權　坡軒集 字元輿，安陽人。著作郎。

史肅　澹軒遺稿 字舜元，京兆人。監察御史。

蕭貢文集十卷

馮延登　橫溪翁集 字子駿，吉州人。禮部侍郎。

毛麾　平水老人詩集十卷　字牧達，平陽人。太常博士。

王琢　姑汾漫士集　字器之，平陽人。

景覃集　字伯仁，華陰人。

劉鐸集　字文仲，棗强人。兵部員外郎。

秦略集　字簡夫，陵川人。自號西溪老人。

張琚　韋齋集　字子玉，河中人。

杜佺　錦溪集　字真卿，武功人。

李之翰　漆園集　字周卿，濟南人。

楊興宗　龍南集　高陵人。

晁會　泫水集　字公錫，高平人。

郭用中　寂照居士集　字仲正，平陽人。

張邦彥　松堂集　字彥才，平陽人。

王世賞　浚水老人集　字彥功，汴人。

桑之維　東皋集　字之才，恩州人。

許悦詩集　字子遷，雁門人。

劉豫集十卷

劉蹟　南榮集　東平人。儀真令。右相長言之父。

董師中　漳川集　字紹祖，邯鄲人。

侯大中詩集　號損齋，公安人。金大定初應詔建醮授師號。

郭長倩　崑崙集　字曼卿，文登人。祕書少監。

張建　一作"章建"。　蘭泉老人集　字吉甫，蒲城人。

党懷英　竹谿集十卷

鄭子聃詩文二千餘篇

呂中孚　清漳集　字信臣，南宮人。

張斛　南游詩　北歸詩　字德容，漁陽人。祕書省著作郎。

祝簡　鳴鳴集　字廉夫，單父人。太常丞，直史館。

朱之才　霖堂集　字師美，洛西人。

施宜生集　字明望,浦城人。翰林學士。

劉汲　西巖集　字伯深,翰林應奉。

劉瞻集　字巖老,亳州人。史館編修。

郝俣　虛舟居士集　字子玉,太原人。河東北路轉運使。

史公奕　洹水集　字季宏,大名人。直學士。

李仲略　丹源徒釣集

王敏夫集

曹珏　卷瀾集二卷　字子玉,滏陽人。

曹户部詩集三十卷　曹望之,字景蕭,宣德人。户部尚書。

路鐸　虛舟居士集　字宣叔。

張庭玉詩集　字子榮,易縣人。號盤溪居士。

姚孝錫　雞肋集　存律詩五卷。字仲純,豐縣人。

趙元　愚軒集　字宜之,定襄人。

馬鈺　漸悟集二卷

郝大通　太古集四卷　道士。　以上金。

耶律楚材　湛然居士集三十五卷　又十四卷　中書都事,宗仲亨輯。

郝經　陵川文集三十九卷附錄一卷　一王雅二百五十篇

劉秉忠文集十卷　詩集二十二卷　藏春集六卷　商挺編。

王鶚　應物集四十卷

元好問　遺山集四十卷　詩集二十卷

李俊民　莊靖先生遺集十卷

段克己　成己　二妙集八卷　克己,字復之。成己,字誠之。稷山人。

劉祁　神川遯士集二十卷　一作二十二卷。

康曄　澹軒文集　字韞之,高唐人。金正大詞賦進士,嚴實聘為詞林祭酒。

許衡　魯齋遺書六卷　重輯魯齋遺書十四卷　文正公大全集
　　三十卷

李冶　敬齋文集四十卷

楊果　西庵集

徐世隆　瀛洲集一百卷

楊奐　還山集六十卷　<small>今存二卷。</small>

紫陽集八十卷

姚樞　雪齋集

王惲　秋澗大全集一百卷

閻復　靜軒集五十卷　內外制集

姚燧　牧庵文集五十卷　<small>今存三十六卷。</small>

魏初　青崖集十卷　<small>今存五卷。</small>

王磐　鹿庵集

耶律鑄　雙溪醉隱集八卷

張宏範　淮陽獻武王詩集一卷

信苴福　征行集　<small>大理巽人。姓段，氏從兀良哈歹。征交趾道中作。</small>

程鉅夫　雪樓集三十卷

趙孟頫　松雪齋集十卷　別集一卷　續集一卷

胡祗遹　紫山先生大全集六十七卷　<small>今存二十六卷。</small>

盧摯　疏齋文集　<small>字處道，涿州人。翰林學士。</small>

趙淇　太初紀夢集二十卷　<small>字元德，湖南道宣慰使。</small>

陳仁子　牧萊脞語十二卷二稿八卷

胡長孺　瓦缶集　南昌集　寧海漫草　顏樂齋稿　石塘文集
　　五十卷

熊朋來　豫章集三十卷

戴表元　剡源文集三十卷　<small>一作二十八卷。</small>

胡炳文　雲峰集二十卷　<small>今存十卷。</small>

牟巘　陵陽集二十四卷　<small>字獻之，陵陽人。宋大理少卿，入元不仕。</small>

王炎午　吾汶稿十卷　<small>字鼎翁，安福人。</small>

周密　蠟屐集一卷　弁山詩集五卷

謝翱　晞髮集五卷　雜文二十卷　宋鐃歌鼓吹曲一卷

林景熙　霽山集十卷　集名《白石樵唱》。

鄭思肖　謬餘集一卷　文集一卷

趙孟僴　湖山汗漫集　黃巖人。宋宗室，嘗為文天祥從事。宋亡，易服為道士，
又為僧，自號三教遺逸。

汪元量　湖山類稿十三卷　汪水雲詩四卷

金履祥　仁山集六卷　柳貫作行狀曰：《昨非存藁》、《仁山新藁》、《仁山亂藁》、
《仁山噫藁》。

許謙　白雲先生集四卷　古詩一卷

王昌世　靜學稿二十卷　字昭甫，鄞人。宋禮部尚書應麟之子。

錢選習　嬾齋集　字舜舉，吳興人。

黃叔英文集二十卷

方鳳　存雅堂集五卷　字韶父，浦江人。

敖繼公文集二十卷

尤玘　歸閒堂集

張範　蓬窗集　益齋旅齋二集　歷城人，起巖之父也。

陳允平　西麓詩稿一卷　蜩鳴稿一冊

郭鏜　梅西先生集

張樞　敝帚編

范晞文　藥莊廢稿　字景文，錢塘人。江浙儒學提舉。

俞德鄰　佩韋齋文集十六卷

柴望　秋堂集三卷

汪梦斗　北游集一卷

何逢原　玉華集

王義山　稼村類稿三十卷　字元高，富州人。

艾性夫　剩語二卷

陸文圭　牆東類稿二十卷

趙文　青山集三十卷　_{今存八卷。}　_{字儀可，廬陵人。清江學教授。}

王奕　玉斗山人集三卷　梅巖雜詠七卷　東行斐稿三卷　_{字伯敬，玉山人。自號至元逸民。}

張觀光　屏巖小稿一卷

鄧牧　伯牙琴一卷

楊公遠　野趣有聲畫二卷

黃庚　月屋漫稿一卷　_{字星父，天台人。}

劉壎　水雲邨稿二十卷　補史十忠詩一卷

劉將孫　養吾齋集三十二卷

龔璛　存悔齋稿一卷　補遺一卷　_{字子敬，真州人。江浙儒學副提舉。}

徐明善　芳谷集二卷

陳宜甫　秋巖詩集二卷

王旭　蘭軒集十六卷　_{字景初，郾城人。}

尹廷高　玉井樵唱三卷　_{字仲明，遂昌人。}

周權　此山集四卷　_{一作十卷。字衡之，括蒼人。}

仇遠　金淵集六卷　山邨遺集一卷　_{字仁近，錢唐人。溧陽州學教授。[1]}

白珽　湛淵文集二十卷　詩集二十卷　_{今存集一卷。}　_{字廷玉，錢唐人。蘭溪州判官。}

于石　紫巖詩選三卷　_{字介翁，蘭溪人。}

周才　吳塘集

衛培　過耳集十卷　_{字寧深，崐山人。}

李季高　蓉月集　_{崑山人。}

盧觀　草翠軒文稿　樂府聲調集

王珪　山居幽興集

_{[1]　"溧"，原誤作"漂"，據《二十五史補編》本改。}

黄錫孫　穀山集　字禹疇，常熟人。

真山民詩集一卷

董嗣杲　廬山集五卷　英溪集一卷　西湖百詠二卷　字明德，杭州
人。後改名思學，字無益。

俞玉吾　林屋山人稿一卷

虞薦發　薇山文集二十卷

李鳳　西林集　字翔卿，東明人。好文之父也。

袁袞　臥雪齋文集

劉麟瑞　昭忠逸詠五卷　記文天祥軼事。

吳龍翰　古梅詩稿六卷　字式顏，新安人。

劉躍　淵泉集二卷　字宗起，安成人。

錢良右　江村先生集　字翼之，吳人。

高常　覆瓿集五卷　字履常，吳人。

陳瀧　澹迫集九卷　字伯雨，吳人。

湯仲友　北游詩集　字端夫，吳人。

顧逢　梅山樵叟詩十卷　吳人。陳永輯。上四家詩曰"蘇臺四妙。"

熊禾　勿軒集八卷

熊本　舊雨集五十卷

方回　虛谷集　桐江續集三十七卷

劉辰翁　須谿集一百卷　四景集四卷　須谿記鈔八卷

鄒次陳　遺安集十八卷　字用弼，宜黃人。宋末中博學宏詞科，入元不仕。

胡三省　竹素園稿一百卷

毛直方　聊復軒稿二十卷　冶靈稿四卷　字靜可，建安人。宋咸淳中鄉
薦，入元不仕。

倪士毅　道川集　字仲宏，休寧人。

劉清叟　立雪詩稿一卷　江西人。

史蒙卿　果齋文集四十卷

杜本　清江碧嶂集一卷

黄公紹　在軒集一卷

史公珽　蓬廬居士集

李進　磵谷居愧稿　字野翁，號粹齋，崇仁人。宋淳祐四年進士，福建運管。宋亡不仕。

杜瑛　中山文集十卷

商琥　彝齋文集十卷

敬儼詩文集

楊恭懿　潛齋集

陳祐　節齋集

蒲壽晟　心泉學詩稿六卷　"晟"，一作"宬"。

劉岳　東厓小稿　字公泰，吳人。建昌路捴管。

高鳴　河東文集五十卷

何中　知非堂稿六卷　一作十七卷。　知非外稿十六卷　太虛集十六卷

劉因　丁亥集五卷　靜修文集三十卷

何榮祖　大畜十集　載道集

蕭㪺　勤齋文集十五卷　今存八卷。

張翥　導江文集

袁桷　清容居士集五十卷　致亭集三十七卷

鮮于樞　困學齋集

潘昂霄　蒼崖類稿　漫稿

李孟　秋谷集

陳孚　觀光稿一卷　交州稿一卷　玉堂稿一卷　附錄一卷

元明善　清河集三十九卷

劉敏中　中庵集二十五卷

耶律希亮　愫軒集三十卷

小雲石海涯　酸齋文集

馬潤　樵隱集　字仲澤,雍古人。祖常之父。

孛术魯翀　菊潭集六十卷

鄧文原　内制集　素履齋稿　巴西集　今存一卷。

燕公楠　五峯集

梁學士詩集　名曾。

申屠致遠　忍齋行稿四十卷

高文簡公文集七卷　名克恭,房山人。

蒲道源　閒居叢稿二十六卷　字得之,號順齋,興元人。提舉陝西儒學。

徐毅奏議五卷　詩文三卷　字伯宏,趙城人。御史中丞贈平陽郡公。諡文靖。

張立道　效古集

曹伯啓　漢泉漫稿十卷　續稿三卷

武恪　水雲集

李之紹　果齋文集

吳澂　支言集一百卷　文正集一百二卷　私録二卷

王約　潛邱稿三十卷

王結　文忠文集十五卷　今存六卷,黄丕烈云:《千頃堂》別有《王文忠公文集》十五卷。蓋重出。

張伯淳　養蒙先生集十卷　字師道。

楊剛中　霜月齋集四十卷

張養浩　歸田類稿二十四卷附録一卷　雲莊集四十卷　年譜一卷

張起巖　華峰漫稿　華峯類稿　金陵集

許有壬　至正集一百卷　今存八十一卷。　圭塘小稿三十卷　別稿二卷　外稿一卷　續稿一卷

歐陽原功　圭齋文集十五卷　附録一卷

馬祖常　石田先生文集十五卷　章疏一卷

黄溍　日損齋稿三十三卷　一名《金華黄先生集》。

文獻公集四十三卷　門人宋濂定。

柳貫文集二十卷　別集二十卷　皆門人宋濂、戴良所彙次。

揭傒斯　揭文安公集五十卷　揭文一卷　詩三卷　文粹一卷
文續錄二卷　秋宜集

虞集　道園學古錄五十卷　分《應制》、《在朝》、《歸田》、《方外》四稿。　道
園類稿　道園遺稿六卷　續稿三卷　翰林珠玉六卷　詩。

吳禮部集二十卷　師道。

范梈詩七卷　吳草廬云：范之詩文有《燕然稿》、《東方稿》、《海康稿》、《豫章稿》、《侯
官稿》、《江夏稿》、《百丈稿》，凡十二卷。

楊仲宏詩集八卷　集古詩二卷　名載。

韓性　五雲漫稿十二卷

宋本　至治集四十卷

宋褧　燕石集十五卷附錄一卷

安熙　默庵集五卷

陳旅　安雅堂集十四卷　一作十三卷。

蘇天爵詩稿七卷　滋溪文稿三十卷　松廳章疏五卷

王沂　伊濱集二十四卷　字師魯，延祐初進士。官尚書。

孟待制文集　名昉，字天暐，西域人。江南行臺御史。

盧待制詩集一卷　名亘，字彥威，汲郡人。翰林待制。

李洞文集四十卷

劉詵　桂隱文集四卷　詩集四卷

宇文公諒　折桂集　觀光集　辟水集　以齋行稿　玉堂漫稿
越中行稿

梁益　三山稿

曹元用　超然集四十卷

吳萊文集六十卷　淵穎集十二卷　宋濂訂。

陳思濟　秋岡先生集　字濟民，柘城人。僉河南江北行省事，追封潁川郡侯，謚

　　文肅。

楊漢英　桃溪内外集六十二卷　<small>一作六十四卷。</small>

程端禮　畏齋集十卷　<small>今六卷。</small>

程端學　積齋集五卷

王士熙　江亭集　<small>字繼學，東平人。構之子。中書參知政事，南臺御史中丞。</small>

李思衍　两山稿　<small>字克昌，番陽人。南臺御史。</small>

宋衜　秬山集十卷

馮子振　受命寶賦一卷

湯彌昌　碧山類稿　湘江櫂歌

俞遠　豆亭集　<small>字之近，江陰人。</small>

强珇　嘉樹堂稿　<small>字彥栗，嘉定人。</small>

李材詩一卷　<small>字子構，京兆人。</small>

趙箕翁　覆瓿集　<small>山陽人。</small>

洪德章　軒渠集一卷　<small>名巌虎，莆田人。</small>

洪希文　續軒渠集十卷　<small>字汝質，巌虎子。</small>

侯充中　艮齋詩集十四卷

郭豫亨　梅花字字香二卷

何得之詩一卷　<small>名失。昌平人。</small>

黃玠　弁山小隱吟録二卷

陳普　石堂先生遺集二十二卷

陳深　寧極先生詩四卷　東游小稿

陳植　慎獨叟遺稿一卷　<small>字叔方，深之子。</small>

程時登　述述稿三十卷

秦輔之　忠孝百詠

湯炳龍　北邨集

史伯璿　腷臆遺稿

羅志仁　薊門行　倦游集

楊宏道　小亨集六卷　字叔能，淄川人。諡文節。

姚雲文　江村近稿十三卷　字聖瑞，高安人。宋咸淳進士。仕元，為撫建兩
　　路儒學提舉。

同恕　榘庵先生文集三十卷

郭昂　野齋集　字彥高，彰德林州人。廣東宣慰使，諡文毅。

王泰亨　康莊文集　平陽人。中書平章政事。

曾德裕　小軒初稿　字益初，永豐人。大德中翰林學士。

楊允孚　灤京雜詠一卷　字和吉，吉水人。

陳益稷　安南集

滕安上　東庵集十六卷　今存四卷。　字仲禮。元貞間國子司業。

朱德潤　存復齋集十卷　字澤民，崑山人。儒學提舉。

張之翰　西巖集二十卷　邯鄲人。

盧琦　圭峯集二卷　字希韓，惠安人。

張翥　蛻庵集四卷

陳泰　所安遺集一卷　字志同，長沙進士。

吳炳　待制集一卷

袁易　靜春堂集四卷　字通甫，長洲人。石洞書院山長。

陳櫟　定宇集十六卷　別集一卷

任士林　松鄉文集十卷

吾衍　竹素山房詩集三卷

李孝光　五峯文集二十卷　今存六卷。　字季和，樂清人。秘書監丞。

貢奎　雲林小稿六卷

貢師泰　玩齋集十卷　拾遺一卷

秦起宗　御史奏議一卷

周應極　拙齋集二十卷　字南翁，番陽人。參政伯琦之父。

周南瑞　江西老圃集　安福人。

李京　鳩巢漫稿

郭天錫　快雪齋集

揭佑民　旴里子集　<small>廣昌人,邵武府經歷。</small>

李存　俟庵集三十卷　<small>字明遠,更字仲公,饒州安仁人。</small>

王守誠文集

鄭滁孫文集

宋无　翠寒集六卷　啽囈集一卷　霱迺集　<small>字子虛,吳人。</small>

朱名世　鯨背吟一卷　<small>字希顏,吳人。或云即宋无,初名晞顏,冒姓朱。</small>

朱晞顏　瓢泉吟稿五卷　<small>字景淵,長興人。</small>

傅與礪文集十一卷　附錄一卷　詩集八卷　<small>初名若金,新喻人。</small>

洪焱祖　杏庭摘稿一卷

唐元　筠軒集五十卷　<small>今存十三卷。</small>

黃鎮成　秋聲集四卷　<small>字元鎮,昭武人。</small>

丁復　檜亭集九卷　<small>字仲容,天台人。</small>

干文傳　仁里漫稿

黃清老　樵水集

朱文霆　葵山文集　<small>字原道,莆田人。至順進士,泉州路總管。</small>

雷機　龍津　龍山　鄭川　環中　黃鶴磯　梅易齋　碧玉環
　七稿　<small>字子樞,建安人。延祐進士,翰林待制。</small>

李洧孫　霽峯文集二十卷　<small>字甫山,寧海人。黃岩州判官。</small>

程珣　柳軒退稿十卷　<small>字晉輔,眉州人。泰定進士,婺源知州。</small>

馬瑩　歲遷集四十卷　雜文十二卷　<small>字仲珍,建德人。</small>

劉莊孫　芳潤稿五十卷　和陶詩一卷

吳福孫　樂善齋集

吳噭　青城集二十卷

支渭興　龍溪詩集　<small>四川長寧人。至順進士,四川行省參政。</small>

杜秉彝文集四十卷　<small>安陽人,集賢院大學士。</small>

王士元　拙庵集　<small>平陽人,崇文少監。</small>

王都中　本齋詩集三卷

吳存　月溪詩集　字仲退，鄱陽人。延祐元年舉鄉試第一，本縣主簿。

安思承　竹齋詩集　磁州人。山東廉訪使。諡貞肅。

林泉生　觀瀾集一卷　覺是先生文集二十卷

聞人夢吉詩集二卷　字應之，婺源人。慶元路知事。

烏古孫　良楨約齋詩文奏議

成遵　奏議塞責稿文集

王儀文集　鄧州人，陝西行臺御史。

熊西父　瞿梧集

陳廷言　詒笑集二卷　江湖詩品二卷　進士，集賢侍講。

周聞孫　鼇溪文集三卷　字以立，吉水人。鼇溪書院山長。

龍仁夫文集

呂思誠文集

曹鑑文集

李庸詩集五卷　宮詞一卷　字仲常，東陽人。杭州路錄事。

李序　緼緼集　字仲修，東陽人。

陳景仁　愛山詩稿　嘉禾人。

程養全　白粥稿　字子正，德興人。至正進士，鉛山州判官。

楊益　隨齋詩集　字友直，洛陽人。撫州路總管。

吳善　翰林應制集　太常諡議　字養浩，江浙儒學提舉。

孫轍　淡軒詩

虞槃文集

曹慶孫　副墨　東山高蹈集　字繼善，華亭人。淳安縣儒學教諭。

羅公升　滄洲詩集一卷　字時翁，永豐人。

王壎　雲中稿　雲屋稿

韓信同遺書二卷　寧德人。

曹仲埜　詩文講義二卷　新安人。

楊顯夫　水北山房集　南昌人。

林善同　泉山文集二卷　泉州人。

龔道原　雲山夜話集　字士元，新建人。

吳景南　南窗吟稿四卷

柴潛道　秋巖小稿　襄陵人。

壺㲇　樵雲集　字怡樂，烏程人。

徐夢吉　琴餘雜言　龍游人。

陳顯曾　思雨軒稿

鄧舜裳　鄧林樵唱　臨湘人。

王安民　管斑集　巴陵人。

蕭居仁　石潭漁唱　廬陵人。

唐懷德　存齋雜稿

方樸　方壺集二卷

程從龍　梅軒詩　字登雲，嘉魚人。

葉廣居　自得齋集

方澄孫　烏山小稿　莆田人。

劉霖　雲章集

劉應登　耘廬集　安福人。

王天覺　覺軒集十卷　宜興人。

王文澤　自立齋集十卷　上海人。

陳方　谷陽集

孟栻　不二心稿　無錫人。

楊如山　淮海集十卷

俞希魯　聽雨軒集二十二卷　丹徒人。

高皓孫　屠龍集十卷　字商叟，丹徒人。

顧觀　容齋集二卷　字利賓，金壇人。星子縣尉。

汪巽元　退密老人詩八卷　休寧人。

衛宗武　秋聲集十卷　今存六卷。

林希元　長林稿　台州人，上虞尹。

黃叔美詩一卷　名河清，盱江人。

梁隆吉詩集　名棟，字中砥。

陳深源　片雲小稿一卷

郭鎬　遺安集十一卷

張植　瀘濱集五卷

馬玉麟　東皋先生詩集五卷　字伯祥，海陵人。

張昌　寓道集十卷

黃仲元　四如先生集五卷　字淵叟，莆田人。宋國子監簿，入元不仕。

方誼　虎林高隱集五卷　附錄一卷　錢唐人。

徐師賢　上饒集　吳興集　姑孰集　北游錄共十卷　字子愚。

鄭覺民　求我齋稿三十三卷　字以道，鄞人。處州教授。

鄭芳叔　蒙隱稿十三卷　字德仲，鄞人。

張慶之　海峯文編三卷　續胡曾詠史詩　字子善，吳人。

方一夔　富山嬾稿　淳安人。

元淮　金囦集一卷　崇仁人。溧陽路總管。

劉應龜　山南先生集二十卷　字元益，義烏人。

蕭國寶　輝山存稿一卷　字君玉，山陰人。

趙偕　寶峯先生文集　字子永，慈谿人。

文子方集　名矩，長沙人。太常禮儀院判官。

李在明　甬山集十卷　鄞人。

翁森　一瓢稿　字秀卿，仙居人。

劉邊　自家意思集四卷　字近道，建安人。

黃異　節庵詩集三十卷　字民同，都昌人。道源書院山長。

曾巽申　明時類稿　超然集二卷

卞南仲　溪居集　江行集　字應午，長興人。溧陽州判官。

洪震老　觀光集一卷　字復翁,淳安人。

沈貞　茶山集十卷　字元吉,長興人。

范霖　歲寒小稿一卷　縉雲人。

金至善　菊逸集　字伯明,崐山人。

王鵬　緱山集　字九萬,吳人。

張淵　心遠堂集　吳江人。

洪淵　環中集十卷　豊城人。

馮翼翁文集二十卷

葉森　瓦釜鳴集三卷　字景瞻,錢唐人。

俞漢　象川集十卷　字仲雲,諸暨人。

邱世良　梯雲集六卷　字子正,錢唐人。慶元路治中。

汪可孫　雲窗法語一卷　績溪人,號虛夷子。

師餘　縷裂集一卷　字學翁,眉州人,居於吳。

陳鐸　壯游集八卷　字子振,吳人。

韓諤　五雲書屋稿六卷　字致用,性從兄,建寧路錄事。

鄭東起　自然機籟　福清人。

朱隱老　瀟峯精舍文集

王仁輔文稿十卷

張敏　月山集九卷　富平人。泰定進士,陝西行省郎中。

蔣易　鶴田集二十卷

何景福　鐵牛翁詩集一卷　字介夫,淳安人。

徐夢　高菊存稿一卷　字明叟,淳安人。衢州教授。

柯舉　竹圃夢語二卷　莆田人。

瞿孝禎　月蕉稿　字逢祥,常熟人。

李瓚　弋陽山樵稿　字子粲。

宋沂　春詠亭集　字子與,清江人,常山縣尹。

蔣宗簡文集十卷

許嗣得　静齋集　字繼可，天台人。

陳柏　雲嶠集　字新甫，泗州人。

曹文晦　新山集　字輝伯，天台人。

王炎澤　南稜類稿二十卷　字威仲，義烏人。石峽書院山長。

曾嚴卿　南明齋稿三十卷　字務光，金谿人。

葉謹翁　四勿齋稿　曲全集　字審言，金華人。瑞安州同知。

葉應咸　棲閑集二卷　字心可，麗水人。

胡渭　雞肋集　字景呂，諸暨人。

盧克治　琴川集　錢唐集　字仲敬，開州人。漢陽知府。

林全　小孤山人集二卷　字子貞，福州人。

丁儼　小溪集四十卷　小溪寓興十卷

張延文集十卷　讀通鑑詩二卷

陳天錫　鳴琴集　字載之，福寧人。福清知州。

楊舟　鷄肋集　字梓夫，慈利人。翰林待制。

趙若　澗邊集二十卷　字順之，崇安人。

劉聞　容窗集十卷　太史集六卷

焦養直　彝齋存稿

楊士宏　鑑池春草集　字伯謙，襄城人。寓居清江。

司允德　西游漫稿　字執中，東平人。

王茂實　清溪山房詩集　九江人。

朱望樂　吾愚詩集　字幼望，樂安人。

陳子肇　思剡集　字象賢，奉化人。

易南友　梅南詩集　高安人。

李希説　山中小稿　安成人。

嚴士真　江漢百詠　桃溪百詠一卷　字正卿，崇陽人。

蕭士賫　冰崖詩集　字粹可，贛州人。

方道叡　愚泉詩集十卷

蕭山則　大山集　新喻人。

蕭泰來　小山集　山則弟。

祝大明　樵隱集　麗水人。

林茂濬　白雲稿　天台人。

徐基　玲瓏窗吟稿　清江人。

歐陽齊吾　環山詩稿

楊少愚　秋浦集

汪宗臣　紫巖集四卷　字公輔,婺源人。

程樞　雲樓野稿

薩都剌　雁門集八卷　集外詩一卷

也先忽都詩集十卷　丞相太平子。

泰不華　顧北集

余闕　青陽山房集六卷　附錄二卷

贍思文集三十卷

迺賢　金臺集二卷

柯九思集一卷

王翰　友石山人遺稿一卷　本唐兀氏。名那木罕,潮州路總管。

沙剌班　學齋吟稿　張掖人。劉氏字伯温。

僧嘉訥　崞山詩集　字元卿,廣東宣慰都元帥。

雅琥詩　字正卿,可温人。天曆進士,福建鹽運司同知。

吳當　學言詩稿六卷

周伯琦　近光集三卷　扈從詩一卷

李士瞻　經濟文集六卷　字彥聞,南陽人。至正進士,翰林學士,承旨楚國公。

胡助　純白齋類稿二十卷　附錄二卷

方瀾遺稿一卷　字叔淵,莆陽人。

張仲深詩集六卷　字子淵。

陳鑑　午溪集十卷

岑安卿　栲栳山人集三卷　字静能，餘姚人。

吳景奎　葯房樵唱三卷　附錄二卷　字文可，蘭溪人。興化路學錄。

吳鎮　梅花道人遺墨二卷

薛漢詩集　字宗海，永嘉人。國子助教。

潘伯修　江檻集　字省中，黃岩人。

甘允從詩　名立，陳留人。

王禎　農務詩一卷

郊韶　雲臺集　字九成，湖州人。

鄭洪　素軒詩一卷　字君舉，永嘉人，或云衢州人。

余瑾　丹崖夜嘯　玉露吟

張天永　雪蓬行稿　溝亭集　字長年，高郵人。

王餘慶　惺惺道人遺稿　宜興人。

丁岷　滄洲集　江陰人。

虞志道　雲陽集　無錫人。

汪漢卿　養浩集二十卷　字景辰，黟縣人。國子監丞。

謝俊民　玉泉集　祁門人。

凌巖　古木風瓢集　字山英，華亭人。

衛仁近　敬聚齋稿　字剛叔，華亭人。

陸鵬南　九峯清氣集

程直方　前村吟

江永之　雷鐘小稿　上元人。

唐本道　九曲韻語

吳萬户詩集五卷　名訥，字克敏，休寧人。至正末為義兵，萬户與明戰，敗，不屈死。

袁士元　書林外集七卷　字彦章，鄞人。國史院檢閱官。

王厚孫　遂初稿三十卷　字叔載，鄞人。福建儒學副提舉。

項壘　山中言志前後續集共八卷　字彦高，龍泉人。與石抹宜孫唱和。

趙德光　松雲樵唱四卷　桃源舊稿二卷　字子明，龍泉人。

包希魯文集十四卷

邱迪　雲麓文稿

盛彧歸　吳岡稿一卷　字季文，常熟人。

曹貞　十洲三島詩　字元度，常熟人。

王元杰　貞白英華集　水雲清嘯集

任詔　槃園集　蜀人。

盛興　滴露齋稿

徐舫　瑤林集　滄江集　字方舟，桐廬人。宋濂撰墓志云至正丙午卒。或以為明人者誤。

張端　溝南漫存稿　字希尹，江陰人。江浙行樞密院都事。

潘音　待清軒遺稿　字聲甫，天台人。

姚文奐　野航亭稿　字子章，崑山人。

汪炎昶詩五卷　字懋遠，婺源人。

梅鼎　臞庵稿　吳江人。

余日强　淵默叟集

沈右　清輝樓稿　字仲説，吳人。

盛應發　嘯古集

馮華文集三卷　詩五卷

席郁文集　字士文，元城人。延祐監察御史。

武伯威詩集　宣德人，大德中以神童貢於朝，官汾西縣尹。

楊俊民　潭川文集　真定人。

何體仁　空谷樵音　無極人。

楊大雅　大隱集

王洪　毅齋存稿

吴復　雲樵集① 夏正餘留稿

時少章　所性稿

王霆　玉溪集 浙人。

黄宏　穀城稿 浙人。

林温　栗齋文集

林逢龍　草堂集

管師復　白雲翁集

徐蘭　自鳴集　鳴陽集

金寔　覺非集

方有開詩文集十一卷

胡朝穎　静軒集

吴人龍　鳳山集

李關　北源先生文集

陳自新　起興集

鄭以道　行餘全集

陳信惠　中齋文集 字孚中,晋江人,惠安縣尹,自號退翁。

楊景中　鳳山集 安溪人。

王華　怡軒文集 蓬萊人。

蕭雷龍　芳州文集 秘書著作佐郎。

季仁壽　春谷文集

章正則　觀海集

林廣　三溪集 龍溪人。

陳巖　九華詩集四卷　鳳髓集 集杜子美句。號清隱,青陽人。

耿介　應言稿

葉瑞遺文四十卷

---

① "樵",張繼才《補元史藝文志》與《千頃堂書目》作"槎"。

鄭杓　次夾漈餘聲樂府

劉有定詩集八卷　泮宮嘆一卷　莆田人。

應恂　純朴翁稿　字子孚,永康人。

黎省之詩一卷　安南人。

王德輝先生文集十卷　名朝。莆田人。

鄭元祐　僑吳集十二卷　字明德,遂昌人。浙江儒學提舉。

成廷珪　居竹軒集四卷　字原常,揚州人。

謝宗可　詠物詩一卷　臨川人。一云金陵人。

胡天游　傲軒吟稿一卷　岳州平江人。

鄭玉　師山文集八卷　餘力稿五卷

許恕　北郭集六卷　補遺一卷　江陰人。

李祁　雲陽集十卷　字一初,茶陵人。元統進士。翰林應奉。

汪澤民　巢深稿　燕山稿　宛陵稿

楊維楨　東維子集三十卷　附錄一卷　鐵崖樂府十卷　樂府
補六卷　復古詩集六卷　門人章琬編。　麗則遺音四卷　門人陳存
禮編。

陳秀民　寄情集　字庶子,溫州人。行省參知政事。

程文　黔南生集三十八卷　蚊雷小稿四卷　師意集

何淑　蠖閣集八卷　字伯善,臨川人。至正進士。

曾仲啓集十卷

王元明　達意集十卷　蜀人。

劉岳申　中齋集十五卷　字高仲,吉水人。

汪文燽　居朝錄　明農稿　常山人,泰定初進士。

劉鶚　惟實集四卷　外集一卷　字楚奇。

劉仁本　羽庭集十卷　今存六卷。

李繼本　一山文集九卷　一名守成,瞻。至正進士,翰林檢討。

夏疇　北邨集

江霛　陶陶翁文集 婺源人。

汪斌　雲坡樵唱集 婺源人。

汪德馨　菊坡集 婺源人。

汪德鈞　東湖遺稿 婺源人。

范致大　金帚集 無錫人。

牛處士詩集一卷 名野夫。真州人。

許應祁　松軒文集 宜興人。

金原舉　雲谷集 鹽城人。

葛聞孫　環翠山房集 合肥人。

陳玉峯　黃山詩集 太平人。

汪文龍　友雲集 太平人。

汪珍　南山詩集 太平人。

任暉　東白文集 上海人。

沈騰　雙清稿 華亭人。

謝震　望雲稿 丹陽人。

汪逢辰　鳴球集 歙人。

曹涇　詩文韻儷稿五卷

程彌壽　仁山遺稿 祁門人。

吳錫疇　蘭皋集 休寧人。

薛同孫　甬東野人語四卷

薛燾　學箕集三卷

薛明道　瑞室稿七卷

徐本原　思劔集 奉化人。

孔克烈　雁山樵唱詩集 字顯夫,溫州平陽人。

周潤祖　紫巖稿 臨海人。

鄭奕夫　衍桂堂集 鄞人。

孫庚　雪磯集 字居仁,慈谿人。

陳觀　竅蚓集　嵩里集　字國秀,奉化人。

孫元蒙　映雪齋稿　字正甫,鄞人。忠清書院山長。

劉希賢　餅窩類稿　鄞人。

彭克紹　學餘稿

夏洪參　邯鄲步

高德進　紀夢集十卷　河南人。失其名。由御史掾史官浙江宣慰使都事。

李仲淵　宗雅集　集賢直學士。

余東卿　秦淮櫂歌

孔肅夫　自然亭詩

孔子升　潔庵集十二卷　平陽人。

高賓叔　鄭璞集

葛元喆文集十卷　金谿人。

黎仲基　瓜園集十卷　臨川人。天曆中太平路儒學教授。

朱夏　鳴陽集　金谿人。

詹從朴　奎光集　樂安人。

黃竑　留皮稿　豐城人。

劉鍔　中鵠集　汲清集　泰和人。

歐陽弇　鳳山集　廬陵人。

劉執中　鳴臯集　安成人。

龍雲從　魚軒集　字子高,廬陵人。

黃堅　逝世遺音一卷　字子貞,豐城人。

朱嗣榮　燹餘集　字文昌,金谿人。

胡山立　清嘯前後集　廬陵人。

鄭士亨　東游集　豫章人。

熊太古　燹餘集　熙真集

劉君賢　昌雩集六卷　字文定,雩都人。改姓袁。

呂則耕　得月稿六卷

陳宜孫　弗齋集　_{休寧人。}

汪松壽　姚江集　_{休寧人。}

陳高　不繫舟漁集十二卷　_{字子上，溫州平陽人。}

陳樵　鹿皮子集四卷　_{字君采，東陽人。}

郭翼　林外野言二卷　_{字義仲，崑山人。盧熊撰墓志云："卒於至正二十四年"。}
_{或列諸明人，誤也。}

吳海　聞過齋集八卷

張憲　玉笥集十卷

金涓　青村遺稿一卷

舒頔　貞素齋集八卷　附錄一卷　_{字道原，績溪人。}

舒遠　北莊遺稿一卷

張光祖　唱和集　_{字明遠。}

黃殷士詩一卷　_{名㫤。}

錢惟善　江月松風集十二卷　_{字思復，錢唐人。}

丁鶴年　海巢集一卷　哀思集一卷　方外集一卷　續集一卷

謝應芳　龜巢集十七卷

周霆震　石初集十卷　_{字亨遠、吉之，安成人。}

甘復　山窗餘集二卷　_{字克敬，餘干人。}

王逢　梧溪集七卷

吳皋　吾吾類稿三卷　_{臨川人。}

魯貞　桐山老農文集四卷

戴良　九靈山房集三十卷

郭鈺　靜思集十卷　_{字彥章，吉水人。明初以茂才徵，不就。}

葉景南　樵雲獨唱六卷　_{金華人。}

貢性之　南湖集七卷

楊翮　佩玉齋類稿十卷　_{字文舉，上元人。剛中之子。太常博士。}

顧瑛　玉山璞稿一卷

倪瓚　清閟閣集十二卷

王禮　麟原文集二十四卷　字子讓,廬陵人。元統進士。

呂誠　來鶴亭詩一卷　補遺一卷　番禺稿一卷　既白軒稿一
卷　竹洲歸田稿一卷

朱希晦　雲松巢集三卷　樂清人。明初被薦,未授官卒。

周巽　性情集六卷

胡行簡　樗隱集六卷

王毅　木訥齋文集五卷　字剛叔,龍泉人。

華幼武　黃楊集三卷　補遺一卷　字彥清,無錫人。

馬麐　醉漁集　草堂集　字公振,崑山人。

吳簡　守約齋集　月潭詩集　明初應召入都。

朱鳳　樵唱集　吳江人。

黃公望　大癡道人集

陸友　把菊軒稿

朱良實　松陵續集　漁唱稿　字子誠,鳳之子。

陳樸　味道編　雲軒集　奉化人。

陸仁　乾乾居士集　字良貴,河南人。寓崑山。

吳主一　詩草　名志淳,無為州人。

劉畊孫　平野先生集　茶陵人。寧國路推官。

周文英　庭芳集　吳人才之子。

顧輝　守齋類稿三十卷　字德潤,鄞人。

王立中　息齋寓齋稱隱三集二十卷　字彥强,遂寧人。至正中官松江知府。

張光弼詩集二卷　名昱,廬陵人。江浙行樞密院判官。

陸厚古　漁唱

陶宗儀　南村詩集四卷　滄浪櫂歌

王彥高集十卷　名昇,昆明人。

楊居　愛齋稿　字溫如,新昌人。元季不仕。

陳尚簡　靜庵詩集

華璹　養閒詩集

吳叡　雲濤萃稿

趙友桂　南泉稿

王儀　菀庵文集　婺源人。

朱南强　甌醳稿　句容人。

馮勉　土苴集　建德人。

李琛　確軒集　無錫人。

陳可齋集二十卷

羅庭震　武當紀勝集一卷　龍興路人。皆七言絕句。

釋溥光　雪庵長語　字元輝,大同人。俗姓李。昭文館大學士,主頭陀教。

釋英　白雲集三卷　字存實,俗姓厲。錢塘人。

善性　谷響集一卷　字無住,吳郡人。

圓至　牧潛集七卷

大訢　蒲室集十五卷

克新　雪廬稿一卷

正則　溪香集

大圭　夢觀集五卷　字恒白,晋江人。

法住　幻庵詩一卷

祖柏　不繫舟集　字子庭,四明人。

明本　懷淨土詩一卷　梅花百詠一卷

行端　寒拾里人稿　字景元,徑山僧。

僧益　山居詩一卷　字栯堂,奉化岳林寺僧。

有貞　平山詩集

清珙　石屋山居詩二卷

惟則　師子林別錄　字天如,吳郡僧。

至仁　澹居稿　字行中。

景洙　翠屏集　番陽僧。

實存　白雲集　錢唐人。

祖銘　古鼎外集

元長和智覺　擬寒山詩一卷　（整理者按：和為連詞。）

廷俊　泊川文集五卷　字用章，樂平人。

允中　雲麓文稿

餘澤　長春集　雨花別集　字天泉，天竺寺僧。

宗衍　碧山堂集　字道源，吳人。住持，嘉興德藏寺僧。

無照　臥雲集

梵琦　楚石集

雷思齊詩文二十卷　和陶詩三卷　空山漫稿　卷亡。

譚處端　水雲集三卷　東牟人，號長真子。

邱處機　長春子稿　磻溪集六卷

尹志平　葆光集三卷

姬志真　雲山集十卷

吳全節　看雲集二十六卷

孫德彧　希聲集　字用章，仁宗時賜真人號。

吳元初　玄玄贅語　號虎山道士。

馬臻　霞外集十卷

張雨　句曲外史集三卷　補遺三卷　集外詩一卷

查居廣　學詩初稿一卷　字廣居，臨川道士。

朱本初　貞一稿　臨川道士。

薛元曦　上清集　字元卿，龍虎山道士。

黃石翁　松瀑稿　字可玉，廬山道士。

席應真　金薤稿

王先生草堂集一卷　號白雲子，不著名。

總　集　類

元好問　唐詩鼓吹十卷 _{郝天挺注。}　中州集十卷

房祺　河汾諸老詩集八卷

吳渭　月泉吟社一卷

謝翱　天地間集五卷

杜本　谷音二卷

郝經　原古録　唐宋近體詩選

劉辰翁　古今詩統六卷

陳仁子　文選補遺四十卷

方回　瀛奎律髓四十九卷

黃景昌　古詩考録

周南瑞　天下同文五十卷 _{安成人。}

金履祥　濂洛風雅七卷 _{韓良瑞編類。}

王玠　唐詩選 _{定海人。}

熊禾　詩選正宗

楊士宏　唐音十四卷

周弼　三體唐詩四卷 _{汶陽人。}　又　二十卷 _{高安僧圓至注。}

馬瑩　選唐五百家詩五卷　宋南渡諸家詩一卷

方道叡　唐律體格一册

仇遠　批評唐百家詩選

徐舫　唐詩通考

左克明　古樂府十卷 _{至正丙戌自序。}

柳貫　金石竹帛遺文十卷

梁有　文海英瀾二百卷 _{字九思，天曆中奉敕録金石刻三萬餘通，上進，録其副為此書。}

蘇天爵　國朝文類七十卷

吳萊　樂府類編一百卷

吳福孫　古文韻選

陳謙　西漢文類

吳宏道　中州啓牘四卷　字仁卿，蒲陰人。

毛直方　詩宗羣玉府三十卷　字靜可，建安人。

劉應李　事文類聚翰墨大全十二卷　選録應酬文。

萬寶書山三十八卷

新編三教四六心香

名公書判清明集十七卷

古今大成詩選正宗二十卷

元詩前集六卷　傅習采集，孫存吾編類。

元詩後集六卷　孫存吾編。習字説卿，清江人。存吾，字如山，廬陵人。

曾應奎　元詩類選四卷

蔣易　皇元風雅三十卷　字師文，建陽人。

皇元風雅八卷　無撰人名。或云宋褧。

孫原理　元音十二卷

賴良　大雅集八卷　字善卿，天台人。

劉履　風雅翼十二卷　《選詩補注》八卷，《選詩補遺》二卷，《選詩續編》二卷。
字坦之，會稽人。

許有壬　圭塘欸乃集三卷　弟有孚編。

鄭元善　三衢文會一卷

顧瑛　玉山名勝集八卷　外集一卷　草堂雅集十三卷

袁華　玉山紀游一卷

鄭滁孫　義陽詩派

陳士元　武陽耆舊詩宗一卷　邵武人。

鄭太和　麟溪集十卷　字順卿，浦江人。

徐達左　金蘭集三卷　字良夫，吳人。

汪澤民　宛陵羣英集十二卷

黃應和　華川文派錄六卷　義烏人。

李康　桐江詩派

東甌遺芳集　止錄趙氏數人。

西湖竹枝詞一卷　楊維楨等百二十人。

至正庚辛唱和集一卷　郁遵編。字子路，嘉興人。司農右丞。

送張吳縣之官嘉定詩一卷　送張府判詩一卷　良常草堂圖詩一卷　皆爲張經作。

賜杖詩三卷　至元二十九年，賜侍衞都指揮使王慶端雕玉杖，贈詩者五十餘篇。

先天觀詩一卷　程鉅夫等爲曾尊師貫翁題詠。

甘棠集一卷　至元間浦江人，爲縣宰廉阿作。

運使復齋郭公敏行錄一卷　皆贈送詩文。

吳氏天爵堂類編十卷　揭傒斯編。

魏國家集十二卷　類編名人詩文八卷　尺牘一卷　韓琦裔孫諤編。

勞山偓蹟詩一卷　邱處機等。

呂虛彝　瀛海紀言十七卷　字與之，奉化道士。築瀛海道院，集一時名人贈答之作。

釋壽寧　靜安八詠詩集一卷　上海靜安寺僧。

張雨　師友集

王禮　長留天地間集

繡川二妙集　傅野，字景文。陳堯道，字景傳。俱義烏人。

周砥　荊南唱和集一卷　字履道，吳人。

徐氏雙桂集　伯樞衍，無錫人。

鄭氏聯璧集　鄭東及弟采，溫州人。

柴氏四隱集三卷　曰望，曰隨亨，曰元亨，曰元彪。皆宋臣入元不仕者。江山人。

高德進　自得齋類編

騷　賦　類

劉莊孫　楚詞補旨音釋

吳萊　楚漢正聲二卷 集宋玉、司馬相如、揚雄、柳宗元四家賦。

吾衍　九歌譜

郝經　皇朝古賦一卷

虞廷碩　古賦準繩十卷 字君輔，建安人。

祝堯　古賦辨體八卷　外集二卷

制　誥　類

蘇天爵　兩漢詔令

虞廷碩　歷代制誥五卷　詔令四卷

王充耘　擬兩漢詔誥二卷

科　舉　類

涂摺生　易義矜式　易疑擬題三卷　易主意一卷 字自昭，宜黃人。
濂溪書院山長。

王充耘　書義矜式六卷　書義主意六卷

倪士毅　尚書作義要訣四卷

陳悅道　書義斷法六卷

謝叔孫　詩義斷法五卷

林泉生　詩義矜式十卷

黃復祖　春秋經疑問對二卷 字仲篪，廬陵人。

楊維楨　春秋合題著說一卷

歐陽起鳴　論範六卷

譚金孫　策學統宗二十卷　非全本。

陸可淵　策準三卷

曾堅　答策秘訣一卷

元賦青雲梯三卷

陳繹曾　科舉天階

江浙延祐首科程文

大科三場文選　安成周夅輯。

歷舉三場文選　五經各八卷。安成劉仁初、劉霽、劉霖等編。

至正辛巳復科經文

文　史　類

魏道明　鼎新詩話　易州人。安國軍節度使。金。

盧摯　文章宗旨

范梈　詩林要語一卷　木天禁語三卷　詩學禁臠一卷

李塗　古今文章精義二卷

王構　修詞鑑衡二卷

陳繹曾　文說一卷　文筌八卷　古文矜式二卷　字伯敷，處州人。
　　國子助教。

虞集　文選心訣一卷

馮翼翁　文章旨要八卷

程時登　文章原委　古詩訂義　感興詩講義

陳樸　尺牘筌蹄三卷　或作陳牼。

楊載　詩法家數一卷

傅汝礪　詩法源流三卷

俞遠　學詩管見一卷

徐駿　詩文軌範二卷

潘昂霄　金石例十卷

范晞文　對牀夜話五卷

吳禮部　詩話二卷　_{師道。}

高若虎　渤海詩話　_{字仲容，安福人。}

陳德固　唐溪詩話

韋安居　梅磵詩話三卷　_{湖州人。}

曹涇　雜作管見

評　注　類

王繪　注太白詩　_{字質夫，濟南人。太常卿。}

孫鎮　注東坡樂府　_{以上金。}

元好問　杜詩學一卷

東坡詩雅二卷

申屠致遠　杜詩纂例十卷

傅若川　杜詩類編三卷　_{字次舟。}

虞集　杜律訓解二卷　_{或云張伯成託名。}

俞浙　杜詩舉隅　韓文舉隅　_{字季淵，會稽人。}

劉應登　杜詩句解　_{安成人。}

黃鍾　杜詩注釋　_{字器之，興化人。}

劉霖　杜詩類注

曾巽申　韻編杜詩十卷　補注元遺山詩十卷

楊齊賢　蕭士贇　分韻補注李白詩二十五卷　_{齊賢，字子見。}

范梈　選李翰林詩四卷　杜子美詩六卷

王沂　陶集注三卷

詹若麟　注陶淵明集十卷

唐仲英　陸宣公文集菁華二卷

吳師道　注絳守居園池記一卷

胡炳文　注朱子感興詩一卷

劉辰翁　評點杜工部詩二十卷　精選陸放翁詩八卷

羅椅　放翁詩選十卷　字子遠。

釋慶閞　注范成大田園雜興詩一卷　無逸，吳人。

詞　曲　類

南北九宮譜十卷

南北宮詞十八卷　南詞六卷，北詞六卷，北詞別集六卷。

丹邱子　太和正音譜十二卷

周德清　中原音韻一卷　號挺齋，高安人。

葉宋英　自度曲譜　臨川人。

楊朝瑛　朝野新聲太平樂府九卷　集元人曲。前小令，後套數。

趙粹夫　陽春白雪集

仙音妙選

曲海

樂府混成集一百五册

中州元氣十册

百一選曲

樂府羣珠　樂府羣玉

天機餘錦　天機碎錦

片玉珠璣

羣英詩餘

詞學筌蹄

詞話總龜

周密　絕妙好詞七卷　蘋洲漁笛譜一卷

元好問　中州樂府一卷　遺山樂府二卷

張炎　山中白雲詞八卷　樂府指迷二卷

傅仲淵　笙鶴清音　蒙古人，進士。

劉秉忠　藏春詞一卷

段成己　遯齋樂府一卷

段克己　菊莊樂府一卷

白樸　天籟集二卷　字仁甫。

劉因　樵庵詞一卷

耶律鑄　雙溪醉隱樂府十一冊

王沂孫　碧山樂府一卷　花外集二卷

蔣捷　竹山詞一卷

陳允平　日湖漁唱二卷

柴望　涼州鼓吹一卷

馮華　樂府一卷

袁易　靜春詞一卷

虞集　道園樂府一卷

張翥　蛻巖樂府三卷

彭致中　鳴鶴餘音

沈禧　竹莊詞一卷　字廷錫，湖州人。

張埜　古山樂府二卷　字埜夫，邯鄲人。

張養浩　雲莊休居自適小樂府一卷

喬吉　惺惺老人樂府一卷

張可久　小山小令二卷

汪元亨　小隱餘旨一卷　雲林清賞一卷

樂府補題一卷　王沂孫諸人詞。

無名氏　自然集一卷　皆道曲。

鳳林書院詞選二卷

陳良弼　花草類編十二卷　延祐四年序。

陸輔之　詞旨一卷

四朝經籍志補

[清] 吳 騫 撰

張緒峰 整理

　　温陵黃俞邰先生嘗輯《千頃堂書目》，于有明一代之書後，復載宋、遼、金、元，其意蓋欲補此四代史家所遺漏之書也。予間從《千頃堂目》中單采宋、遼、金、元之書為《四朝經籍志補》，厥後餘姚盧弓父學士及嘉定錢曉徵宮詹均有是輯，故予此書亦藏之家塾。然其間有俞邰所未及者，附以鄙說，頗為學士所采，故其自序中亦備著予姓氏，示不掠美也。嘉慶丙寅中秋日小善卷北窗書。

經　部

易　類

宋

朱元昇　三易備遺十卷　<small>字日華，東嘉人。咸淳中，以右榜官承節郎，差處州龍泉遂昌慶元縣、建寧府松溪政和縣巡檢，述其自得之學，為《河圖洛書》一卷，《連山備遺》三卷，《歸藏備遺》三卷，《周易備遺》各三卷。咸淳八年，浙東提刑家鉉翁奏進其書於朝，未幾宋亡，元昇亦死，其子士可及次子士立卒成之。元元貞乙未，士立乃为刊行。</small>

何基　周易朱氏本義發揮七卷　又　繫辭發揮二卷

胡方平　周易啓蒙通釋二卷　<small>一作四卷。</small>　又　外易四卷　<small>號玉齋，婺源人。</small>

董楷　周易程朱傳義附錄十四卷　<small>字正叔，臨海人，官吏部郎中。</small>　又　圖說一卷　<small>咸淳丙寅序。</small>

方回　讀易析疑　<small>一作"釋疑"。</small>

陳普　易解二卷　<small>寧德人。</small>

熊禾　易學圖傳一卷

吳霞舉　易管窺六十卷　又　筮易七卷　<small>字孟陽，休寧人。吳龍翰子，</small>

別號默室。

任士林　中易

陳深清　全齋讀易編三卷　字子微,吳人,宋亡不仕,篤志著述。

王申子　大易輯説十卷　字巽卿,別號秋山,臨邛人,前邛州兩請進士,寓居
慈利州天門山,著是書及《春秋類傳》。延祐丙辰,常德路推官田澤奏進其書。

丘富國　周易輯解十卷　又　易學説約五篇　字行可,建安人,宋進
士,官瑞陽簽判,入元不仕。

涂溍生　易義矜式　又　周易疑擬題三卷　字自昭,宜黃人,贛州濂
溪書院山長,入元不仕。

何夢桂　易衍二卷　一作"易解"。

朱鑑　文公易説二十三卷　文公孫集,凡雜著及門人所記、口授之言。

田疇　學易谿徑二十卷　號與齋,華亭人。嘉定間設講席,"谿"疑作"蹊"。
於國學六館之士皆北面焉。

羅大經　易解十卷　字景倫,吉水人,寶慶二年進士。

李過　西溪易説十二卷　字季辨,興化人。

張應珎　周易注十卷　以下皆不知時代。稱義山張應珎。按:應珎,永新人,
宋人,入元為秘書丞,更姓名為吳鄩,義山,其號也。《吉府志》稱應珎為宋遺民者,
謬。《經義考》亦入元。

咎如愚　古易便覽一卷

李簡　學易記九卷　號蒙齋,信都人,嘗為泰安倅。

李過　西溪學説十二卷　已見前。

**趙善湘　趙汝楳　周易約説八卷　周易或問四卷　續問四卷
周易指要四卷　學易補過六卷**

程大昌　易源

金

趙秉文　易叢説十卷　又　象數雜説

張特立　易集説

單渢　三十家易解　平原人。

元

郝經　周易外傳八十卷　又　太極演二十卷　經畧館真州時所作。

自孔子以來，諸家注釋蕞其至精，去其重複，義理象數兼采，巨細不遺，積成八十卷。又旁搜遠紹，創圖立說，为《太極演》二十卷，申明列聖及諸儒餘意，謂之《外傳》。孔子爲經作傳，後人著作皆傳外之傳也，故曰《外傳》，示不敢同於聖人之作云。

許衡　讀易私言一卷

吳澄　易敍録十二篇　又　易纂言十二卷。　敍録之作，因東萊吕氏古易重加修訂，正其文字闕、衍、謬誤者。

齊履謙　周易本說六卷　初《補注繫辭旨略二卷》，以敷暢本義之旨，後更爲說四卷，專釋卦爻之旨，至於象象諸傳，夫子所以贊變卦爻，一二疑滯，已具說下，其餘則不全釋。

胡一桂　周易本義通釋附録纂疏十四卷　又　周易啓蒙翼傳四卷　取朱子文集語録之及於《易》者，附於本義下，謂之附録，取諸儒《易》說之發明本義者纂之，謂之纂疏。一桂，字庭芳，胡方平子，景定甲子薦，入元不仕。所居有二小湖，自號雙湖居士。

胡炳文　周易本義通釋十卷　自《繫辭》以下俱佚。取《大全》所輯一桂說補之。又《周易啓蒙通釋》二卷。

董真卿　周易纂注會通十四卷　又　歷代因革一卷　字季真，鄱陽人。

鄭滁孫　大易法象通贊七卷　又　中天述考一卷　又　述衍一卷

黎立武　周易說約一卷

朱祖義　周易句解十卷　字子由。

王結　易說一卷

何榮祖　學易說

趙采　周易折衷三十三卷　字德亮，潼川州人。

衛謙　讀易管窺三十卷　號山齋，華亭人，元進士。

吳存　程朱易傳本易折衷　字仲迂，鄱陽人，寧國路教授。

贍思　奇偶陰陽消息圖

何中　易類象二卷

潘迪　周易述解　元城人，歷官國子司業集賢學士。

王愷　易心三卷　台州寧海人。

吳迂　易學啓蒙　字仲迂，浮梁人，從饒雙峯學。皇慶間，浮梁知州郭郁延之爲師，以訓學者，人稱西臺先生。汪克寬其門人也。

保八　周易原旨六卷　又　繫辭二卷　又　易原奧義一卷　又　周易尚占三卷　前有進呈皇太子牋表，稱大中大夫前黄州路總管兼管内勸農事臣保八。（其書有方回）牟巘《序》，稱之曰普庵者，其號；曰公孟者，其字也。居洛陽。諸書亦名《易體用》。

吾衍　重正卦氣

李恕　周易旁注四卷　又　音訓二卷　字省中，廬陵人。与龍麟州到水村同輩行。合程朱二家之説，及本義附録何氏發揮《大易粹言》、《南軒解義》諸書，節而一之。

熊良輔　周易本義集成二卷　字任重，南昌人。舉延祐丁巳鄉試，復有《易詩集疏》，不傳。

丁易東　易傳十一卷　一作十四卷　**又　大衍索隱三卷**　號石潭，龍陽人。宋進士，入元不仕，築精舍，教授生徒，事聞於朝，授山長，賜額沅陽書院。

俞琰　大易會要一百卷　述諸家易説　**又　周易集説四十卷**　分上下經十翼，今世傳本十卷　**又　易圖要纂二卷　又　古占法一卷　又　讀易舉要四卷　又　周易象辭二卷　又　讀易須知□卷　又　卦爻象占分類一卷　又　易圖合璧連珠説□卷　又　周易參同契發揮三卷　又　易外別傳一卷**　琰，字玉吾，吳縣人。生宋寶祐間，以词賦□。宋亡，隱居著書，不復仕進，自號石澗。

鄧錡　大易圖説二十五卷

張理　易象圖説内篇三卷　外篇三卷　字仲純。清江人，從學杜本，舉茂材異等，爲福建儒學提舉，與鄧錡《圖説》俱録入《道藏》中，別有《易圖》三卷，未知同否。

雷思齊　易圖通變五卷　一作三卷。

龍仁夫　周易集傳十八卷　号麟州，字觀復，永新人。仕元爲湖廣儒學提舉，學者稱麟洲先生。

惠希孟　易象鉤元十卷　江陰人，號秋崖。

雷杭　周易注解　字彥舟，建安人，官武平縣尹，與父德潤兄機樞，皆以《易》學名，號雷氏《易》，《大全》嘗引其說。

張志道　易傳三十卷　字潛夫，金壇人。

劉霖　易本義童子說　又　太極圖解　安福人，少從虞伯生學，博通五經。

程時登　周易啟蒙輯錄　字登庸，江西樂平人。

熊凱　易傳集疏　南昌人，精義理之學，以明經開塾，時稱遙溪先生。

祝堯　大易演義　上饒人，延祐中進士，無錫州同知。

李公凱　李氏周易句解十卷　字仲容。

趙元輔編　大易象數鉤深圖三卷

劉肅　讀易備忘

袁桷　易說

黃澤　易學濫觴　又　十翼舉要

張延　周易備忘十卷　棗城人，真定路教授。

唐元　易傳義大意十卷　字長孺，歙縣人，徽州路儒學教授。

倪淵　易圖說二十卷　又　圖說序例一卷　烏程人。從學敖繼公，爲湖學教授。泰定元年，官當塗主簿，有廉能聲。

鮑雲龍　筮草研幾　字景翔，歙人。領元鄉薦，不仕，家居教授。

包希魯　易九卦衍義　字魯伯，進賢人，從學吳澄。

史公珽　蓬廬學易衍義　又　象數發揮　字搢叟，鄞縣人。

陈廷言　易義指歸四卷　字君從，寧海人。

彭復初　易學源流　安福人，本朱邵說，著是書。

繆主一　易經精蘊　字天德，永嘉人。通易、書、詩三經。大德間，郡守廉希憲延爲經師。

饒宗魯　周易輯說　字以道，臨川人。輯所聞於平山曾子良者。**又　易經庸言**

邵整　六十四卦圖説　福州人。

盧觀　易集圖　字彦達,崑山人,盧熊父。

蕭漢中　讀易考原四卷

黄鎮成　周易通義十卷　字元鎮,昭武人,隱居著書,以執政薦,授江西路儒
學提舉,命下而卒,集賢定號曰貞文處士。

鄭玉　周易大傳附注　以孔子繫《易》之詞爲《大傳》,而附以己之注説。　又
　　程朱易契

陳謙　周易解詁二卷　又　河圖説一卷　又　占法一卷　謙分卦
辭象象,會粹諸家之説,名曰解詁。謙死於兵,其弟子范文綱僅收得二卷,非全書也。

丘葵　易解義

吳夢炎　補周易集義　歙人,後至元中紫陽書院山長。

程龍　三分易圖

程直方　觀易堂隨筆　俱婺源人。

胡震　周易衍義八卷

林光世　水村易鏡一卷

陳應潤　周易爻變義藴四卷

陳宏　易童子問一卷　又　易象發揮　又　易孟通旨　莆田人,
宋末徙華亭,以儒業起家,邃於《易》。

黄超然　周易通義　自號壽雲,黄岩人,王柏弟子,卒謚康敏。

陳樵　易象數新説

錢義方　周易圖説一卷　字子宜,至正中人。六年丙戌序。

朱本　太極圖解　字致貞,豐城人。至正間爲福州儒學提舉,明初以賢良官送
京,固辭,安置和州,賜歸,年九十卒。

陳櫟　東阜老人百一易略一卷　字壽翁,自稱東阜老人。新安人。揭奚斯
序。居萬山中著書,數十年,不出户,吳草廬嘗稱之。延祐間鄉貢,當赴春官,稱病固
辭,年八十三卒。

康用文　易説發揮　高安縣尹吳草廬誌其墓。

易纂言外翼四册　不知何人撰,見《文淵閣書目》。

書　　類

宋

陳大猷　書傳會通十一卷　又　書集説或問二卷　東陽人，其書用
朱子釋經法、吕成公《讀詩記》例，采輯群言，附以己意，宋季其書盛行。

薛士龍　書古文訓十六卷　按《浙江通志》："季宣，字士龍，永嘉人。"

王應麟　集解周書王會篇一卷　又　尚書草木鳥獸譜　見《續通考》。

陳普　書傳補遺

熊禾　尚書口義三十卷

毛晃　禹貢指南一卷

金

王若虚　尚書義粹三卷

元

金履祥　尚書表注十二卷　又　尚書雜論一卷

許謙　讀書叢説六卷　子仁及門人俞寔叟校正。

吴澄　尚書纂言四卷　澄紱録分别今古文，纂言今古二十八篇也。

董鼎　書經輯録纂注六卷　鼎詳稽朱子遺語，旁采諸家，附於蔡傳本條之左，
有同有異，俱有所裨。鼎字季亨，都陽人，子真卿，乞吴澄爲序。

王天與　尚書纂傳四十六卷

陳櫟　書集傳纂注六卷　又　書解折衷　字壽翁，休寧所居堂，名定
宇，人稱定宇先生。

程直方　蔡傳辨疑一卷　字道大，婺源州人。

齊履謙　書傳詳解

趙孟頫　尚書注

韓性　書辨疑一卷

孟夢恂　七政疑解

雛季友　書蔡傳音釋一卷　字晉昭,鄱陽人,《書傳會選》采用其書。

陳師凱　書蔡傳旁通六卷　浮梁人,至治辛酉爲此書,凡傳中所引名物度數,
必詳究所出,有功蔡傳甚大。

何中　書傳補疑十卷

王充耘　讀書管見二卷　字與耕,吉水人,元統甲戌進士,授永州同知,以母
老棄官養,尚著是書,尚有《四書經疑貫通》及《兩溪詔誥》,皆失傳。　**又　書義
矜式□卷**　黃志人制舉類,下倪士毅一條亦同。

田澤　洪範洛書辨一卷　延祐中常德路總管府推官。居延人。

余芑舒　讀蔡傳疑一卷　饒州德興人。

胡一中　定正洪範集説一卷　字允大,諸暨人,紹興路録事。

馬道貫　尚書疏義六卷　字德珍,金華東陽人,師許謙,自號一得叟。

吾衍　尚書要略

吳迁　書編大旨

朱祖義　尚書句解十三卷

李公凱　纂集柯山尚書句解三卷　字仲容,已見前。

俞元變　尚書集傳十卷　又　或問二卷　建寧人,居於吳,虞集銘
其墓。

韓信同　書集解

黃鎮成　尚書通考十卷　字元鎮,昭武人,隱居著書,以執政薦授江西路儒學
提舉,命下而卒,集賢定諡曰貞文處士。如《堯》、《舜典》日月、曆象、星辰、律、度量
衡、五禮、五樂、禹貢山川、洪範九疇之類,關涉考究者,會萃鈔撮;其不可曉者,規畫
爲圖。至衆家之説,有所不逮,則述己見以附於下。

吳萊　尚書標説六卷

陳樵　洪範傳

邵光祖　尚書集義六卷　字弘道,吳人。

周聞孫　尚書一覽　吉水人,至正辛巳鄉舉。

尚書名數索至十卷　不知何人所輯,有元方時發序,大約亦通考之類。索至者,
取揚子雲《法言》語也。

張性　尚書補傳　<small>字伯成,臨川人,鄉貢進士。</small>

詩　　類

宋

段昌武　叢桂毛詩集解三十卷　又　詩義指南一卷　<small>字子武,廬陵人。官朝奉郎,是書爲舉業發題作也。</small>

李簡　詩學備忘二十四卷

陳煥　詩傳徵　<small>字時可,豐城人。宋兩與漕薦,入元不仕。</small>

陳深清　全齋讀詩篇

趙德　詩辨疑七卷　<small>一作十卷。附朱倬者其撮要,此則全編也。本宋宗室,入元隱居豫章東湖,自號鉄峯。</small>

曹粹　中放齋詩說十卷

朱鑑　詩傳遺說六卷　<small>一名《朱氏詩說補遺》。</small>

毛詩纂圖互詩重言重意二十卷

逸齋補傳二十二卷　<small>按《宋史·藝文志》,有范處義《詩補傳》三十卷,《經義考》謂即此書,而此止二十二卷,不可解。今通志堂刊本亦三十卷。</small>

李樗　黃櫄　毛詩集解三十六卷　<small>樗字若林,閩縣人。師呂本中,領鄉薦,學者稱迂齋先生。櫄,字實夫,漳州人,淳熙進士,官至宣教郎。</small>

王應麟　詩辨□卷　<small>見《續通考》。</small>

元

許謙　詩集傳名物鈔八卷　<small>集傳所未備者,旁搜博采,多引魯齋王氏、北山金氏說而附己見。又以小序及鄭氏、歐陽氏譜世次多舛,一從朱子補定正音,釋考名物度數,粲然畢具,退《何彼穠矣》、《甘棠》於王風,而削去《野有死麕》一章,則疑因魯齋之疑云。</small>

胡一桂　詩傳纂疏附錄八卷　<small>以朱子《集傳》爲主,而纂諸儒異同之說,及《朱子語錄》、《文集》之要語附之。</small>

雷光霆　詩義指南十七卷　<small>分寧人,程鉅夫嘗從受業,至元間遣使徵之,未至卒,學者稱龍光先生。</small>

陳櫟　詩大旨　又　讀詩記

程直方　學詩筆記

吳迁　詩傳衆紀

劉瑾　詩傳通釋二十卷　字公瑾，安城人。博通經史，隱居不仕，其書宗朱子而録各經傳及諸儒所發要義，並考求其世次源流。

俞琰　弦歌毛詩譜一卷

韓性　詩音釋一卷

李恕　毛詩音訓四卷　又黄志有《毛詩故》四卷。

梁益　詩傳旁通十五卷　本閩人，隨父家江陰，舉江浙鄉試，書主發明朱子之傳，又有《詩緒餘》，未見。

貢師泰　詩經補注

夏泰亨　詩經音考　字叔遠，會稽人，官元翰林修撰。

包希魯　詩小序解

朱公遷　詩傳疏義二十卷　字克并，樂平人。至正鄉舉，處州教授。

楊璲　詩傳名物類考　字元度，餘姚人。

盧觀　詩集疏

朱倬　詩經疑問七卷　稱進士盱黎朱倬、孟章編，自爲問答，以發朱子《集傳》之藴，末附趙悳《詩辨疑》一卷。

曹居貞　詩義發揮　廬陵人。

李公凱　毛詩句解二十卷　字仲容。

翟思忠　詩傳旁通十卷　以下不知時代。

李少南　詩解二十卷

詩錢氏集傳　以下失名氏。

詩纂圖四帙

詩圖説

羅復　詩集傳音釋二十卷　字中行，廬陵人。

毛直方　詩學大成　見《傳是樓書目》。近周苧號大令，見元刻本，有毛直方序，不著撰人。直方，字靜可，建安人。咸淳中薦舉，入元不仕，編《詩學大成》，見《尚友録》。

儀　禮　類

宋

方回　**儀禮考**

元

吳澄　**敍次儀禮十七篇**　至正十四年甲午李浚民序。又《儀禮傳》十五篇,與
《逸經》俱入《三禮考注》中,又《儀禮逸經》八卷,澄以《小戴記》投壺、奔喪,《大戴記》
公冠禮、諸侯遷廟、釁廟,鄭注之中霤禮、禘於太廟禮、王居明堂禮,皆禮之遺者,取以
補之,元集慶路有刊本,今收入《三禮考注》中。

敖繼公　**儀禮集説十七卷**　删鄭注之不合於經者,而存其是者,意見有未足,
則取疏記及先儒之説以補之。又未足,則附以己所見。繼公,閩長樂人。

顧諒　**儀禮注**　字季友,吳江人。王行爲作傳。

周　禮　類

宋

葉時　**禮經會元四卷**

朱申　**周禮句解十二卷**

林希逸　**考工記圖解四卷**

金

杨雲翼　**周禮辨一篇**

元

吳澄　**周官敍録六篇**

吳當　**周禮纂言**　當本大父澄之意爲是書。

毛應龍　**周禮集傳二十四卷**　字介石,豫章人,元大德間澧州教授。一作十
三卷,或問五卷。

臧夢解　**周官考三卷**

邱葵　周禮全書六卷　又　周禮訂本三卷。　同安人。刻志篤學，不求人知，馬祖常嘗薦於朝，命未下而卒。

湯彌昌　周禮解義　字師言，吳人。

周禮集說十二卷　不知何人所輯。元吳興陳友仁君復得之於沈則正，因傳之，內地官末卷亡，明關中劉儲秀補注。

禮　記　類

宋

朱申　禮記詳解十卷

鄭樸翁　禮記正義一卷

陳煥　禮記釋　字時可，豐城人。宋兩與漕薦，入元不仕。

方愨　禮記解□卷　桐廬人，父死，廬墓喪畢不歸，覃思積年，解《禮記》書成，獻之朝，命頒其書於天下。

王奎文　中庸發明一卷

馬端臨　大學集傳

熊禾　大學口義　又　大學廣義　又　三禮考異

金

李純甫　中庸集解

趙秉文　中庸說一卷　載《滏水集》中。

元

陳澔　禮記集說三十卷　字可大，號雲柱，又號北山叟，都昌人。

吳澄　禮記纂言三十六卷　又　序次小戴記八卷　澄既取投壺、奔喪以補逸禮，而復以《小戴記》中冠義、昏義、聘義、鄉飲酒義、燕義、大射義爲《儀禮經傳》，除《大學》、《中庸》二篇，所存凡三十六篇，通禮九、喪禮十二、祭禮四、通論十二，篇次先後稍變於舊，就篇之中，科分櫛剔，以類相從，俾其文義上下聯屬，章之大旨，標識於左。澄享年八十有五，是年書始成，遂卒。

陳櫟　禮記集義十卷　又　深衣說

韓性　禮記説四卷

彭絲　禮記集説四十九卷　字魯初，安福人。

程時登　禮記補注　深衣翼　大學本末圖説　又　中庸中
和説

繆主一　禮記通考

史季敷　夏小正經傳考三卷　鄞縣人，采儀禮集解，參究同異，附以釋音，復
取先儒解經所引語及事相附近者，綴於下文之下。

鮑雲龍　太月令

黎立武　中庸指歸一卷　提綱一卷　大德八年甲辰趙秉政序。　大
學發明一卷　本旨一卷　字以常，新喻人。宋咸淳進士，爲華文閣待制，吳
澄其所取士也。入元，屢徵不起，自號所寄翁。

齊履謙　中庸章句續解一卷　又　大學四傳小注一卷

許謙　中庸叢説一卷　又　大學叢説一卷　明初，謙孫存仁爲國子監
祭酒，凡何王金許之書，皆所刊布。

李思正　中庸圖説　又　中庸輯釋　江西德興人，生於宋季，入元有勸之
仕者，笑而不答。

程逢午　中庸講義三卷　字信叔，休寧人，海鹽州教授。

黄鎮成　中庸章旨二卷

趙若焕　中庸講義

許衡　大學要略一卷　又　大學魯齋詩解一卷　每《大學》一義，賦
七言絶句以解之。

金履祥　大學章句疏義一卷

胡炳文　大學指掌圖

李師道　大學明解一卷　稱高郵月湖李氏，常爲通州教授。

程復心　大學章圖纂釋一卷

呂溥　大學疑問

呂洙　大學辨疑　俱永嘉人，從兄弟也，同學於許謙。

吳浩　大學口義　字義夫，休寧人，隱居不仕。

袁明善　大學中庸日錄　　字誠夫，號樓山先生。臨川人，從學吳澄，述其
師説。

秦玉　大學中庸標説　　太倉人，秦約父。

鄭奕夫　中庸大學章旨

蕭𣂏　三禮記

吳澄　三禮考注六十八卷　　成化九年癸巳羅倫序。

春　秋　類

宋

趙鵬飛　木訥先生春秋經筌十六卷　　字企明，左綿人。尚著有《詩故》，
失傳。

家鉉翁　春秋集傳詳説三十卷綱領一卷　　鉉翁，北遷時居河間，所作因
答問以述己意，綱領凡六類：首原春秋托始，次原夏正，次明五始，次評三傳，次明伯，
次明凡例，共十篇。

陳則通　鐵山先生春秋提綱十卷　　胡光世爲序。

陳深清　全齋讀春秋編十二卷

王申子　春秋類傳

林堯叟　春秋左傳句解七十卷　　字唐翁。

程公説　左氏始終三十卷　又　春秋比事十卷

晏兼善　春秋透天關十二卷

吳思齊　左傳缺疑

熊禾　春秋論考

朱申　春秋左傳節解三十五卷

呂大圭　春秋五論一卷　　別號樸鄉先生。同安人，淳熙進士，知漳州軍。蒲
壽庚降元，脅署表降，不從，見殺。

勾龍傳　春秋三傳分國紀事本末　　字明甫，嘉定州人，後溪劉光祖爲之
序，稱其嗜古尊經，確乎自信云。

徐晉卿　春秋經傳類對賦一卷　<small>晉卿，皇祐中爲將仕郎，試秘書省校書郎。</small>

元

郝經　春秋外傳八十一卷　<small>經使宋時拘館真州所作也，爲《章句音義》八卷，《春秋製作本原》十卷，凡三十一篇。《比類條目》十二卷，凡一百三十篇。《三傳折衷》五十卷，《三傳序論》、《列國序論》一卷，總名曰《春秋外傳》。</small>

敬鉉　春秋備忘十卷　<small>易州人，爲中都儒學提舉，學者稱大寧先生。</small>**續備忘遺說三十卷　又　大寧先生續明三傳例說略八卷**　<small>集春秋諸儒之說而折衷之。</small>　**又　大寧先生續屏山杜氏遺說八卷**　<small>鉉從孫敬儼編，鉉續屏山杜氏說爲左說也。</small>

杜瑛　春秋地里源委十卷

吳澄　春秋纂言十二卷　又　總例三卷

許謙　春秋温故管窺　春秋三傳義疏

張樞　春秋三傳歸一義三十卷　<small>樞言學《春秋》者必始於三傳，而其義例互有不同，及辨析其是非，會通其歸趣，參以先儒之說，裁以至當之論，編爲是書</small>　**又　春秋三傳朱墨本**　<small>唐陸淳纂《春秋微旨》，以朱墨別三傳之當否，歲久漫滅，寖失其真，乃重加考正，言有未周，意有未暢，則出新義以補焉。</small>

李昶　春秋左氏遺意二十卷　<small>昶父世弼，從外家受孫明復《春秋》，得其宗旨，昶承家學，集諸家之說而折衷之。東平須城人，累官翰林侍讀學士、吏部尚書。</small>

齊履謙　春秋諸國統記六卷　<small>經自周魯而外，書其君之卒者十有八國，乃分彙諸國之統紀凡二十，己所特見，各著於經書，成於延祐四年。</small>

臧夢解　春秋發微一卷

袁桷　春秋說

虞槃　非國語

邱葵　春秋正義

吳師道　春秋胡傳補說　<small>一作《春秋胡傳附辨》。</small>

黃澤　春秋旨要　又　三傳義例考，　又　筆削本旨

程端學　春秋本義三十卷　又　三傳辨疑二十卷　又　或問十卷　又　綱領一卷　<small>端學嘅《春秋》一經未有歸一之說，徧索前代說春秋</small>

集凡百三十家,折衷異同,湛思二十餘年,作《本義》以發聖人之經旨,復作《辨疑》以討三傳之疑似,作《或問》以校諸儒之異同,在元泰定間,《綱領》一卷,明著作之意也。

劉聞　春秋通旨　字文庭,安福人,天曆中進士,知沔陽州。

俞皋　春秋集傳釋義大成十二卷　皋字心遠,泰定間人,師事宋進士趙良鈞,良鈞與皋皆新安人。良鈞在宋爲廣德軍教授,宋亡不仕,以《春秋》教授,皋因師授,取左、胡、公、穀及程、朱二子、唻、趙、孫、劉、陳、項、吕、張諸儒之長,而附以所聞於父師者,以發明經旨,分別三傳是否,而補胡氏之所未及。

程直方　春秋諸傳考正　又　春秋旁通　字道夫,號前村,婺源人。

陳櫟　三傳節注

干文傳　春秋讞義十二卷

吳迂　左傳義例　又　左傳分紀　又　春秋紀聞

鄭杓　春秋解義　又　春秋表義　字子經,莆田人。

方道㕠　春秋集傳十卷　字以愚,號愚泉,方逢辰曾孫,淳安人,至順二年進士,江西行省員外郎,洪武初被召不起。

黃清老　春秋經旨　字子肅,邵武人,泰定四年進士,湖廣儒學提舉。

潘迪　春秋述解

馮翼翁　春秋集解　又　春秋大義　字子羽,奉新人,泰定元年進士,以《蝌蚪賦》中第,有名,官撫州知府。

王惟賢　春秋旨要十二卷　字思齊,鄞縣人,與弟惟義俱以儒句。

梅致　春秋編類二十卷　宣城人,宋濂爲序。

吳萊　春秋世變圖二卷　又　春秋傳授譜一卷　別著《春秋經説》、《胡氏傳考誤》,皆未成編。

林泉生　春秋論斷　字清源,福州永福人,邃於《春秋》。官翰林直學士知制誥,同修國史。

王原杰　春秋讞義十卷　字子英,吳江人,至正間領鄉薦,值兵興不復仕,教授於鄉,有文曰《貞白英華集》,及詩《水雲清嘯集》,皆進於朝。

王應奎　春秋管見　德興人,隱居自適,不畜妻子。

王嘉　春秋類義　德興人。

徐嘉善　春秋原旨　又　三傳辨疑　字尚友,德興人。

魯淵　春秋節传　字道源，淳安人，至正辛卯舉進士。爲華亭丞，入明，徵不起。

俞漢　春秋傳三十卷　字仲雲，諸暨人，元時命禮部下江、浙儒學刊板，授書院山長，不就。

陳植　春秋玉鑰匙　永豐人，李齊榜進士，翰林待制。

吾衍　春秋説

黄景昌　春秋舉傳論　按《舉傳論》有《序》，或作黃澤　又　周正如傳考　浦江人。

章樵　補春秋繁露

許瑾　春秋經傳十卷　字子瑜，紹興人。

陳大倫　春秋手鏡　字彥理，諸暨人。

劉希賢　春秋比事　字仲愚，鄞人，江浙儒學副提舉。

郭鏜　春秋傳論十卷

楊如山　春秋旨要十卷

李廉　春秋諸傳會通二十四卷　字行簡，安福人。元至正壬午，以是經舉三甲進士，官至贛州路信豐縣尹，遇寇亂，戰敗守節死。其論先左氏，次公、穀，次杜、何、范三注及正義，總之以胡氏爲主，而陳集注，皆並列之。

俞皋　春秋辨疑

鄭玉　春秋經傳闕疑三十卷　集羣儒之説而參以己意，一作八卷。

吳儀　春秋裨傳　又　春秋類編　又　五傳論辨　字明善，金谿人，從學虞集。至正丙申舉鄉試，狀元吳伯宗父。學者稱東吳先生。

錢仲咸　春秋纂例　永康人，許謙弟子。

徐天佑　吳越春秋旨注十卷　前文林郎國子監書庫官。

孝　經　類

宋

朱申　孝經句解一卷

元

許衡　孝經直説一卷

董鼎　孝經大義一卷

吳澄　孝經章句一卷　一作訓釋。

張頠　孝經口義

錢天祐　孝經經傳直解　程文海序。

小雲石海涯　孝經直解一卷

吳迂　孝經附録

余芑舒　孝經刊誤

楊少愚　讀孝經衍義　青陽人。

許衍　孝經注一卷

李孝光　孝經圖説　至正七年進呈。

江直方　孝經外傳二十二卷　至元中,南充直方摘《孝經》中指示切要,條爲
　之説,仍集經史子集中嘉言善行合經義者,依經分類之,爲之羽翼。

釣倉子　孝經管見一卷　失名姓,元至正間隱士,萬曆間吳人朱鴻得其書於
　邨塾。

成齋　孝經説一卷

姜氏　孝經説一卷

孝經集説一卷　王禕《序》云:"行中書右丞朱公嘗考今文、古文刊説三書,次其先
　後,集諸儒解爲此書。"不知何人。

孝經明解一卷　見《國子監書目》,不著撰人。

論　語　類

宋

趙順孫　論語集注纂疏十卷

蔡節　論語集説十卷　淳祐五年表進。

金

趙秉文　删集論語解十卷

王若虛　論語辨惑

元

王鶚　論語集義一卷

金履祥　論語集注考証十卷

杜瑛　緱山杜氏論語旁通二卷　一作四卷，有中山李桓《序》，桓字晋仲，溧水人。

任士林　論語指要

齊履謙　論語言仁通旨二卷

陳櫟　論孟訓蒙口義

劉豈墦　論語句解十二卷

鄭奕夫　論語本義

吳簡　論語提要　吳江人，紹興府學録。

吳迁　論孟類次

歐陽溥　論語口義四卷　一作歐陽博，或作歐陽淖，《魯論口義》、《正字新書》二十卷。以下不知時代。

石洞紀聞十七卷　《内閣書目》云：“元泰定間人，不知姓氏，釋《論語》義。”按：宋饒魯嘗建石洞書院，著有《語孟紀聞》，與其門人史詠自亨相問答，或即此書，以爲元，或誤。

陳立大　論語正義二十卷　貴溪人。

王廣謀　孔子家語句解三卷　字景猷，延祐三年刊。

宋

歐陽士秀　孔子世家補十二卷

元

施澤之　孔氏實録十二卷

吳迁　孔子家世考異二卷

程榮登　孔子世系圖三卷

范可仁　釋奠通載九卷　又　通祀纂要二卷。　可仁，官宣慰使。

黄以謙　通祀輯略三卷　以謙,至元間泉州路分教。

黄元暉　通祀輯略續集一卷　以謙纂輯先聖及從祀諸賢謚號,歷代祭祀行幸諸儀,續集以謙從子元暉輯,樂器各圖注之。

吴夢賢　釋奠儀圖一卷　至大間人。

孔元祚　孔氏續録五册　元祚,孔子五十一代孫,編於延祐間。

張頦　闕里通載

孔聖圖譜三卷　元大德年間孔子五十三代孫津刊,一《圖譜》,二《年譜》,三《編年》。

孟　子　類

宋

熙時子　注孟子外書四篇　馬廷鸞序謂熙時子即公非先生劉貢父也。

蔡謨　蔡覺軒孟子集疏十四卷

施德操　孟子發題一卷

趙順孫　孟子集注纂疏十四卷

金

趙秉文　删集孟子解十卷

劉章　刺刺孟

元

金履祥　孟子集注考证七卷

杜瑛　語孟旁通八卷

吴迂　孟子年譜　又　讀孟子法　又　語孟集注附録　又　語孟衆記

李昶　孟子權衡遺説五卷

吴萊　孟子弟子列傳三卷

夏侯尚元　原孟　字文卿,號石巖,雲間人。

孟子衍義十四卷　以下失撰人名氏。

孟子思問録一卷

孟子旁解七卷　亦元人所爲也。首載趙岐《題辭》，其本文下細書以釋之。

徐達左　孟子内外篇二卷　吳郡人，至正辛丑自序。

經　解　類

宋

葉時　對制談經十三卷　杜涇纂。

陳埴　潛室木鍾集十一卷

黃淵　四書六經講稿六卷　字天叟，莆田人。初名仲元，字善甫，宋亡乃更今名，嘗官國子監簿，自號韻鄉聱叟，皇慶中卒。

曹涇　講義四卷　字清甫，歙人，官昌化簿，入元不仕。

梅寬夫　裕堂梅先生講義一卷　括蒼人，《易》，《詩》，《論》，《孟》，《學》，《庸》講義。

張惟政　編次四經　《晦庵孝經刊誤》、《臣禮》、《西山心經》、《政經》。

馬廷鸞　六經集傳

六經奧論六卷　舊以爲鄭樵著，非。以下不知姓名。

莆陽二鄭先生　六經雅言圖辨十卷

九經直音九卷　作者未詳。

金

王若虛　經史辨惑四十卷

元

五經要語　至元三年姚樞、竇默、王鶚、商挺、楊果等纂進。二十八類。

李好文　端本堂經訓要義十一卷　至正九年，順帝以皇太子漸長，開端本堂，教皇太子，命好文以翰林學士兼諭德，好文因取《孝經》、《大學》、《中庸》、《語孟》，刪其要略，釋以經義，又取史傳及先儒論説有關治體而協經旨者，加以所見，倣真德秀《大學衍義》爲書，表進。

張巺　四經歸極一册

熊朋來　豫章先生五經説七卷　《易説》一卷,《易詩書説》一卷,《春秋説》
一卷,《三禮説》二卷,《大小戴記説》一卷,《雜説》一卷。字與可,江西豐城人,咸淳甲
戌進士,入元爲福清州判官。

牟應龍　五經音考　牟巘子。

歐陽長孺　九經治要十卷

雷光霆　九經輯義五十卷

胡炳文　五經會意

潘迪　易春秋庸學述解　又　六經發明　元城人,官集賢學士。

贍思　五經思問

黄澤　六經補注□卷　又　翼經罪言。

李恕　四經旁注六卷　《易》、《書》、《論》、《孟》。恕字省中,廬陵人。

馮程　五經正義　涇陽人。

季仁壽　易書詩春秋四書衍義　字山甫,龍泉人,元季婺州教授。

吳仲迂　經傳發明　騫按:《經義考》亦作仲迂。

俞琰　經傳考注

趙居信　經説

葉夢鼎　經史音要　建安人,入元不仕。

曾巽申　經解正訛　永豐人,官應奉翰林文字。

何異孫　十一經問對五卷　設爲經疑,以爲科場對答之用。十一經者,《書》、
《詩》、三《禮》、《春秋》、《論語》、《孝經》、《大學》、《中庸》、《孟子》也。

杜本　四經表異

吳師道　易書詩雜説八卷　《易》、《詩》各一卷,《書》六卷。

王希旦　五經日記　又　書易通解　字葵初,江西德興人,隱居著書,累
徵不起。

陸正　七經補注　海鹽人,字行正,數徵不起,學者稱靖獻先生。

汪逢辰　七經要義　字虞卿,歙縣人,崇德州教授。

倪鏜　詩書集要三册　又　易春秋筆記

陳樵　經解

趙德　五經辨疑

熊禾　經問四十卷

方宜孫　經史説五卷

趙孟至　九經音釋九卷　至元癸未序。

唐懷德　六經問答　字思誠,金華人,受業許謙,薦授本縣教諭,再遷衢州路學
　録,皆未上卒。

張伯文　九經疑難十卷　以下不知時代

胡順之　經典質疑六卷

黄浚　五經通略二卷

趙元輔　六經圖二卷

張沂　辨經正義七卷

黄大昌　晦庵經説三十卷

顔宗道　經説一卷

趙英　五經對訣四卷

車似慶　五經論　號愛軒,天台人。

九經要覽十卷

九經三傳沿革例一卷

六藝綱目

五經難字直音五卷

盱郡廖氏九經總例一册　詳辨諸本互異,凡七類:曰《書本》,曰《字畫》,曰《注
　文》,曰《音釋》,曰《句讀》,曰《脱簡》,曰《考異》。

四　書　類

宋

錢時　融堂四書管見十三卷

真德秀　四書集編二十六卷

陳普　四書集解

熊禾　四書標題

鄭樸翁　四書要指二十卷　太學生,字宗仁,温州平陽人,入元不仕,與謝翱、

吳思齊善。

張霆松　四書朱陸會同注釋二十九卷　又　舉要一卷　貴溪人，宋咸淳鄉舉，元郡縣上所著書於省，省聞之朝，授漢陽教諭，不就。

趙順孫　四書纂疏二十六卷　字和仲，縉雲人。度宗時官資政殿大學士，福建安撫使。

祝泳　四書集注附錄十一册　祝穆子，登宋寶祐四年進士，因宰執程元鳳進所著書，授迪功郎、興化軍涵江書院山長。

金

王若虛　四书辨疑一卷

元

劉因　四書集義精要三十卷

許謙　四書叢説七卷　一作二十卷。

陳櫟　四書發明二十八卷　又　四書考異十卷

胡炳文　四書通三十四卷　一作《四書通考》二十八卷，正饒魯之説與朱子異者。

史伯璿　四書管窺五卷　字文璣，温州平陽人，元時隱居不仕，辨諸説之与朱子相悖者。

包希魯　點四書凡例　字魯伯，進賢人，吳草廬門人。

贍思　四書闕疑

孟夢恂　四書辨疑　黃巖人，宜興州判官。

何文淵　四書字文引證九卷　泰定間，河南人。

馮珵　四書中説　字允莊，涇陽人。

吳存　四書語録

王充耘　四書經疑貫通八卷

汪九成　四書類編二十四卷　新安人。

程復心　四書章圖隱括總要發義二卷　又　四書纂釋二十卷　取文公《四書集注》，分章析義，各布爲圖，又取《語録》諸書，辨證同異，增損詳略，名曰《纂釋》，至大戊申江浙儒學提舉司言於行省，皇慶癸丑行省進於朝，特授徽州路儒學教授，致仕，給半俸終其身。復心，字子見，婺源人。

陳樵　四書本旨

朱公遷　四書通旨六卷　又　四書約説四卷

倪士毅　四書輯釋三十六卷　字仲宏，休寧人，授徒於黟，爲邑人所崇信，薈萃胡雲峯《通考》、陳壽翁《發明》之説，字求其訓，句探其旨，鳩僝精要，考訂訛舛，至正丙戌汪克寬序。

陳尚德　四書集解　寧德人，號懼齋，隱居不仕。

傅定保　四書講稿　南安人，平江路儒學。

陳剛　四書通辨　字子潛，温州平陽人，從胡石塘學，人稱潛學先生。

邵大椿　四書講義　字春叟，壽昌人，晦庵書院山長。

張淳　四書拾遺　字子素，南樂人，至元中徵辟不就。

黄清老　四書一貫十卷　邵武人，泰定中進士，翰林編修。

祝堯　四書明辨　字均澤，廣信人，南城丞。

涂縉生　四書斷疑　宜黄人，濂溪書院山長。

薛延年　四書引記　臨汾人，安西王文學。

蕭鎰　四書待問二十二卷　字南金，臨江人，泰定甲子序。

趙悳　四書箋義纂要十二卷　又　纂牋義紀遺一卷　號鐵峯，致和戊辰自序，又泰定甲子劉有慶序。

陶宗儀　四書備遺二卷

朱本　四書解

董彝　四書經疑問對八卷　字宗文，進士。騫按：予家有此書，乃至正辛卯建安同文堂刊本，跋謂相傳以爲進士董彝宗文所編，《經義考》作“明人成化壬辰進士、常熟董彝撰”，誤也。此蓋元之董彝，與明人無涉。

朱真四書十二册　集晦庵西山注，不知撰人。

朱張四書十四册　集晦庵南軒講義。

小　學　類

宋

毛晃　禮部韻略五卷

黄公紹　古今韻會舉要三十卷

歐陽德弘　押韻釋疑五卷

楊俊　韵譜三卷

張有　復古編二卷　字謙中,吳興道士。"有",晁氏《讀書志》作"守"。吳均仲平
增補。

李從周　字通一卷　字肩吾,彭山人,魏了翁序。

金

韓孝彦　五音篇十五卷　字允中,道昭父。

韓道昭　五音集韻十五卷　又　五音增定並類聚四聲篇十五
卷　字伯揮,《集韻》,崇慶元年壬申序,重編其父書,泰和八年丁卯韓道昇序。

元

洪焱祖　爾雅翼音注三十二卷　字潛夫,仕元爲徽州路休寧縣尹。

程端蒙　大爾雅

胡炳文　爾雅韻語

許謙　假借論一卷

楊桓　六書統二十卷　又　六書溯源十三卷　又　書學正韻
三十六卷　至大元年倪堅序《六書統》。

倪鏜　六書類釋三十卷　安仁人,晉寧州知州。

戴侗　六書故三十六卷　延祐七年趙鳳儀序。

泰不華　重類復古編十卷

吾衍　說文續解　又　學古編二卷

包希魯　說文解字補義十二卷　字魯伯,進賢人,從吳澄學。

何中　六書綱領□卷　又　韻補遺一卷

吳正道　六書通正　又　六書源流偏旁證誤一卷　又　六書
淵源圖　字岫雲,餘干人,吳澄爲序。

柳貫　字系二卷

鄭介夫　韻海

杜本　六書通編十卷　又　華夏同音

周德清　中原音韻一卷　號挺齋,高安人。

周伯琦　說文字原一卷　至正九年己丑序。　又　六書正譌五卷

魏溫甫　正字韻綱四卷　官廣東僉憲,凡字之譌謬者,以小篆古體正之。

邵光祖　韻書四卷　字宏道,吳人。

李士濂　免疑字韻四卷

李世英　韻類三十卷　字伯英,長洲人。

李文仲　字鑑五卷　世英從子。

樓有成　學童識字　義烏人。

張子敬　經史字源

劉鑑　切韻指南一卷　又　經史動靜字音一卷　字士明,關中人,後至元丙子自序。

蔣元　韻原六十卷　字子晦,別字若晦,東陽人,許文懿弟子,學者私諡曰貞。

周祈　名義考十二卷

篆法偏旁點畫辨一卷

宋

岳珂　寶真齋法書贊六十卷

曾士冕　法帖譜系二卷　都昌人,父曾彥,約官兵部尚書。

元

潘迪　考定石鼓文音訓一卷

吾衍　周秦刻石釋音一卷　又　鐘鼎韻一卷。

元

鄭杓　衍極五卷　又　衍極紀載三篇　字子經,興化人,泰定中官南安儒學教諭,宣撫使齊伯亨上其書於朝。

蘇霖　書法鉤元四卷

劉維忠　字學新書七卷　又　摘鈔一卷　崇安人。

袁褒　書學集要　字德平，鄞縣人，宋太學生，入元不仕。

唐懷德　書學指南

李溥光　大字書法　號雪庵，大同人，初爲僧，工詩善書，元宮殿匾額皆出其手，後官昭文館大學士。

陳繹會　翰林要訣

盛昭　法書考八卷

吳□　法書類要二十五卷

宋

秦九韶　數學九章九卷　魯郡人。

金

楊雲翼　勾股機要

元

李冶　測圓海鏡十二卷　又　益古衍叚三卷

彭絲　算經圖釋九卷

朱世傑　元玉鑑二卷

宋

陳錄　善誘文一卷

羅黃棠　發蒙宏綱二册

方逢辰　名物蒙求一卷

虞俊　達齋告蒙一卷

元

胡炳文　純正蒙求三卷

熊朋來　小學標注

熊良輔　小學入門

蔣捷　小學詳斷　字勝欲，宜興人，宋德祐進士，入元屢薦不起。

陳櫟　程蒙齋小學訓注

程端禮　讀書分年日程三卷

熊大年　養蒙大訓十二卷　又　養正羣書一卷　字元誠，進賢人。

熊釗父，集先儒格言成歌詩以訓子弟。

虞韶　小學日記切要故事十卷　字以成，建安人。

舒天民　六藝綱目二卷

蕭䫂　小學標題駁論

薛延年　小學纂圖六册　大德間人。

李成巳　小學纂疏四卷

周剛善　六藝類要六卷　臨江人，黄文獻公溍爲序。

劉芳　敏求機要十六卷

禮　樂　書

宋

車垓　内外服制通釋九卷　字經臣，天臺人。車清臣從父弟。咸淳末，特恩
受迪功郎，調浦城尉，丞相王爚薦其有史才，將徵入史館，會宋亡，不果。垓精於禮
學，是書凡六類：一《五服諸圖》，二《五服喪制名義》，三《五服提要》，四《五服圖説》，
五《三殤以次降服》，六《深衣疑義》。男瑢珩所編次。

元

趙孟頫　祭器圖式二十卷　平江圖所製祭器之大都廟學以共祭祝者，孟頫繪
圖錄於頫宫，以永其傳，平江路文學邵文龍爲之序。

葉起　喪禮會經　字振鄉，永嘉人，虞集爲之跋。

張翌　喪服總類　又　釋奠儀注

申屠致遠　釋奠通禮三卷

袁桷　郊祀十議一卷

戴石玉　治親禮書三篇　盧陵人，取《戴記》所謂"聖人南面治天下，所且先者
五，一曰治親"以名書，雜取《爾雅》、《儀禮》、鄭氏記及先儒之言，成之凡三篇：一曰

《釋親》，二曰《宗服》，三曰《服制》。

程榮登　翼禮　取朱子之言行有係於禮者，以羽翼《家禮》，故名。榮登，字孟敷，休寧人，江浙儒學提舉。

馮翼翁　士禮考正　字子羽，永新人，泰定元年進士，撫州守。

趙居信　禮經葬制

吳霞舉　文公家禮考異　新安人。

黃澤　二禮祭祀述略

惠希孟　雜禮撰要五卷　江陰人。

曾巽申　致美集三卷

張才卿　葬祭會要一卷　約朱子《家禮》爲之。

韓諤　重定先世祭式一卷　從盧本增。

宋

歐陽士秀　律通二卷　宜春人，凡二十篇。

楊公纘　紫霞洞琴譜十三卷　官大理寺少卿，最知音。

僧居　月琴書類集一卷

金汝礪　霞外譜十五卷

張炎　樂府指迷二卷

元

余載　皇元中和樂經十卷

皇元韶舞九成樂補　不知撰人。

九宮譜十六卷

杜瑛　律呂律曆禮樂雜志三十卷

趙孟頫　樂原　又　琴原

胡氏　律論一卷　熊朋來有序，稱豫章胡先生，不知其名。

程時登　律呂新書贅述

劉瑾　律呂成書

孔思道　大元樂書　孫子裔孫，字進道，由常州教授歷官太常禮儀院判。

彭絲　黃鍾律説八篇

趙鳳儀　釋奠樂器圖一卷　汴人，延祐四年守温州，興創廟學，延名世淑後
進，一時文教翕然。

吳萊　樂府類編一百卷

左克明　古樂府十卷

耶律鑄　雙溪醉隱樂府十一册

熊朋來　瑟譜

俞琰　琴譜四十篇

樂府混成集一百五册　以下不知撰人。

中州元氣十册

史　部

國　史　類

遼

耶律儼　皇朝實録七十卷　知樞密院事。

蕭韓家奴　耶律庶成同撰　遙輦可汗至重熙以來事跡二十卷

室昉　統和實録二十卷

金

始祖以下十帝實録三卷　金源郡王完顏勖撰。

太祖實録　宗弼修，皇統八年進。

太祖實録　泰和九年，尚書右丞相監修，國史紇石烈良弼進。

睿宗實録　大定十一年紇石烈良弼進。

海陵庶人實録

世宗實録　明昌四年守尚書右丞監修，國史完顏匡等進。

章宗實録　興定四年九月國史王若虛修進。

衛王事迹　興定五年進。

宣宗實録　正大五年王若虛修進。

楊廷秀　四朝聖訓　章宗承安二年類編太祖、太宗、世宗、熙宗聖訓。

元

世祖實録　姚燧修。

成祖實録　暢師文修。

武宗實録　至順元年蘇天爵修。

王惲　世祖聖訓六卷

元朝祕史十二卷　祕史十卷，續二卷，共十二卷。前卷載沙漠之事，續卷紀滅金之事,蓋其國人所紀録也。其紀年稱鼠兒羊兒等,不以干支。

經世大典八百八十卷　目録十二卷　公牘一卷　纂修通議一

卷　天曆二年命趙世延虞集等修。

歐陽玄等修　太平經國二百十二卷

正　史　類

宋

熊方　後漢書年表十卷　字廣居,豐城人,靖康中鄉舉,澧州參軍,自名其堂曰
補史。

方岳　重脩南北史一百十卷

金

蕭永祺　遼記三十卷　志五卷　傳四十卷。　太常丞。

陳大任　遼史

完顏孛迭　中興事跡　翰林學士。

蕭貢　史記注一百卷　京兆咸陽人,户部尚書。

蔡珪　南北史志三十卷

元

脱脱等修　宋史四百九十六卷　又　遼史一百十六卷　又
金史一百三十五卷

郝經　續後漢書一百三十卷　經使宋,被羈於真州時作,用朱子綱目義例,
以昭烈爲正統,魏吳爲僭僞,凡爲《年表》一卷,《帝紀》二卷,《列傳》七十九卷,《録》八
卷,共九十卷,別爲一百三十卷,號曰《續後漢書》。

贍思　金哀宗紀　又　正大諸臣史傳

張樞　刊定三國志六十三卷　樞以陳壽一書没武侯之豐功偉烈,善謫周之
賣降覆國,反道害義,莫大於是,因刊而正之　又　續後漢書七十三卷　樞
既刊定《三國志》,又別撰《漢本紀列傳》,以魏、吳載紀附之,爲《續後書》。三國之臣,
有能致節於其君者,舊史或諱不書,或書而失實,或僅見於異代之史,皆爲更定,經筵

檢討危素言其書於朝，詔藏於宣文閣。

編　年　類

宋

歐陽守道　皇朝通鑑紀事本末一百五十卷　起建隆，迄靖康。

宋史全文續資治通鑑長編三十六卷

宋季三朝政要六卷　以上二種不知撰人姓氏。

陸唐老　集百家音注資治通鑑一百二十卷　一作《陸狀元增節音注精
議資治通鑑》。唐老，會稽人。淳熙十六年兩優釋褐進士。

呂大著　增節備注資治通鑑一百二十卷

柴望　丙丁龜鑑六卷

金

楊雲翼等編　續資治通鑑　大安元年命儒臣等編輯。

趙秉文　楊雲翼等編　龜鏡萬年録　正大二年編。

傅慎微　興亡金鏡録一百卷　泰州沙溪人，禮部尚書。

張特立　歷年係事記

元

楊奐　正統書六十卷

金履祥　通鑑前編十八卷　又　前編舉要二卷

胡三省　音注資治通鑑二百九十四卷

趙居信　蜀漢本末三卷　字季明，許州人，翰林學士，進封梁國公，諡□□。

胡一桂　歷代編年　又　十七史纂古今通要十七卷

呂思誠　兩漢通紀

劉時舉　續宋中興編年十五卷　通直郎、户部架閣國史實録院檢討官。

陳桱　通鑑續編二十四卷　又　筆記二百卷　洪武初官起居注。

朱隱老　皇極經世書説十七卷

江贄　少微通鑑節要三十卷　又　通鑑節要續編三十卷

徐誴　續通鑑要言二十卷

曹仲野　通鑑日纂二十四卷

陳櫟　歷代通略三卷　又　增廣通略

倪士毅　帝王傳授圖說

鄭滁孫　直說通略十三卷

察罕　帝王紀年纂要一卷　平章政事，白雲翁。明翰林學士黃諫補。

吳迂　重定綱目

陳剛　歷代帝王正閏圖說

馮翼翁　正統五德類要三十四卷

陸以道　宋鑑提綱　無錫人，翰林待制。

鄭鎮孫　歷代史譜二卷

車若水　宇宙略記　見後。

張明卿　世運略八卷　字子晦，天台人，別字務光。

別　史　類

宋

羅泌　路史五十卷　《前編》九卷，《後紀》十四卷，《國名紀》八卷，《發揮》六卷，《餘論》十卷。泌，字長源，廣陵人。

裘萬頃　歷朝史稗四十卷　字元量，新建人，淳熙進士，官大理寺丞，差江西撫幹。楊簡誌其墓，以黙識稱之。

葉紹翁　四朝聞見録五卷

鄒伸之　使轍日録一卷

謝翱　南史補帝紀贊一卷　又　唐書補傳一卷

鄧光薦　續宋書　又　德祐日記

錢時　兩漢筆記十二卷

遼

王鼎　焚椒録一卷

大遼事跡　<small>金時高麗所進。</small>

葉隆禮　契丹國志二十七卷　<small>元人。</small>

金

元好問　壬辰雜編

劉祁　歸潛志十四卷　<small>一本八卷。</small>

宇文懋昭　大金國志　<small>四十卷。</small>

大定治績二卷　<small>元王磐徐世隆至元二年進呈，凡一百八十餘字事。</small>

金人弔伐録二卷　<small>記金人伐宋往來文檄盟誓書。</small>

北風揚沙録　<small>記金國始末。</small>

天興墨淚　<small>記金亡事，不知何人作。</small>

天興近鑒三卷　<small>元楊奐編。</small>

元

皇元太祖聖武開天記一卷

親征録一卷　<small>記世祖征伐事，以上不知撰人。</small>

劉敏中　伯顔平宋録十卷　<small>一作一卷。</small>

史□□[①]　至正遺編四卷　<small>溧陽州人。</small>

張樞　宋季逸事

秦玉　宋三朝摘要

張雯　墨記　<small>記宋末遺文逸事，可補野史之缺者。</small>

張延　東晉書二卷　<small>稿城人，真定路教授。</small>

吾衍　晉史乘一卷　又　楚史檮杌一卷

仇遠　稗史一卷

---

①　右有批注“劉祁”二字。

徐顯　稗史集傳一卷
陶九成　草莽私乘
高德基　平江紀事一卷　<small>常爲建德路總管，不知何處人。</small>

霸　史　類

宋

胡恢　南唐書　<small>金陵人。</small>
馬令　南唐書
陸游　南唐書

元
戚光　陸游南唐書音釋一卷
張宗説　紀古滇説集一卷

史　學　類

宋
胡三省　資治通鑑釋文辨誤十二卷
南宮靖一　小學史斷六卷　<small>明徐師曾注。靖一，字仲靖，分寧人，端平進士。</small>
諸史偶論十卷

元
尹起莘　資治通鑑綱目發明五十九卷
劉友益　資治通鑑綱目書法五十九卷　<small>永新人，號水窗先生，與龍麟洲、李省中、蕭芳洲同輩行。</small>
王幼學　資治通鑑綱目集覽五十九卷　<small>字行卿，望江人。</small>

徐昭文　資治通鑑綱目考証五十九卷　字季章,上虞人,韓性門人。

董蕃　通鑑質疑　字子衍,宜興人,釣臺書院山長。

郝經　通鑑書法

何中　通鑑綱目凡例考異

金居敬　通鑑綱目凡例考異

吕溥　史論

俞漢　史評八十卷

雷光霆　史辨三十卷

許謙　觀史治忽幾微

趙居信　史評

楊如山　續史説三卷

王約　史論三十卷

謝端　正統論辨一卷

戈直　集注貞觀政要十卷

潘榮　通鑑總論一卷　陽節潘氏,字伯誠,婺源人,隱居博學,通諸經史。

朱震亨　宋論一卷

史　抄　類

宋

岳珂　讀史備忘捷覽六卷

黃震　古今紀要十九卷

元

滕賓　萬邦一覽集□卷

曾先之　十九代史略十八卷　一作十卷。

胡一桂　十七史纂古今通要十七卷

董鼎　汪亨　史纂通要後集三卷

吳簡　史學提綱　<small>字仲廣,吳江人,紹興學録。</small>

古今通略句解五卷

車若水　宇宙略紀

鄒次陳　史鈔十卷　<small>字周弼,宜黃人。</small>

地　理　類

宋

稅安禮　地理指掌圖一卷　<small>按安禮,蜀人。近刻作"東坡"誤。</small>

王象之　輿地紀勝二百卷

王觀之　輿地圖十六卷

王日休　九丘總要三百四十卷

倪朴　輿地會元四十卷　<small>浦江人。</small>

翁夢得　地理總括

唐仲友　地理詳辨二卷

薛季宣　九州圖志

潘翼　九域賦一卷　<small>字雄飛,青田人。</small>

祝穆　方輿勝覽七十卷　<small>字和父,建安人,從朱熹學,所載係東南十七路,西北多缺。</small>

周應合　景定建康志五十卷　<small>武寧人,別號溪園先生。祖友賢,敷文閣學士。應合舉淳祐進士,任江寧府教授,入爲翰林修撰,疏斥賈似道,謫饒州府通判,終朝散大夫。</small>

潛說友　臨安志一百卷　<small>咸淳四年以司農少卿知臨安府。</small>

琴川志二十六卷

梁克家　淳熙三山志四十二卷

范成大　吳郡志五十卷

鄒補之　毘陵志十二卷　<small>《書録解題》云"三山教授"。按,補之,開化人,淳熙</small>

進士，爲毘陵教授修。

史能之　重修毘陵志三十卷　字子善，四明人，宋第進士，淳祐中尉武進，咸
淳初知常州府，重修。

吳元美　勾漏洞天十記一卷　福州人。

謝翱　浙東西游録九卷

李欿　古杭夢游録一卷

張淏　會稽續志八卷

瑞陽志二十一卷

江文叔　桂林志二十七卷　靜江軍教授。

景定臨州志三十五卷

董弅　嚴州圖經　紹興己未弅爲知府序刊。

潘景夔　鹽官縣圖經

金

蔡珪　晉陽志十二卷　又　補正水經三卷

元

大元一統志一千卷　年悖蘭肸、岳鉉等進。騫按：肸時爲集賢大學士，鉉昭文館
大學士，此據乎所藏元刻本校正。字蘭肸，《千頃堂目》作“卜蘭溪”，《補元史藝文志》
作“卜蘭禧”，並誤。《居易録》以爲元岳璘所修，亦屬傳聞之訛。

蕭斆　九州志

郝衡　大元輿地集覽七卷

滕賓　萬邦一覽集□卷

吳萊　古職方録八卷　又　南海古迹記一卷

朱思本　廣輿圖二卷　臨川人，《吳寬集》云：“臨川道士。”

皇元建都記　朱本云云。按此條第六卷已見。

張鉉　金陵新志十五卷　字用鼎，陝西人。官奉元路學古書院山長，至正
中脩。

戚光　集慶路續志　天曆二年南臺御史趙世延命郡士光輯。

于欽　齊乘六卷

李好文　長安圖記三卷

周密　前武林舊事六卷　又　後武林舊事五卷

吳自牧　夢粱錄二十卷　<small>一本二卷。</small>

趙迎山　續豫章志十三卷

劉有慶　潘斗元　續豫章職方乘十四卷

費著　成都志

李京　雲南志略四卷

郝天挺　雲南實錄五卷

張立道　雲南風土記　又　六詔通紀

贍思　鎮陽風土記　又　續東陽志六卷　<small>浙江。</small>

熊自得　析津志典　<small>字夢祥，豐城崇文監丞。</small>

陸輔之　吳中舊事一卷

洪焱祖　續新安志十卷

王仁輔　無錫志二十八卷

相臺續志十卷　<small>不知撰人。</small>

王憚　汲郡志十五卷

王鶚　汝南遺事二卷

韓性　紹興郡志八卷

王元恭　四明續志十二卷　<small>字居敬，真定人。至正二年爲明州總管。</small>

徐碩　嘉禾志三十二卷

黃溍　義烏志七卷

許汝霖　嵊志十八卷

李士會　樂平廣記三十卷　<small>字有元，邑人。</small>

李彝　南豐郡志三冊　<small>大德間南豐郡守。</small>

李肖翁　續豐水志六卷　<small>字克家，富州人，本學教諭，遷提舉。</small>

吳存　鄱陽續志

岳陽郡志　<small>不知撰人。</small>

致和　三山續志　<small>福建。</small>

嚴士真　崇陽志

陳士元　武陽志略一卷　<small>邵武人，與黃鎮成爲友。</small>

蔡微瓊　海方輿志　<small>字希元，瓊山人，任學官。</small>

任仁發　水利集十卷　<small>上海人，官都水監，歷浙江宣慰司副使。</small>

劉大彬　茅山志三十三卷　<small>自稱四十五代宗師洞觀微妙元應真人。拜經樓藏元刻本，止十五卷。</small>

李孝光　雁山十記一卷

李處一　西嶽華山志一卷

元明善　龍虎山志三卷

鄧牧　洞霄宮圖志三卷

黎崱　游廬山記三卷　<small>字景高，本安南人，居漢陽，泰定中游廬山，記其詩文山物爲書。</small>

陳清隱　九華詩集四卷　<small>爲五言絕句，題詠九華之勝。</small>

施少愚　秋浦類集　又　九華外史　<small>青陽人。</small>

歐陽原功　至正河防記一卷

贍思　重訂河防通議

潘昂霄　河源志

張天雨　尋山志十五卷

陶九成　游志續編

劉郁　西使記一卷

盧襄　西征記一卷

逎賢　河朔訪古記十二卷

楊奐　紫陽東游記一卷　又　宋汴都宮室記一卷

何中　薊邱述游錄

周達觀　真臘風土記一卷

周致中　異域志三卷

朱輔　溪蠻叢笑一卷

張宗道　紀古滇說集一卷

李志剛　爰羅志略三卷　　永嘉人，樞密院秘書。

張立道　安南錄

贍思　西國圖經

王約　高麗志四卷

顧阿瑛　玉山名勝集八卷

劉蒙　松江郡志八卷　　四明人，松江教授，大德間修。

錢全袞　續松江志十六卷　　郡人。

職　官　類

宋

許月卿　百官箴六卷

胡太初　晝簾緒論一卷　　寶和間知汀州事。

元

高謙　吏部格例一百八十卷　　雄州人，河間等路都轉運使。

潘迪　憲臺通紀二十三卷　　監察御史。

索元岱　南臺備紀二十九卷　　國子監書目作二十二卷。

王惲　中堂事紀三卷　又　烏臺筆補十卷　　盧本‘十’字空。

陳剛　歷代官制說

趙世延　風憲宏綱

郝經　行人志

曾德裕　考功歷式二卷　　永豐人，大德中翰林直學士知制誥。

周伯琦　官箴一卷　　凡十篇，首經筵，次中書、兵部、御史、翰林、國史、崇文、宮
　學、太府、參政，皆伯琦所歷官也。

六曹法十二卷　　不知撰人。

典　故　類

宋

呂中　皇朝大事記九卷　又　中興大事記六卷　字時可，泉州人，淳
祐七年進士，官秘書郎。

漢七制唐三宗史編句解十三卷　不知撰人名氏。

史志通典治原十五卷　不知撰人名氏。

馬端臨　文獻通考三百四十八卷

金

楊伯雄　瑤山往鑑　稾城人，官右補闕，顯宗在東宮時，伯雄編進。

元

大元通制八十八卷　至治三年命完顏納、曾伯啓，纂集累朝格例而損益之，凡二
千五百三十有九事，頒行天下。

朵爾直班　治原通訓四卷　一曰《學本》，二曰《君道》，三曰《臣職》，四曰《國
政》，每類之目又五。

國朝憲典章十五卷

成憲宏綱四十卷

郝經　玉衡貞觀十二卷

王惲　守成事鑑十五卷　成宗即位時編進。　又　承華事略六卷
　又　相鑑五十卷

贍思　帝王心法　文宗時進呈。

馬祖常　列后金鑑，又千秋紀略。

李好問　歷代帝王故事　其目有四：一曰《聖慧》，二曰《孝友》，三曰《恭儉》，
四曰《聖學》，凡百有六篇。　又　大寶錄　取古史自三皇迄金宋授受國祚久
速治亂興廢成書。　又　大寶龜鑑　取前代帝王善惡之當法當戒者。三書
皆至正九年進呈。

孟夢恂　漢唐會要

許師敬　皇圖大訓

揭傒斯　奎章政要

蘇天爵　治世龜鑑一卷

王士熙　禁扁五卷

陳櫟　六典撮要

葉留　爲政善惡報應事類十卷

張養浩　三事忠告三卷

張光大　救荒活民事書八卷

儀　注　類

宋

咸淳文廟儀式一卷　又　禮器圖一卷

金

禮器纂修雜録四百卷　世宗命禮官修。

大金儀禮　明昌六年禮部尚書張暐等進。

大金集禮四十卷

元

脱脱木　太常續集禮十五册

太常至正集禮二十册

大德編輯釋奠圖八卷　第一至第四卷爲《釋奠器服》，朱所定；第五卷爲《釋奠第次》，元學録劉芳實、彭埜編次；第六卷至第八卷爲《侯國通祀儀》，宋吴郡何元壽編次。元刻於灤州路學。

曾巽申　鹵簿圖　又　郊祀禮樂圖十册　又　鹵簿志十卷　又　鹵簿中道外伏圖志十卷　永豐人，成宗時爲嚴州教授，進書，授大樂署丞，後官應奉翰林文字，人稱之曰亦軒先生。

時　令　類

宋

陳元靚　歲時廣記四卷
周守忠　養生月覽二卷

食　貨　類

宋

杜綰　雲林石譜三卷
高似孫　硯箋四卷
林洪　文房職官圖贊一卷
羅先登　續文房圖贊一卷
安晚先生　文房四友除授制一卷
史鑄　百菊集譜六卷　又　菊史補遺六卷
陳達叟　本心齋蔬食譜一卷
陳仁　玉蘭譜一卷
賈似道　促織經一卷
王貴學　王氏蘭譜一卷
趙時庚　金漳蘭譜一卷
元
趙孟頫　印史二卷
申屠致遠　集古印章二卷
吾衍　古人印式二卷
王厚之　復齋漢晉印章圖譜一卷
陸友仁　墨史三卷　又　硯史□卷　又印史□卷

朱德潤　古玉圖一卷

費著　蜀錦譜一卷　又　蜀牋譜一卷

常普蘭溪　飲膳正要三卷

雲林堂飲食制度集一卷

曹繼善　安遠堂酒令一卷

吳瑞　日用本草八卷　字瑞卿，海寧醫士，文宗時人。

張穆仲　司牧安驥集□□卷　兵部員外郎。

馬經通元方論六卷　卜管句集。

安驥集八卷

治馬牛駝騾等經三卷

劉美之續竹譜一卷

刑　政　類

金

新定律令敕條格式五十二卷　泰和元年司空襄等進。

泰和律義

元

至正條格四册

大元聖政國朝典章一册

何榮祖　至元新格

吳萊　唐律删要三十卷

梁琮　唐律類要六卷　又　官吏須用十六卷　安陽人，福建轉運
　副使。

東甌王氏平冤録二卷

贍思　審聽要訣

清明集十四卷

鄭克　折獄龜鑑二十卷

吏學指南八卷　不著撰人姓氏。

馮翼翁　異政錄十一卷

黃邦俊　真陽共理集二卷　永福人，延祐進士，知英州。

真定　東和善政錄　字朝用，蒙古人，爲政和縣達魯花赤人集其斷獄善政，爲此書。

何槐孫　善政指南　宜黃縣尹。

辜君政蹟一卷　元永豐令辜中政蹟。

甘棠集一卷　至元間兼阿宰浦江致政歸，邑人去思詩。

傳　記　類

宋

謝翱　睦州山水人物記一卷

方回　宋季雜傳　又　先覺年譜

鄧光薦　督府忠義傳一卷

黃震　戊辰修史十三傳一卷

鐘堯俞　宋名臣言行類編舉要十六卷　廬陵人，咸淳四年以史館編校得旨，赴殿進士出身。

遼

七賢傳　取遼世名流七人爲之傳，耶律吼其一也。

金

鄭當時　節義事實　洪洞人，明昌二年進士，河汾教授。

元

蘇天爵　國朝名臣事略十五卷

元永貞　東平王世家三卷　木華黎。

戴羽　武侯通傳三卷　<small>德安人，隱居不仕。</small>

吳師道　敬鄉前後錄　<small>二十三卷。</small>　又　敬鄉後錄

張樞　曲江張公年譜一卷

黃奇孫　三朝言行錄　<small>字行素，宋尚書黃度孫，入元不仕，輯黃度事實爲此書。</small>

胡一桂　人倫事鑒

陳顯曾　昭先錄　<small>記其祖宋常州通判陳炤死難事。</small>

張燾　忠義錄三卷　<small>記元末兵興死義之人。</small>

楊元　忠史一卷　<small>鄱陽人。</small>

趙順孫　中興名臣言行錄

胡澂　東陽人物表

贍思　西域異人傳

陸友　米海岳遺事一卷

吳夢炎　朱文公傳二卷　<small>至元間人，采集舊史李燾所爲傳，并載文公前後歷</small>
官誥詞及建學碑誌諸文。

歐陽玄　王清獻公神道碑一卷　<small>王都中。</small>

朱彥修傳一卷

劉岳申　文丞相傳一卷

凌緯　壽者錄

陳氏崇孝集一卷　<small>至正間奉化陳儔銘傳。</small>

鄱陽襃賢祠錄三卷　<small>宋范文正公祠。</small>

趙秉善　忠義集七卷　<small>宋南豐水村劉壎有《十忠補史詩》，如村劉麟瑞有《昭忠</small>
遺詠》，皆記宋末死難諸臣事。秉善合爲一編，而附以方虛谷、汪水雲傷時感事之什
爲是書，明何喬新得而傳之。

陶九成　草莽私乘一卷　<small>（已見別史類）</small>

楊三傑　明倫傳五十卷　<small>字曼卿，蜀郡人，書九十五類，自君、臣、父、子，以至</small>
交友知遇，元末御史進其書于朝，詔江浙行省刊行。

危素　張文忠公年譜一卷　<small>張養浩。</small>

郭郁　言行錄□卷　<small>周氏著書齋有禮刻本。</small>

譜　系　類

宋

陳思　古賢小字録一卷

張壆　張氏宗譜

金

完顏勖　女直郡望姓氏譜

元

姓氏大全十卷　　一作十八卷。

陳櫟　希姓略一卷

梁益　史傳姓氏纂

程峴　程氏世譜三十卷　　字和卿，休寧人。

汪壽昌　汪氏世系勳德録　　隴右汪氏。壽昌，元御史中丞。

汪松壽　汪氏淵源録十卷　　字正心，休寧人，肇慶路儒學教授。

孔克己　孔氏世系一卷　　克己爲清江三孔後。

孔文昇　闕里譜系　　文昇家於溧陽，趙子昂序。

臨川危氏家譜一卷　　泰定二年危素序。

簿　録　類

宋

趙希弁　續讀書志四卷

陳振孫　直齋書録解題

王應麟　漢藝文志考証十卷

元

至元法寶總目十卷

子　　部

儒　家　類

宋

陳淳　北溪先生性理字義二卷　采集周、程、張、朱之論。　又　北溪
先生字義詳講二卷　即前字義引古今寔證之。

饒魯　雙峰講義五冊

楊與立　朱子語略二十卷　建安人，朱子門人，知遂昌縣學，称舡山先生，《國
子監書目》作十卷。

趙溍　池陽講書本末一卷　景定間，溍守池陽，延史繩祖詣學講書，録其講義
及文移。

史繩祖　學齋佔畢四卷　眉山人。

王遂　實齋心學一卷　淳祐間人，解《先天圖説》、《太極圖》、《中庸章句》及《西
銘》，并附雜作。

劉荀　明本釋三卷　汶上人，因有子務本、林放問本之義而推廣之，凡三十五則，
引前人之論，分列于下而釋之。

趙善璙　自警編九卷　字德純，宋宗室，居於歙，先以父任，授承信郎，登嘉定元
年進士，再中法科，除大理評事，至中奉大夫。

李邦獻　省心雜言一卷

劉夢應　明善録八卷　取前賢嘉言善行，分講學、立身、居家、居官四類。夢應，
衡州臨武人，咸淳間進士，承議郎。

國之材　青宫備覽四十卷　之材，景定間官宣教郎，採摭經史，分前、後、左、
右四集。

曹彥約　經幄管見一卷　官禮部侍郎時撰進。

王孝友　性理彝訓一卷　字順伯，豐城人，與魏了翁善，了翁稱爲修士，徐

鹿卿誌其墓，所著有《政鑒》、《豊水志》、《海潮論》、《造化六合論》，皆未曾見。

王佖　紫陽宗旨三十八卷　宋淳祐間金華人，編次朱子語録。

葉采　近思録集解十四卷　建安人。

葉士龍　晦庵朱子語録類要十八卷　括蒼人，字雲叟，號澹軒，黃幹門人，爲考亭書院堂長，凡四十八類。又　先儒講義二册

熊節編　性理群書二十三卷　熊剛大集解。

李元剛　聖門事業圖一卷　又　天地萬物造化論一卷　廬陵周顗著。

何基　太極圖發揮十四卷

黃震　黃氏日抄九十八卷　《日抄》原本百卷，正德己卯書林龔氏重刊本止九十七卷。

許棐　樵漁録二卷

方回　皇極經世考

吳思齊　俟命録　編聖賢順正孝終之事。

熊禾　正蒙句解二卷　又　言行龜鑑二卷　又　文公要語　取文公諸書，擇其精要爲之，而以趙、馬、張、呂及朱氏門人之書附録。

趙孟奎　聞見善善録一卷　咸淳間人。

劉應李　傳道精語　字希泌，建陽人，咸淳進士，入元不仕。

趙汝談　荀子注

洪咨夔　荀子注

葉適　荀楊問答外稿

章樵集　曾子十八篇

劉炎　劉子遇言十二卷　字子宣，松陽人。

李之彦　東谷所見一卷　永嘉人。

王宗道　觀頤悟言一卷　又　讀書臆説十卷

劉軫　詮心指要　字德輿，平陽人。

陳亮　類次文中子

戴良齋　曾子遺書　又　中説辨安

葉由庚　瘄叟自志一卷

盧楨　翼善書　錢塘人。

蔣焱　經史補遺　溫州人。

聞人宏　經史旁聞十六卷　嘉興人。

葛澧　經史撝微四卷

黃宜　讀書手抄二卷

李大同　群書就正六卷

王萬　時習編

吳霞舉　太玄清虛圖說十卷

金

趙秉文　揚子發微一卷　又　太玄箋贊六卷　又　文中子類說六卷

劉祁　處言四十三篇

李純甫　中國心學　字之純，襄陰人，承安二年經義進士，以諸葛孔明、王景略自期。

張特立　集說　字文舉，東明人，泰和中進士。

元

耶律楚材　皇極經世義

許衡　魯齋遺書六卷

趙復　傳道圖　又　伊洛發揮　又　朱子門人師友圖　又　希賢錄　取伊尹、顏淵言行以勉學者。

許謙　自省編　又　日聞雜記　謙門人記。

杜瑛　極學十卷　又　皇極引用八卷　又　皇極疑事四卷

安艾熙　續皇極經世書

趙居信　理學正宗一卷　采輯諸儒北溪書院記及宗旨。

丘富國　經世補遺三卷

史伯璿　管窺外編五卷　溫州平陽人，字文璣，隱居不仕。

馬端臨　義根守墨三卷

吳澄　文正公支言五卷

宋

胡一桂　人倫事鑒　（已見傳記類）

胡炳文　性理通

程直方　四聖一心

何榮祖　觀物外篇

孟夢恂　性理本旨

齊履謙　經世書八式一卷　又　經世外篇微旨一卷

鄭以忠　宮學正要二卷　凡五篇，曰《主教》，曰《講學》，曰《游藝》，曰《前言》，曰《往行》。

張巨濟　萬年龜鏡錄十卷　采摭經史，因□宗萬年節進呈。

張光祖　言行龜鑑十卷

張養浩　三事忠告三卷　又　經筵餘旨一卷

柳貫　近思錄廣輯三卷

潘迪　格物類編

黃溍　日損齋筆記一卷

蘇天爵　治世龜鑑一卷

黎仲基　語錄八卷

惠希孟　家範五卷　字秋崖，江陰人。

吳宗元　王氏宗教一篇　諸暨人，宋濂有序。宗元字筠西，有學行，嘗爲浙東宣慰司奏差，以母老歸養。

許熙載　女教六卷　又　經濟錄四卷。　字敬臣，許有壬父，□□官州路經歷。

丁儆　金闈彝訓八卷　字主敬，新建人，吳草廬門人。

馬順孫　帝王寶範六十二卷　稱江南布衣馬順孫撰進，采歷代帝王事迹凡十二門。下皆不知時代。

許珍　性理正蒙分節解十七卷　又　太極圖解釋義一卷

葉涵　性理紀聞四卷

黃堂　理學要言十卷

胡次和　太玄集注十二卷　<small>江源胡次和。</small>

余安行　余氏至言十八卷

姚君大　教家要語二卷

許魯齋心法一卷　<small>不知何人撰。元穎川馮士可得之以行，永嘉陳剛爲序。</small>

吳仲迁　先儒法言　又　先儒粹言

李純仁　顏子五卷　<small>延祐高安人，凡十篇。</small>

蔣玄　學則二十卷　<small>字子晦，別號若晦，東陽人，許文懿弟子，學者私諡貞節先生。</small>

陳舜中　審是集一册

周公恕　近思錄集解十四卷　<small>吉安人，就葉采集解參錯雜析之，非葉氏本書也。</small>

陳剛　性理會元二集四十六卷　<small>字公潛，溫州平陽人，從胡石塘學，門人稱之潛齋先生。</small>

鮑雲龍　天原發微五卷　<small>字景翔，號魯齋，歙縣人，領元鄉薦，元貞丙申方回序。</small>

劉霖　太極圖解　<small>字雲章，安福人，至正丙子舉人。入明，徵不起。</small>

時榮　洙泗源流八卷　<small>至元間金華人，因孔子弟子見於《論語》者僅三十四人，餘多不著，乃采摭經傳子史注疏，凡孔門弟子及釋奠諸儒事迹聚爲一編。</small>

黃瑞節　朱子成書十卷　<small>字觀樂，以薦授泰和州學正，不赴。輯朱子《太極圖》、《通書》、《正蒙》、《西銘》諸解，及《易啓蒙》、《家禮》、《律吕新書》、《皇極經世》、《陰符經》、《參同契》注，而以己所見爲附錄。</small>

張復　性理遺書十四卷　<small>建安人，字伯陽，建寧路知事。</small>

何中　通書問

沈貴瑶　正蒙疑解　<small>字成叔，德興人，董鼎弟子。</small>

蕭元益　洙泗大成集　<small>字楚材，湖廣安化人。</small>

陳樵　太極圖解　又　通書解　又　性理大明　又　聖賢大

意　又　石室新語　東陽人，嘗入太霞洞著書，其縱橫辨博，自孟軻氏而下，皆未免於議論。

祝泌　觀物解

季仁壽　春谷讀書記二百卷　婺州路儒學教授。

熊本　讀書記十五卷　本吳草廬門人，記所問答於其師者。

程時登　太極圖說一卷　又　西銘補注一卷

呂洙　太極圖說一卷

黃鎮成　性理發微四卷

蔡仁　皇極經世衍數五十五卷　又　後集五十二卷　又　別集十五卷　又　續集十六卷　又　支集十五卷　字和仲，饒州人，布衣。

王德新　學則二篇　字君寔，新野人。

曹涇　服膺錄

張延　要言一卷

張淮遠編　周子書四卷

朱本　皇極經世解　又　太極圖解　又　通書解　字致真，豐城人，福州路儒學提舉，明初以賢良官召至京，固辭，安置和州，放歸。

朱子方　皇極經世書解上篇十三卷　下篇五卷　字隱老，號灝峯，豐城人，朱善父。

俞長孺　心學淵源　新昌人，諸暨州學正。

季致平　精覽歸一圖解二卷　青田人。

徐泰亨　端本書一卷　又　忠報錄一卷　又　可可鈔書一卷　龍游人。黃潛爲撰墓志。

凌緯　董子雅言

申屠澂　孝全撰言

曹理孫　讀經史要略類編　字悅道，瑞安人。

張明卿　存養錄十二卷　又　政事書一卷　天臺人，號務光生，宋濂撰墓碣。

陳潛　朱子傳疑　<small>紹興府人。</small>

趙順孫　近思録精義

楊琦　上蔡師説

張煇　草堂語録　<small>字子充，永嘉人。</small>

衛富益　性理集義　<small>崇德人。</small>

程端禮　讀書分年日程三卷

程端蒙　小學字訓一卷

僧天祐　注許召奎百忍箴四卷

史若佐　景行録一卷　<small>大德間肇慶路星巖書院山長，羅芳釋。</small>

吳海　命本録一卷

王文焕　道學發明　<small>一名子敬，字叔恭，松陽人。元季隱松陽山，學者稱西山先生。</small>

太玄索隱四卷

皇極經世書類要十卷　<small>元人輯。</small>

東萊要語四卷　<small>以下不知撰人。</small>

紫陽先生精義四卷

容城先生至論二卷

河東先生粹言二卷

陳子言行録十二卷

西峰明道録八卷

薛楊清粹録二册　<small>録薛瑄、楊繼宗語。</small>

郭慶傳　經邦軌轍十卷　<small>臨江人，爲目十有二，引經史於端，而證以元名臣之</small>
事，監察御史進其書於朝。

雜　家　類

宋

楊夢發　古今通論一册　<small>稱宋南昌博士，不知爲何人，論史傳大義。</small>

趙崇絢　雞肋一卷　字元素。

何坦　西疇常言一卷

戴埴　鼠璞一卷　字華谷,雲間人。

李之彦　東谷所見一卷　永嘉人。

俞成德　子俞子螢雪叢説二卷　東陽人。

儲泳　袪疑説一卷　字華谷,雲間人。

林駉　古今源流至論前集十卷　又　後集十卷　寧德人,字德次,領
宋鄉薦。

黄公紹　源流至論續集十卷　又　別集十卷　號履翁,字吉甫,舉進士。

陳元靚　博聞録十卷

馬端臨　多識録一百五十三卷

車若水　脚氣集二卷

魏了翁　古今考二十卷　方回補

朱□□　七十二子粹言□卷

方昕　集事詩鑒一卷　字景明,莆田人。

元

郝經　原古録

李冶　羣書叢削十二卷　又　泛説四十卷　又　古今難四
十卷

吳師道　戰國策校注十卷　一作十一卷,又名《戰國策正誤》。

張樞　林下竊議一卷

雷光霆　史子議辨義三十卷

汪自明　禮義林四十卷　學問博洽,人稱汪六經。

俞琰　書齋夜話四卷　又　席上腐談二卷　又　幽明辨惑

吾衍　聽玄集

包希魯　諸子纂言　字魯伯,進賢人。

鄭杓　覽古編

凌緯　董子雜心　_{字景文，大德中書院山長。}

魯淵　策府樞要

莫惟賢　廣莫子　_{字景行，錢塘人。}

吳亮　忍書一卷　_{字明卿，號蟾心，杭州人。}

史弼　省己錄一卷　_{字君佐。}

朱本　日用漫筆

農　家　類

宋

林洪　山家清供二卷

婁元善　田家五行二卷

元

王禎　東魯王氏農書三十六卷　又　農桑通訣二十卷　又
　農器圖譜二十卷　又　穀譜十一卷

農桑輯要七卷　_{司農輯。}

羅文振　農桑撮要七卷

魯明善　農桑機要　_{監壽州時編。}

汪汝懋　山居四要四卷　_{字以敬，浮梁人，至正中國史院編修官。}

陸泳　田家五行拾遺一卷　_{字伯翔，錢惟善序。}

修延益　務本直言三卷　_{以下不知撰人。}

劉弘　農事機要

桂見山　經世民事錄二卷

小 説 類

宋

孔平仲　珩璜新論一卷

汪若海　麟書一卷 字東叟，歙人。宣和中為太學，京城失守，因述麟為書，羅百

　　獸而尊麟，以媿賣国者，後官直秘閣，知江州。

馬純　陶朱新録一卷

楊彦齡　楊公筆録一卷

洪邁　夷堅支志七十卷 原一百卷，今存甲乙丙丁戊庚癸七集。　又　夷

　　堅三志三十卷 原一百卷，今存己辛壬三集。

楊萬里　揮塵録三卷

王明清　玉照新志六卷

宋伯仁　烟波圖一卷

王栐　埜客叢書三十卷

劉昌詩　蘆浦筆記十卷 字興伯，清江人，與北宋另一人。

王質　紹陶録二卷

朱翌猗　猗覺寮雜記三卷

施彦執　北窗炙輠録二卷 海寧人，字德操。

趙叔向　肯綮録一卷 凡四十三則，叔向自號西隱埜人。

鄭景望　蒙齋筆談二卷 湘山人。

王有大　南墅埜閒居録一卷

羅大經　鶴林玉露十六卷

沈作喆　寓簡十卷 吳興人。

施清臣　枕上言一卷　又　東州几上語一卷

尤玘　萬柳溪邊舊語一卷

葉寘　愛日齋叢抄十卷　又　坦齋筆衡一卷

吳枋　宜齋埜乘一卷 江陰人。

方岳　深雪偶談一卷　字元善，天臺人，與歙秋崖別一人。

張仲文　白獺髓髓一卷

俞文豹　清夜錄一卷　又　吹劍錄四卷　字文蔚，號堪隱，括蒼人。

趙葵　行營雜錄一卷

趙希鵠　洞天清錄集二卷

陳郁　藏一話腴一卷

莫君陳　月河所聞一卷　吳興人。

魯應龍　閒窗括異志一卷

侯延慶　退齋筆錄一卷

陳鵠　耆舊續聞十卷　號西塘。

方回　虛谷閒抄一卷

張端義　貴耳集二卷　字正夫，別號荃翁，鄭州人，居姑蘇，端平初年三上書，詔特旨韶州安置，別有《荃翁集》，未見。

龔□□　芥隱筆記一卷

蔣正子　山房隨筆一卷

陳隨隱漫錄五卷　失名。

荊溪吳氏　林下偶談四卷　不知名。

盈之　醉翁談錄八卷　不知姓，官從政郎、衡州錄事參軍，凡七十事，雜記宋都城仕官、風俗、寺院、平康，市陌瑣事。

類編夷堅志五十一卷　以下俱不知撰人。

儒林公議二卷

楓窗小牘二卷　袁褧。

異聞總錄四卷

搜采異聞錄五卷

施君美　別續常談三卷

羅璧　識遺□卷　字子蒼。

金

王庭筠　叢語十卷

元好問　續夷堅志

元

王惲　玉堂嘉話八卷

周密　齊東野語二十卷　又　癸辛雜識一卷　又　癸辛新識
　四卷　又　癸辛後識四卷　又　癸辛續識二卷　又　澄懷
　錄二卷　又　續澄懷錄三卷　又　雲烟過眼錄四卷　又
　浩然齋視聽鈔□卷　又　浩然齋意鈔□卷　又　浩然齋雅
　談□卷

盛如梓　庶齋老學叢談三卷　從仕郎，崇明州判官。

陸友　硯北雜志二卷　又　米海岳遺事一卷

吾衍　閒居錄二卷　又　山中新語

蘇天爵　春風亭筆記二卷

何中　搢頤錄十卷

唐元　見聞錄二十卷

張雯　繼潛錄

關漢卿　鬼董五卷

郭霄鳳　江湖紀聞十六卷　字雲翼。

吳元復　續夷堅志二十卷　字山漁，鄱陽人，宋德祐中進士，入元不仕，一作
四卷。

周達觀　誠齋雜記二卷

伊世珍　瑯嬛記三卷

沈贗元　緝柳編三卷

常陽　女紅餘志二卷

邵文伯　浩然翁手鈔五色線二卷

李有　古杭雜記一卷

夏頤　東園友聞二卷

鄭元祐　遂昌山人雜錄一卷

姚桐壽　樂郊私語一卷

廣客談一卷

兵　家　類

宋

陳傅良　歷代兵制六卷 一作八卷。

章穎　南渡十將傳十卷

華岳　翠微先生北征録三卷

金

張守愚　平遼議三篇 承安元年撰進。守愚,國子監齋長。

元

趙孟頫　禽賦一卷

程時登　八陣圖解

俞在明　用武提要二十篇 具瑗爲序。在明,錢塘人。

秦輔之　武事要略

天　文　類

金

楊震翼　縣象賦一篇 又 **五星聚井辨一篇**

元

趙友欽　革象新書二卷 字緣督,德興人,一云名敬,字子恭,本宋宗室,遇異人石得之傳其術,嘗往來衢婺山水間,死葬於衢。龍游人朱暉德明傳其書於世。

曆　數　類

金

大明曆十卷 天會五年修。

趙知微　重修大明曆　司天監。

張行簡　改定太乙新曆

耶律履　乙未曆

元

耶律楚材　庚午元曆二卷　又　曆説　又　乙未元曆　又
　　回鶻曆

郭守敬　授時曆推步七卷　又　立成二卷　又　曆議擬稿三卷
　　又　轉神選擇二卷　又　上中下三曆注式十二卷　又　時候箋
　　注二卷　又　修改源流一卷　又　儀象法式二卷　以下皆測驗
　　書。　又　二至晷景考二十卷　又　五星細行考五十卷　又
　　古今交食考一卷　又　新測二十八舍雜座諸星入宿去極一卷
　　又　新測無名諸星一卷　又　月離考一卷

齊履謙　二至晷景考二卷　又　授時曆經串演撰八法一卷

授時曆二卷　又　授時曆議二卷

授時曆法撮要

程時登　閏法贅語

五　行　類

宋

徐大昇　子平三命通變三卷

張子微　玉髓真經五十卷

魏　管輅　管氏指蒙二册　隋蕭吉、唐袁天綱、李淳風、宋王伋同注。

遼

王白　百中歌　興國軍節度使占卜書。

耶律純　耶律學士星命秘訣五卷

金

楊雲翼　氣數雜説

張居中　六壬無惑鈐六卷　司天判官。

丞相兀欽　注青烏子葬經一卷

元

吳澂　删定葬書

李道純　周易尚占三卷　保八爲序，舊誤以爲保八著。

陸森　玉靈聚義五卷　又　總録二卷　吳人。陰陽學教諭。

王弘道　三元真經三卷　龍興路陰陽學正。三元者，婚宅葬也。

焦榮　選葬編録三卷　陝西陰陽學提舉。

徐州徐施二先生元理消息賦注一卷

祝泌　祝氏祕鈐五卷　又　六壬大占　又　壬易會元　字子涇，
德興人，宋咸淳十年進士，官饒州路三司提幹，元世祖徵之不起，遣甥傅立上其書
於朝。

耶律楚材　五皇祕語一卷　又　先知大數一卷

劉秉忠　平砂玉尺四卷　又　玉尺新鏡二卷

朱震亨　風水問答

馬貴　周易雜占一卷　字尚賓，三原人，馬理祖，深於《中庸》、《周易》之學，占事
知來，多奇驗，韓邦奇表其墓。

王甗　易對卦海底眼

周鍔　六甲奇書一卷　不知何時人。

毉　家　類

宋

崇寧看詳太毉局毉局生赴試問答一卷

何大任　太毉局諸科程文格一卷　又　保幼大全二十卷　一名
《小兒衛生總微論方》。

劉開復　真劉三點脉訣一卷　又　脉訣理玄秘要一卷　又

醫林闡微一卷　又傷寒直格五卷

劉元賓　脈要秘括二卷

楊士瀛　醫學真詮二十卷　又　活人總括十卷　又　仁齋直
指附遺方二十六卷　字登父,景定間三山人。

陳自明　婦人良方二十四卷　又　外科精要三卷

周守忠　名醫蒙求一卷　又　類纂諸家養生至寶二十二卷
又　養生月覽二十五卷

張景　醫説十卷

金

紀天錫　集注難經五卷　泰安人,爲醫學博士,大定七年表上於朝。

張元素　潔古注叔和脈訣十卷　又　病機氣宜保命集四卷　一
名《治法機要》,後人誤以爲劉元素作,《潔古》諸書多附託,惟二書爲元素所著,餘削
不録。　又　潔古珍珠囊一卷　元素字潔古,金易州名醫,後人易其書爲韻
語,以便誦習,謂之《東垣珍珠囊》,非原書也。

劉元素　素問要旨八卷　又　素問玄機原病式二卷　又　治
病心印一卷　又　河間劉先生十八劑一卷　又　宣明論方
十五卷　以下六種爲《河間六書》。　又　傷寒標本心法類萃二卷
又　傷寒心鏡一卷　又　傷寒直格論方三卷　又　素問玄機氣
宜保命集三卷　又　傷寒醫鑒一卷　字守真,河間人,世所謂劉河間也。
別號通玄子,章宗徵之不出,賜號高尚先生。

李慶嗣　傷寒纂類四卷　又　政證活人書二卷　又　傷寒論
三卷　又鍼經一卷　又　醫學啓元　洺州人。

張從政　儒門事親十五卷　又　治病撮要一卷　又　傷寒心
鏡一卷　又　張氏經驗方二卷　又　祕傳奇方二卷　字子和,
睢州考城人。

元

聖濟總録二百卷

李杲　辨惑論三卷　辨内傷外感。　又　脾胃論三卷　又　此事難

知二卷 辨析經絡脈法,分比傷寒六經之則。　又　蘭室秘藏五卷　又　用藥法象一卷　又　醫學發明九卷 推明《本草》、《素》、《難》脈理。

竇默　銅人鍼經密語一卷　又　標幽賦 王鏡澤注。　又　指迷賦　又　瘡瘍經驗全書十二卷

王好古　湯液本草二卷　又　湯液大法四卷　又　醫壘元戎十二卷　又　陰證略例一卷　又　癍論萃英一卷　又　錢氏補遺一卷 字近之,趙人,醫教授,別號海藏,李杲弟子。

羅天益　衛生寶鑑二十四卷　又　試效方九卷 字謙甫,稿城人,東垣弟子。

戴起宗　脈訣刊誤三卷

滑壽　難經本義二卷　又　十四經絡發揮三卷　又　診家樞要一卷　又　醫學引彀四卷　又　攖寧生五藏補瀉心要一卷　又　滑氏素問注鈔十二卷　又　滑氏脈訣一卷　又　讀傷寒論鈔二卷　又　痔瘻論□卷　又　醫韻□卷。 字伯仁,本許昌人,後家儀真,學醫於京口王居中而技過之,別號攖寧生。

李晞範　難經注解四卷　又　脉髓一卷 崇仁人。

李朝正　備急總效方四十卷

竇漢卿　竇太史瘡瘍經驗全書十二卷

王鏡澤　增注醫鏡密語一卷 蘭谿人,不知名,從竇默學鍼灸,能盡其術,至元初徵領揚州教授。

鮑同仁　注通元指要二賦　又　經驗鍼法 字用良,歙人,會昌州同知。

朱震亨　格致餘論一卷　又　金匱鉤玄三卷　又　傷寒論辨□卷　又　本草衍義補遺□卷　又　局方發揮一卷　又　平治薈萃方三卷　又　外科精要發揮□卷　又　丹溪治痘要法一卷　又　活幼便覽二卷　又　丹溪醫案一卷　又丹溪治法語錄三卷 字彥修,義烏人,從許文懿學,所居在丹溪,學者稱丹溪先生。宋景濂言其得考亭正傳,爲金華四賢之嫡嗣。

鄧焱　運氣新書　字景文,蜀人,吳澄爲序。

王珪　參定養生主論十六卷　字均章,號中陽老人,生元盛時,年四十即棄
官歸隱虞山下,慕丹術,尤精於醫,年九十餘卒,嘗自作《虞山圖》,吳寬有詩題之。

李鵬飛　三元參贊延壽書五卷　自號九華澄心老人。

萬應雷　醫學會同二十卷　字震父,吳人,浙江醫學提舉。

葛乾孫　醫學啓蒙　又　經絡十二論　又　十藥神書一卷

朱撝　心印紺珠經二卷　字好謙,傳醫道於李湯卿。湯卿,劉河間弟子。

趙良　醫學宗旨　又　金匱衍義

陳直　壽親養老新書一卷　泰州興化令。

鄒鉉　壽親養老新書四卷

胡仕可　本草歌括八卷　瑞州路醫學教授。

吳瑞　日用本草八卷　字瑞卿,海寧醫士,文宗時人。按《海寧縣誌》,"瑞卿"
作"元瑞"。

尚從善　本草元命苞七卷　又　傷寒記玄妙用集十卷

熊景元　傷寒生意　字仲光,崇仁人,吳草廬、程雪樓皆稱其書。

申屠致遠　集驗方十二卷

危亦林　得效方二十卷

東垣試效方九卷

薩德彌實　瑞竹堂經驗方十五卷　號謙齋。

李中南　錫類鈐方二十二卷

杜思敬　濟生拔萃方十九卷　延祐中人。

陸仲達　千金聖惠方　青陽人。

堯允恭　德安堂方一百卷　京口人。

道士殷震　簡驗方

吳以寧　去病簡要二十七卷　歙縣人。

齊德之　外科精義二卷　充御藥院外科太醫。

曾世榮　活幼新書二卷　衡州人。

馮道玄　全嬰簡易方十卷

東垣十書二十五卷

孫允賢　醫方大成十卷

藝　術　類

宋

張雯　書畫補遺　_{雯,元人,田父。}

湯垕　畫鑒一卷

元

周密　雲烟過眼録四卷

朱珪　名蹟録六卷　又　印文集考　_{字伯益,崑山人。}

夏彥文　圖繪寶鑑五卷

華光和尚　梅品一卷

李衎　竹譜詳輯一卷　_{號息齋道人,薊丘人,官至江浙行省平章政事。}

黃公望　山水訣一卷　_{字子久,別號大癡道人。}

梓人遺制八卷

類　書　類

宋

祝穆　事文類聚前、後、續、別四集一百七十卷　《前集》六十卷,《後集》五十卷,《續集》二十八卷,《別集》三十二卷。

富大用　新外二集五十一卷　《新集》三十六卷,《外集》十五卷。大用,字時可。

潘自牧　紀纂淵海一百九十五卷　字牧之,慶元丙辰進士,龍游令。《金華志》作"潘景憲著"。景憲,字叔度,登隆興元年進士,官教授,朱熹銘其墓。

楊伯嵒　六帖補三十卷

嚴毅　押韻淵海二十卷　字子仁。　合璧事類前、後、續、別、外五
　　集三百六十六卷

章俊卿　山堂群書考索二百十二卷　前、後、續、別四集。字如愚，金華
　　人，慶元中進士，官國子博士，忤韓侂胄，罷職歸。

陳元靚　事林廣記十卷　一作十二卷。

陳景沂　花木果卉全芳備祖前集二十七卷　又　後集三十一
　　卷　天台人。稱江淮肥遯愚一子。寶祐元年癸丑安陽老圃韓境序。

胡繼宗　書言故事十卷　又　詩韻大成二卷　廬陵人。

周守忠　姬侍偶類二卷

王應麟　玉海二百卷　又　小學紺珠十卷

謝枋得　秘笈新書十六卷

毛直方　詩學大成二十卷　建安人。

高伯壎　會萃古今事類二百卷　字汝諧，福寧州人，領宋漕薦。

劉芳寔　劉茂寔　敏求機要十六卷　芳寔，字月梧。茂寔，字鳳梧。
　　同編。

胡煦　群書會元截江綱十六卷

錦繡萬花谷前集四十卷　又　後集四十卷　又　續集四十卷
　　又　別集三十卷

翰苑新書七十卷　又　別本三十五卷　前、後、續、別四集。

分門古今類事二十卷

太學新編畫一元龜一百卷

纂圖增注羣書類要事林廣記四十卷

劉達可　璧水群英集八十二卷　建安人。

四六叢珠四十卷

萬卷菁華前集八十卷　又　後集八十卷

增修聲律萬卷英華九十二卷

五色線二卷

楊惟中　太平廣彙十集　_{九十六種,太極書院端平□年叙。}

金

鄭當時　韻類節事　又羣書會要　_{字仲康,洪洞人,大定中進士,汾州
教授。}

元

楊惟中　太平廣彙十集　吳騫按:凡九十六種,稱太極書院,有宋端平年序。
按《元史》,惟中,字彥誠,弘州人,太宗時爲軍前行中書。克宋,立周惇頤祠,建太極
書院,累官江淮京湖南北宣撫使,謚忠。

高恥傳　羣書鉤玄十二卷　臨邛人。

劉應李　翰墨全書一百三十三卷　一作百四十五卷。　又　事文類
聚翰墨全書九十八卷　字希泌,建陽人,咸淳中進士,授本邑簿,與熊禾、胡庭
芳講學洪源書堂。

張諒　經史事類書澤三十卷　字子惠,建安人,學《易》於邱富國。

陰幼遇　韻府羣玉二十卷　一作殷時遇,字時夫。奉新人,數世同居,登宋寶
祐九經科,入元不仕。兄中夫幼達注釋。　宋濂云:幼遇名時夫,字勁絃。中夫字復
春,未知孰是。

錢全袞　韻府羣玉掇遺十册　華亭人,元末杜門著書,不仕張氏。

鄭起潛　聲律關鍵八卷

錢緒　萬寶事山二十卷

淩緯　事偶韻語

俞希魯　竹素鉤玄三十卷

吳黼　丹墀獨對十卷

虞韶　小學日記故事十卷　建安人。

白珽　經子類訓二十卷　又　集翠裘二十卷　又　静語二
十卷

書林廣記二十卷

羣書一覽十卷

士林龜鏡

唐懷德　破萬總録一千卷　凡所讀之書,輒撮其諸凡而附之以論辨。　又

　　鉤玄集　二書據盧本補。

釋　家　類

宋

圭堂　佛法大明二十卷

懷深　擬寒山詩一卷

湘山寂照禪師事狀十二卷

甬東三佛傳一卷　一名《四明三佛傳》。

金

李之純　鳴道集説五卷

元

維則　楞嚴會解疏十卷　至正壬午序。　又　楞嚴擲九一卷　又

　　天台四教儀要正　字天如,永新人,少學於天目,在吳所居地名獅子林。

明本　中峯和尚廣録三十卷　又　中峯廣慧禪師一花五葉集

　　四卷　又　中峯懷浄土詩一卷　又　庵事須知一卷

劉謐　静齋學士三教平心論二卷

清筏　宗門統要續集十二卷

至雲　編石屋和尚山居詩　並　當湖語録二卷　又　語録一

　　卷　名清珙,常熟人。

優曇　蓮宗寶鑑十卷　一作七卷,丹陽僧。

普會　禪宗頌古連珠通集四十卷

心泰　佛法金湯編十卷

大訢　松雲普鑑二卷

海弨　古梅禪師語録二卷　廣州僧。

恕中和尚語録六卷

元叟　　端禪師語録八卷

雪村　　聚語録　<small>金壇人,居句容崇明寺。</small>

盛勤　　源宗集　<small>嘉興資善寺僧。</small>

志磐　　佛祖統紀五十四卷

禪林類聚二十卷

覺岸　　釋氏稽古略四卷

念常　　佛祖通載二十二卷

淨髮須知二卷

至元心鐙録□卷

元僧曥夢堂唐宋高僧傳

道　家　類

宋

白玉蟾　　老子道德經寶章一卷　　又　指玄篇八卷

董思靖　　道德集解二卷　<small>一作四卷。思靖,清源天慶觀道士。</small>

褚伯秀　　莊子義海纂微一百六卷　<small>中都道士。</small>

元

吳澄　老子道德經注四卷　<small>更定百六十八字。</small>　　又　南華内篇訂正
二卷

贍思　老莊精語

趙學士　老子集解四卷　又　全解二卷

李衎　息齋老子解二卷

李道純　道德經注一卷　又　中和集六卷　<small>字元素,都梁人,號瑩蟾</small>

子,亦曰清庵。　又　太上大道經注一卷

道士雷思齊　注莊子

俞琰　全陽子周易參同契發揮九卷　又　全陽子參同契釋疑
二卷　又　陰符經解一卷

陳致虛　上陽子參同契注三卷　又　金丹大要十卷　_{字觀五。}

戴起宗　悟真篇注疏三卷

邱長春　磻溪集五卷　又　語録一卷　又　西游記二卷

玄風　慶會録五卷

蕭廷芝　金丹大成集五卷　_{字元瑞。}

董漢醇　羣仙要語二卷　又　仙學摘粹二卷

陳冲素　内丹三要一卷

趙友欽　緣督子仙佛同源論一卷　又　金丹正理　又　盟
天録

陳虛白　規中指南一卷

盤山栖雲大師語録一卷

張天雨　外史出世集三卷　又　碧巖元會録二卷　字伯雨,吳郡
人。年二十,棄家入道,道名嗣真,別號真居。常從開元道士王宗衍入朝,被璽書賜
驛傳成道門擢任,非其志也,隱於茅山。爲《尋山志》,考索極博云。

洪恩　靈濟真人文集八卷　元道士。編輯南唐徐知訓、徐知證乩筆。

趙道一　歷代真仙體道通鑑前集三十八卷　後集四卷　浮雲山
道士劉辰翁爲之序。

金蓮正宗記□卷

全真宗眼身外元言　上卷。　群仙悟道物外鳴音　下卷。

集　部

別　集　類

宋

宗澤　忠簡公文集六卷

尹焞　和靖先生文集十卷

羅從彥　豫章文集十七卷　《正集》十三卷,《外集》一卷,《附錄》三卷。元揚
州路判官同邑曹道振編。

歐陽澈　飄然集六卷附錄一卷

汪藻　浮溪文粹十五卷

孫覿　內簡尺牘十卷　《大全》:鴻慶二集,已見《宋志》。

陳洎　陳亞之詩一卷　字亞之,彭城人,官三司群牧副使。陳師道之祖。

朱長文　樂圃餘稿十卷

吳積　金谿先生文集二十卷　元符間人,官旌德簿。

員興宗　九華先生文集五十卷　官檢討,徽宗時人,李心傳為序。

曾協　雲莊集二十卷　字同季,徽宗時人。

張九成　橫浦集二十卷　字子韶,錢塘人。紹興二年進士第一,累官禮部侍郎
兼侍講,為秦桧所惡,謫守邵州,再起知温州,卒。

王廷珪　盧溪先生文集五十卷　安福人。舉進士,胡銓上封事得罪秦桧,廷
珪送以詩,坐流辰州。孝宗時召還,終直敷文閣。

劉才邵　杉溪集十二卷　盧陵人,紹興中官,吏部尚書。

華鎮　雲溪居士文集一百卷　紹興間人,稱平原華鎮。

馮山　馮太史集三十卷　安岳人,官祠部郎中,贈太師。

馮澥　左丞集四十五卷　馮山子,登進士,紹興中累官資政殿學士。

度正　性善堂稿十五卷　<small>字周卿,合州人,紹興初進士,從朱文公學,累官禮部</small>

　　<small>侍郎。</small>

曾極　春陵小雅□卷　又　金陵百咏一卷　<small>臨川人,朱文公嘗稱其</small>

　　<small>詩。"極",盧本"拯"。</small>

左緯　委肘集□□卷　<small>黃巖人。</small>

郭印　雲溪集三十卷

王佐　敬齋先生文集二十卷　<small>山陰人,紹興十八年進士第一,累官戶部尚書。</small>

　　<small>一名《寶文集》。</small>

史堯弼　蓮峰先生家集三十卷　<small>乾道時人。</small>

劉子澄　玉淵先生文稿□□卷　<small>孝宗時人。</small>

崔敦禮　崔宮教集二十卷　<small>孝宗時人。</small>

李浩　橘園策二卷　<small>臨川人,紹興中進士,乾淳間官吏部侍郎,廣西安撫使。</small>

王阮　義豐集一卷　<small>德安人,王韶曾孫。隆興初舉進士,知撫州,忤韓侂冑,予</small>

　　<small>祠歸隱廬山。</small>

喻良能　香山集十七卷　<small>義烏人,累官太常寺丞,以開國縣男致仕。孝宗時</small>

　　<small>常進《忠義傳》二十卷。</small>

李椿　李文蕭公經濟編六卷　<small>本洺州永年人,避金亂徙潭州,守敷文閣待</small>

　　<small>制,李苰之曾祖。</small>

廖行之　省齋文集十卷　附集一卷　<small>字天民,衡州人。淳熙間寧鄉簿。</small>

陳長方　唯室先生文集十四卷

裘萬頃　竹齋詩集六卷　<small>字元量,新建人,登淳熙十四年進士,官大理寺丞。</small>

陳溥良　止齋奧論十卷

唐仲友　說齋文集四十卷　又　別集三卷　<small>金華人,登第後復中宏詞</small>

　　<small>科,仕至江西提刑。</small>　又　說齋文粹十五卷　<small>元季諸孫懷敬輯,文十卷,《九</small>

　　<small>經發題愚書》五卷。</small>

徐安國　西窗先生文集十五卷　<small>字衡仲,上饒人。</small>

趙汝談　南塘集九卷　<small>餘杭人,淳熙中進士,權刑部尚書。</small>

程遺卿　程梅屋詩集四卷　<small>朱文公門人。</small>

吳錫疇　蘭皋詩集二卷　新安人。

陳造　江湖長翁集四十卷　高郵人。

薛季宣　浪語集三十五卷　字士龍,常州人,別號艮齋先生。

王炎　雙溪文集十七卷　歙縣人,乾道五十年進士,官中奉大夫、軍器監。

汪莘　方壺小稿九卷　字叔耕,休寧人,嘉定間下詔求言,扣闕三上書,不報。

杜範　清獻集三十卷　黃巖人,嘉定初進士,累官右丞相。

程公許　滄州先生文集□卷　叙州宣化人。嘉定中進士,累官寶章閣學士,
知隆興府。

鄧虎　文節先生文集六卷

崔敦詩　崔舍人集三十卷

周林　楊湖居士集四卷　寧宗時知黃州。

黃應龍　璧林先生文集十四卷　嘉熙間人。

許應龍　東澗文集□卷　閩縣人,舉進士,累官端明殿學士,簽書樞密院事。

劉宰　漫塘文集三十六卷　金壇人,紹熙進士,官籍田令,理宗召爲太常丞及
知寧國府,皆不就,謚文清。

林光朝　艾軒集十卷

劉鑰　雲莊集十二卷附集十卷　建陽人。乾道中進士,累官工部尚書,兼左
諭德,謚文簡。

陳淳　北溪集五十卷　字安卿,龍溪人,朱文公弟子,官安溪縣主簿。

方大琮　鐵庵集四十五卷　莆田人。官集英殿修撰,知廣州。

華岳　翠微南征錄十一卷　貴池人,寧宗時武科。忤韓侂胄,謫死。　　又
　　　北征錄十一卷

程珌　洺水文集三十卷　又一本二十六卷。休寧人,紹熙中進士,官端明殿
學士。

吳儆　吳文肅公竹洲文集二十卷　字益恭,休寧人。舉紹興二十七年進
士,官朝散郎,主管台州崇道觀。

吳俯　棣華雜著一卷　吳儆弟。

岳珂　玉楮詩稿八卷　字肅之,岳飛孫,官户部侍郎,浙東總領兼制置使,嘗知

嘉興府,後家焉。

劉過　龍州道人集十五卷

趙蕃　淳熙詩稿四十卷　本鄭州人,家玉山,官直秘閣,嘗受學朱熹。

倪樸　倪石陵書一卷

真德秀　西山文集五十五卷

魏了翁　鶴山全集一百十卷　《周禮折衷》、《師友雅言》附。　**又　渠陽集二十二卷**

崔與之　清獻公集十卷　增城人。紹熙中舉進士,累官四川安撫制置使,召爲禮部尚書,進參知政事,又進右丞相,皆辭不就。

李昂　英文溪集二十卷　字俊明,一作公昂,番禺人。寶慶初舉進士,累官右正言,贈吏部侍郎,謚忠簡。

孫夢觀　雪窗文集二卷　附録一卷　慈谿人。寶慶初進士,知建寧府。

呂午　竹坡類稿□□卷　字伯可,歙人。官右文殿修撰,贈通奉大夫。

鄭清之　安晚堂詩

徐鹿卿　清正公集六卷　豐城人。嘉定中進士,官禮部侍郎。

徐經孫　文惠公集五卷　豐城人,寶慶初進士,官翰林學士,知制誥,忤賈似道,罷歸。

高定子　著齋類稿四十卷　邛州人。嘉泰初進士,累官端明殿學士,僉書樞密院兼參知政事。

高斯得　恥堂先生存稿七卷　定子從子,紹定間進士,累官翰林學士,僉樞密院事兼參知政事。

吳泳　鶴林文集□□卷　中江人。嘉定進士,歷官寶章閣學士。知泉州溫州。

吳昌裔　格齋文集四十卷　泳弟,舉嘉定進士,官寶章閣待制,謚忠肅。

李蘩　桃溪文集一百卷　崇慶晉原人,舉進士,官太府少卿。

葉時　竹埜詩集□卷　字秀發,仁和人。累官龍圖閣學士,謚文康。

程元鳳　訥齋集　歙人。紹定中禮部第二人,官左丞相,兼樞密使,封吉國公,贈少師,謚文清。

曹彦約　昌谷小集二十卷　又　續集一卷　都昌人。淳熙進士，累官兵部尚書，謚文簡。

陽枋字　㵢陽先生文集十二卷　字昌朝，理宗時人。

趙汝騰　蓬萊集□□卷　宋宗室，居福州，寶慶初進士，累官翰林學士、知泉州。

袁甫　蒙齋集四十卷　四明人。嘉定中進士第一，累官吏部尚書，謚正肅。

方岳　秋崖小稿八十三卷　文四十五卷，詩三十八卷。字巨山，祁門人。理宗朝官中秘書，出守袁州。

劉克莊　後村居士集五十卷　詩文。　又　六十卷　皆文。　又　大全集一百九十六卷　又　詩集十五卷　莆田人。以父彌正任得官，真德秀薦其文，追騷雅，賜進士，官至龍圖閣直學士。

李劉　梅亭類稿九十卷　又　四六標準四十卷

劉光祖　後溪先生文粹三十六卷　字德修，簡州人。登進士第，累官顯謨閣直學士，提舉嵩山崇福宮，謚文節。

陳元晉　溪野類稿十卷　一作《漁墅類稿》，寶唐人。

余謙一　文安余氏家集□卷　寶祐間人。

樂雷發　雪磯叢稿五卷　舂陵人。字聲遠，寶祐癸丑特科狀元。明裔孫教諭韶、户部主事宣，成化中重梓。

李曾伯　可齋先生文集三十四卷　又　續集八卷　本懷州人，家於嘉禾，累官觀文殿大學士。

嚴大猷　方山集四卷　蒼溪人，特奏名授隆興府司理參軍。

陳耆卿　篔窗文集　臨海人。

李宣子　月溪詩集七卷　杭州人。

許景迁　埜雪行卷五卷　名賢，贈言附。　又　排鍛排雜説一卷　皆理宗時人。

錢時　蜀阜集十八卷　淳安人。官史閣檢閲，喬行簡嘗進其所爲《五經管見》、《兩漢筆記》於朝。

宋器之　雪巖詩集一卷　又　西勝集一卷　字伯仁。

危積　巽齋集一卷　字逢吉，臨川人。淳熙中進士，知漳州。

高似孫　烟雨集□□卷　又　疏寮集一卷

戴敏　東皋子詩集一卷　戴復古父,字敏才,復古集其遺詩十篇行世。

戴復古　石屏詩集一卷　又　石屏續集四卷

戴昺　東埜詩集一卷　復古從子。

翁卷　葦碧軒詩四卷　字靈舒。

趙師秀　清苑齋詩四卷　字靈秀,號紫芝。

徐照芳　蘭軒詩五卷　字靈暉。

徐璣　二薇亭詩四卷　字靈淵,以上爲"永嘉四靈"。

高九　萬菊磵小集一卷　字□,高瓊裔孫,南渡後移家四明,制行高潔,隱居不
仕,自名其居曰信天巢。

陳允平　西麓詩稿一卷　又　蜩鳴稿□卷　字君衡,明州人。淳熙中
嘗爲餘姚令。

杜旃　癖齋小集一卷　字仲高,金華人。

張戈　秋江烟草一卷

姜夔　白石道人詩集一卷　字堯章,鄱陽人。流寓吳興。

羅與之　雪坡小稿二卷

施樞　橫舟稿一卷　字知言,浮玉人。

朱南杰　学吟一卷　古徐人。

鄧林　皇荂曲一卷　字性之,臨江人。自號四清社友。

張至龍　雪林刪餘一卷

趙汝鐩　野谷詩稿六卷　字明翁,汴人,宋宗室。

李龏　梅花衲一卷　又　剪綃集一卷　荷澤人。字和父,二集皆集句。

葉茵　順適堂吟稿五卷　字景文,吳人。

芳庭斯植採之集一卷　又　續稿一卷

周文璞　方泉集三卷　字晉仙,汝陽人。

周弼　端平詩雋四卷　文璞子,字伯弼。

趙崇鉘　鷗者微吟一卷　字元治,宋宗室。

陳鑒之　東齋小集一卷　字剛父,初名璟,三山人。

胡仲參　竹莊稿一卷　字希道,清源人。

許棐　梅屋獻醜集一卷　又　融春小綴一卷　又　梅屋詩稿
一卷　又　梅屋第三稿一卷　又　第四稿一卷　字忱父。

葉紹翁　靖逸小集一卷　字嗣宗,建安人。

王琮　雅林小稿一卷　字中玉,括蒼人。

余觀復　北窗詩稿一卷　字中行,盱江人。

毛翊　吾竹詩稿一卷　字元白,柯山人。

嚴羽　滄浪吟卷一卷

韓淲　澗泉詩集八卷

劉應時　頤庵居士集二卷　字良佐,四明人。

張道洽　實齋梅花詩四卷

周弁　周少師集二十卷

洪擬　静智集十六集卷　集寧海人。

李吕　淡軒文集十五卷

張偘　拙軒初稿四卷

王與鈞　藍縷稿七十四卷

李流謙　淡齋先生文集八十九卷

熊瑞　冕山瞿梧集二十八卷

戴栩　浣川集十八卷

陳杰　自堂存稿十三卷　字壽甫,豐城人。淳熙十年方逢辰榜進士,官提刑。

趙綸　時齋集四卷

李處權　崧庵集十卷

沈揆　埜堂集五卷

范子長　格齋集四十卷

蕭泰來　小山集二十五卷　臨江人。

徐綱　桐鄉集三卷

葛紹躰　東山集十卷

徐恢　玉雪詩六卷

許右府　涉齋詩集二十卷

李紹　拙庵先生集四卷

林亦之　綱山集八卷　字學可，福清人。師林光朝，爲高弟，學者稱綱山先生，一曰月魚先生。景定間林希逸追舉其賢，贈迪功郎，謚文節。

陳藻　樂軒集八卷　字元藻，福清人。林亦之弟子。門人林希逸請追贈迪功郎，謚文遠。集本十六卷，軼其半。

林希逸　竹溪鬳齋十一集九十卷　又　續稿三十卷　字肅翁，福清人。治平二年進士，官中書舍人。

翁定　瓜圃詩五卷　字應叟，福建南安人，隱士。

王柏　魯齋甲寅稿□□卷　又　甲辰稿□卷　又　魯齋三稿六十卷　又　王文憲公集二十卷　金華人，謚文憲。

車清臣　玉峰冗稿十卷　字若水，黃巖人。王柏弟子。

饒魯　雙峰文集□卷　餘干人，從黃幹學，累薦不起，門人私謚曰文元。集皆往來問學書及講義。

吳淵　退庵集二卷　宣城人，嘉定中進士，累官參知政事，贈少師。

吳潛　履齋遺集五卷　淵弟，舉進士弟一，累官右丞相，對許國公。

呂定　象罔編遺稿一卷　一名《説劍吟》。

鄭起　菊山清雋集一卷　鄭思肖父。

文天祥　指南前録四卷　又　指南後録四卷　集杜詩。　又　文山先生文集三十二卷　又　後集七卷　又　文山先生全集二十八卷

劉黼　蒙川集十卷　樂清人。官吏部尚書，二王浮海，陳宜中迎黼共政，至羅浮，以病卒。

家鉉翁　則堂先生文集十六卷　眉州人。學進士，累官僉書樞密院事。

謝枋得　叠山文集十六卷

鄧剡　中齋集　字光薦，廬陵人。文文山客，景定元年進士，宋亡，以節行著。

方逢辰　蛟峰先生文集八卷　又　外集四卷 淳安人。舉進士第一，累官兵部侍郎、國史修撰兼侍讀。

何夢桂　潛齋文集十一卷 字巖叟，初名應祈，字申甫，淳安人。咸淳中廷試第一甲第三，仕至大理寺卿，至元中累徵，不起。

歐陽守道　巽齋集二十三卷 廬陵人。淳祐初進士，累官崇政殿說書。

謝翱　晞髮集五卷　又　遺詩一卷　又　饒歌鼓吹曲一卷　又　文集二十卷

汪元量　湖山類稿十三卷　又　汪水雲詩四卷

王炎午　吾汶稿九卷 字鼎翁，安福人。國子上舍生。

林景熙　霽山集十卷 溫州平陽人。

鄭樸翁　續古雜著二卷　又　厚倫詩一卷

方鳳　存雅堂集 一名景山，字韶父，浦江人。特恩授容州文學，宋亡遂不仕。

鄭思肖　錦錢集　又　一百二十圖書詩文集一卷　又　所南心史二卷 崇禎年，蘇州承天寺僧濬井得鐵函，發之，即是書，乃行於世。

梁棟　梁隆吉詩集 字中砥。

汪夢斗　北游集二卷　又　雲間集□卷 字以南，績溪人。中景定漕試，為史館編修，與葉李等論賈似道不臣誤國，被譴。元至元間，被薦不起。

舒岳祥　閬風集二十卷　又　閣本閬風集五册　又　三史纂言□卷　又　篆畦集九卷　又　蝶軒稿九卷　又　避地稿十卷　又　遜野稿三卷　又　閬風家錄三卷

劉莊孫　檺園先生文集□卷 字子仲，天臺人。與舒岳祥、戴表元善。

許月卿　山屋集 字太空，改字宋士，學者稱山屋先生，新安人。淳祐甲辰進士，官承直郎，幹辦浙西安撫司公事。

熊禾　勿軒集八卷 字去非，建陽人。舉進士，授汀州司戶參軍。入元不仕，從學者數百人。

趙孟堅　彝齋文編四卷 海鹽人。寶慶初進士，官至太守。

趙孟𫲷　湖山汗漫集

俞德鄰　佩韋先生文集二十卷 字宗大，號太玉山人，與熊禾同舉，癸酉進士,集有禾序。

王鎰　月洞詩一卷 字介翁,遂昌人。宋末官縣尉,元滅宋,棄官歸,扁其居曰
"月洞"。明裔孫養端刻其集以行。

王炎澤　南稜類稿二十卷 字咸仲,義烏人。宋免解進士,入元不仕。

蘇景暐文集十二卷 永嘉人。遷丹徒,宋寶祐四年進士,入元不仕。

周才　吳塘稿 字仲美,常熟人。

朱淑真　斷腸詩集十卷　又　續集八卷 錢塘女子。

釋居簡　北澗文集十卷　又　詩集九卷

釋子騰　鳳城集一卷

葛長庚　海瓊白玉蟾集八卷　又　續集四卷 閩人。一云瓊州人,
居武夷。嘉定中詔征赴闕,封紫清明道真人。

黃希旦　支離子詩集一卷 邵武道士。

鄧登道　樞東游集 字應叔,綿州人。住持吳文昌宮。

鄧登龍　梅屋吟一卷 字震父,臨江人。

徐集孫　竹所吟稿一卷 字義夫,建安人。

陳文蔚　克齋集

任淵　黃太史精華錄八卷

金

完顏璹　如庵小稿六卷 世宗孫,越王長子,對密國公。

完顏永成　樂善居士集 對豫王。

徒單鎰　弘道集六卷 右丞相廣平郡王。

劉豫　劉曹王集十卷 字彥由,阜城人。

吳激　東山集十卷 字彥高,宋宰臣栻子,翰林待制,出知深州。

張斛　南游北歸等詩 字德容,漁陽人,祕書省著作郎。

蔡松年文集 字伯堅,尚書右丞相,謚文簡。

蔡珪文集五十五卷 字正甫,松年子,官禮部郎中。

高士談　蒙城集 字子文,一字季默,翰林直學士。

馬定國　薲堂先生集　　字子卿,茌平人,翰林學士。

祝簡鳴集　　字廉夫,單父人,太常丞,兼直史館。

朱之才　霖堂集　　字師美,洛西人,仕劉豫爲諫官,黜爲泗水令。

施宜生　三住老人集　　字明望,浦城人,翰林學士。

趙可　玉峰散人集　　字獻之,高平人,貞元二年進士,翰林直學士。

劉汲　西巖集　　字伯深,南山翁子,大德三年進士,翰林供奉。

劉瞻　攖寧居士集　　字巖老,亳州人,大德三年南榜登科,大定初史館編修。

劉蹟　南榮集　　東平人,宋相莘老子,右相長言父,儀真令。

劉仲尹　龍山集　　字致君,益州人,後遷沃,正隆二年以潞州節度副使召爲都水
監丞。

郝俁　虛舟居士集　　字子玉,太原人,正隆二年進士,河東北路轉運副使。

張公藥　竹堂集　　字元石,孝純孫,以父蔭入仕爲鄲城令。

史旭詩一卷　　字景陽,第進士,歷臨真、秀容二縣令。

耶律履　文獻公集十五卷　　字履道,東丹王七世孫,參知政事,尚書右丞,謚
文獻,楚材父。

董師中　漳川集　　字紹祖,邯鄲人。後徙洺州,皇統九年進士,承安中入政府。

王寂　拙軒集　　字元老,薊州玉田人。天德三年进士。中都转运使。

張行簡文集三十卷　　字敬甫,大定十九年詞賦第一人,吏部尚書,太子太保,翰
林學士承旨,謚文正。

李仲略　丹源釣徒集　　字簡之,高平人。承旨晏子,大定二十二年進士,仕至
山東路按察使。

劉迎　山林長語　　字無黨,東萊人。大定十四年進士,太子司經。

黨懷英　竹溪集十卷　　字世傑,奉符人,大定十年進士,史館編修,應奉翰林學
士,出爲泰定軍節度使,召爲翰林學士承旨,致仕。

趙渢　黃山集　　字文孺,第進士,明昌末禮部郎中。

王庭筠　王翰林文集四十卷　　字子端,熊岳人。大定十六年甲科翰林修撰。

趙秉文　滏水集三十卷　　字周臣,滏陽人。大定二十五年進士,禮部尚書,今
世行本二十卷。

劉中文集　字正夫,漁陽人。應奉翰林文字。

路鐸　虛舟居士集　字宣叔,貞祐初爲孟州防禦使,城陷,投沁水死。

酈權　披軒集　字元興,安陽人。明昌初以著作郎召入,未幾卒。

李純甫内稿　論性理及闢佛道二家者。　**外稿**　應物文。字之純,弘州人。
承安□年進士,仕至尚書右司都事。

史肅　澹軒遺稿　字舜元,京兆人。戶部正郎,鐫降同知汾州事。

蕭貢文集十卷　字真卿,咸陽人。戶部尚書,諡文簡。

史公奕　洹水集　字季宏,大名人。大定二十八年進士,再中博士宏詞科,累官
翰林直學士。

馮延登　橫溪翁集　字子駿,吉州人。承安二年進士,禮部侍郎,京城陷,自投
井死。

王若虛　滹南遺老集四十五卷　又　備夫集　字從之,稿城人。承
安二年進士,翰林直學士。

劉從益　蓬門先生集　字虞卿,南山翁攄曾孫,大安二年進士,應奉翰林文字。

張建　蘭泉老人集　字吉甫,蒲城人。同知華州防禦使。

毛麾　平水集　字牧達,平陽人。大定十六年特賜進士出身,同知泌州軍州事。

王琢　姑汾漫士集　字器之,平陽人。

呂中孚　清漳集　字信臣,冀州南宮人。

景覃　渭濱野叟集　字伯仁,華陰人。

劉鐸　柳谿先生集　字文仲,冀州棗强人。承安五年進士,武昌軍節度副使。

秦略　西谿老人集　字簡夫,臨川人。

張琚　韋齋集　字子玉,河中人。

杜佺　錦溪集　字真卿,武功人。宋末有詩名於關中。

李之翰　漆園集　字周卿,濟南人。東平倅。

楊興宗　龍南集　高陵人。

晁會　潭水集　字公錫,高平人。天眷二年進士,興平軍節度副使。

郭長倩　崑崙集　字曼卿,文登人。皇統丙寅經義乙科,仕至秘書少監,兼禮部
郎中,修《起居注》。

郭用中　寂照居士集　字仲正,平陽人。大定七年進士,歷浮山簿,陝州録事,集有郝子玉、毛牧達、鄭仲康序。

張邦彦　松堂集　字彦才,平陽人。張楫榜登科,官當川令。

王元節　遯齋詩集　字子充,弘州人。第進士,密州觀察判官。

王世賞　浚水老人集　字彦功,汴人。明昌中保舉才能德行,賜出身,釋褐鞏州教授,終於鹿邑簿。

桑子維　東皋集　字之才,恩州人。蔡伯堅子壻。

周　《四朝經籍志》作張。　廷玉集　字子榮,易縣人。

王敏夫集　五臺人。

李獻甫　天倪集　字欽用,湖州人。獻能從第,鎮南軍節度副使,兼右警巡使。車駕東巡,死於蔡州之難,同年華陰王元禮購其集。

元德明　東巖詩集三卷　秀容人。好問之父,累舉不第。

元好問　遺山文集四十卷　又　遺山詩集二十卷　又　遺山長短句□卷　字裕之,太原人。興定五年進士,行尚書省左司員外郎。

劉祁　神川遯士集二十二卷

李俊民　莊靖先生集十卷

曹珏　卷瀾集二卷　字子玉,滏陽人。徙居方城,以教授爲業,自號嚚嚚老人。

曹望之詩集二十卷　臨潼人,户部尚書。

李愈　狂愚集二十卷　正平人。河平軍節度使。

張鉉　韋齋集　河中人。大德中進士,同知定國軍節度使,刻意於詩,五言尤工。

宗經　雲巖文集　稷山人。舉進士。

段克己　段成己　二妙集八卷　河東人。克己字復之,進士。成己字誠之,亦舉進士,官宜陽簿。

郝太古詩集

譚處端　水雲集　俱金羽士。

元

耶律楚材　湛然居士集三十五卷　缺七卷至十二卷,又缺二十二卷二十三卷。　又　湛然居士文集十四卷　中書省都事宗仲亨輯。

耶律鑄　雙溪醉隱集□□□卷

耶律希亮　愫軒集三十卷　鑄子,楚材孫,官翰林學士承旨,知制誥,兼修國史,皆塞外從軍紀行之作。

楊奐　還山集六十卷　又　紫陽遺稿二卷　明宋廷佐輯。

劉秉忠　藏春詩集六卷　商挺編。　又　文集十卷　又　詩集二十二卷

郝經　陵川文集三十九卷　附録一卷

張弘範　淮陽獻武王詩集一卷

許衡　魯齋遺書六卷　又　重輯魯齊遺書十四卷　明懷慶推官涇陽怡愉重輯。　又　文正公大全集三十卷

王鶚　應物集四十卷　字百一,東明人。金正大元年狀元及第,入元,翰林學士承旨。

高鳴　河東文集五十卷　號河東先生,本太原人,徙相州。累官吏部尚書,進封魏國公。

李冶　敬齋文集四十卷

徐世隆　瀛州集一百卷

閻復　静軒集五十卷

楊恭懿　潛齋集

楊果　西庵集

魏初　青崖集十卷　宏州順聖人,世祖時南臺御史中丞,謚忠肅。

李之紹　果齋文集　平陰人。翰林侍講學士。

張立道　效古集　又　平蜀總論

王惲　秋澗大全集一百卷

陳祐　節齋集　一名天祐,趙州寧晉人。浙東道宣慰使。

何榮祖　大畜集　又　載道集

申屠致遠　忍齋行稿四十卷

胡祇遹　紫山先生大全集六十七卷

劉因　丁亥集五卷　又　静修文集三十卷

吳澄　支言集一百卷　又　吳文正公文集五十二卷　又　吳
草廬輯粹七卷　<small>明吳訥輯。</small>

程鉅夫　雪樓集三十卷　<small>本名文海,避武宗諱,以字行,建昌人。官翰林學士
承旨,追封楚國公,謚文憲。</small>

姚燧　牧庵文集五十卷　<small>一作三十卷。</small>

盧摯　疏齋文集□□卷

楊宏道　小亨集十卷　<small>淄川人,字叔能,金末補父蔭,與元好問、劉祈並以詩
名,避地襄漢,宋人授以唐州司户,兼文學,復棄去,延祐三年,謚文節。</small>

康曄　澹軒文集　<small>字輯之,高唐州人。金至大詞賦甲科,入元,嚴實聘爲詞林
祭酒。</small>

趙孟頫　松雪齋集十卷　又　別集一卷

任士林　松鄉文集十卷　<small>字叔寔,奉化人。</small>

戴表元　剡源文集三十卷　<small>字帥初,一字曾伯,慶元奉化人。一作二十八卷。</small>

牟巘　陵陽先生集三十四卷　<small>字獻之,陵陽人,居吳興。</small>

周密　弁山詩集五卷　又　蠟屐集一卷　<small>字公謹,錢塘人。宋寶祐間
爲義烏令,入元不仕。</small>

白珽　湛淵文集二十卷　又　詩集二十卷　<small>字廷玉,錢塘人。官江浙
儒學副使提舉,號棲霞山人。</small>

仇遠　山村集□卷　<small>字仁近,錢塘人。元初爲溧陽州儒學教授。</small>

金履祥　仁山文稿

許謙　白雲先生集四卷　又　許文懿古詩一卷

史伯璿　牆巖史先生遺稿

程端禮　畏齋集十卷　<small>字敬叔,慶元人。官將仕佐郎,台州路儒學教授。</small>

胡炳文　雲峰集十卷　<small>字仲虎,婺源人。蘭谿州學正,一作二十卷。</small>

陳櫟　陳定宇先生集　<small>字壽翁,休寧人。自稱東阜老人,延祐間鄉舉,不赴春
官,以布衣終。</small>

曹涇　書文韻儷稿五卷　<small>字清甫,新安人。馬端臨之師,端臨之學皆本於涇。</small>

吳龍翰　古梅詩稿十六卷，又　詩集六卷　字式賢，新安人。咸淳甲子鄉貢，爲書院山長。

程時登　述述稿三十卷　字登庸，江西樂平人。咸淳甲子鄉貢，入元不仕。

汪炎昶　詩集五卷　字懋遠，婺源人。隱居不仕，人稱古逸先生。

劉長翁　須溪集一百卷　又　四景集四卷　又　須溪記鈔八卷　字會孟，廬陵人。

趙文　青山稿三十一卷　字儀可，廬陵人。常入文天祥幕，參決軍務，入元不仕。

劉壎　水村先生文集二十八卷　又　水村詩集十卷

熊朋來　豫章家集三十卷

劉詵　桂隱文集四卷　又　桂隱詩集四卷

王義山　稼村類稿三十卷　又別本十卷　字元高，豐城人。宋景定進士，永州戶曹參軍，入元提舉江西學事。

姚雲　江村近稿十三卷　初名雲文，字聖瑞，高安人。宋進士，仕元爲撫建兩路儒學提舉。雲尤攻詩，人比之秦淮海。

何中　知非堂集六卷　一作十七卷。

羅公昇　滄洲詩集一卷　字時翁，永豐人。祖聞禮，同文天祥起義，不屈死。公昇初以軍功授本邑尉，入元不仕。

鄒次陳　遺安集十八卷　字用弼，宜黃人。宋末中博學宏詞科，入元不仕。

劉躍　淵泉集二卷　字起宗，安城人。居廬陵中洲，自號中洲釣者，元屢聘不出。吳勤以其學有源本，名其集曰淵泉。

黃仲元　四如先生集五卷　字淵叟，莆田人。宋國子監監簿，入元不仕。

敖繼公　文集二十卷　字君善，福州人。家烏程，趙孟頫常師之，元平章高顯卿嘗薦之於朝，授信州教授，命下而卒。

毛直方　聊復軒稿二十卷　又　冶靈稿四卷　字靜可，建安人。宋咸淳中鄉薦，入元不仕。

劉邊　自家意思集四卷　字延道，建安人。與熊禾善。

陳普　石堂先生遺集二十二卷　寧德人。一名尚德，號懼齋，隱居不仕。

其學以六籍四子爲本，旁及天文、律呂、地志、算數之類，皆有撰著。

韓性同　遺書二卷　　寧德人，陳普弟子。

陳仁子　牧萊脞語二十卷　又　二集八卷　　字同俌，號古迂，長沙人。
不仕元，營東山書院以老，余德肅龍友序。

丁易東　梅花詩　　龍陽人，宋進士，入元不仕。

陳巖　九華詩集四卷　又　鳳髓集　　集杜詩，字清隱，青陽人，隱居不仕。

曹仲野　詩文講義二卷　　新安人。

洪焱祖　杏庭摘稿十卷　　一作五十卷。

倪士毅　道川集　　字仲宏，休寧人。陳櫟弟子。

汪漢卿　養浩集二十卷　　字景長，黟縣人。宋知青陽縣，仕元國子監丞。

史蒙卿　靜□集　　號果齋，明州人。寓居臨海。

胡三省　竹素園稿一百卷　　字身之，寧海人，宋寶祐進士，常注司馬溫公《通鑑》。

胡長孺　瓦缶編　又　南昌集　又　寧海漫鈔　又　顏樂齋稿　又　石塘文集五十卷　　字吉仲，永康人。官寧海縣簿。

張樞　敞帚編

張伯淳　養蒙先生文集　　字師道，嘉興人。以趙孟頫薦爲翰林直學士。

陳孚　觀光玉堂交州三稿三卷　附錄一卷

梁曾　梁學士詩集

滕玉霄文□卷

劉敏中　中庵集二十五卷　　章丘人。翰林學士承旨，謚文簡。

王約　潛邱集三十卷　　字彥博，真定人。集賢大學士，商議中書省事。

王結　詩文集十五卷　　字儀伯，定興人。翰林學士，知制誥，同修國史。

宋衜　秬山集十卷　　字次道，長子人。太子賓客。

張巠　文集

蕭斟　勤齋文集十五卷

同恕　矩庵同先生文集二十卷　　官贊善。

安熙　默庵集五卷　一作十卷,門人蘇天爵編。

杜英　中山文集十卷

杜秉彝　文集四十卷　瑛曾孫,累官中書左丞、集賢大學士,與修《宋史》。

商琥　彝齋文集

馮子振　梅花百詠一卷　號海粟,寧鄉人。仕爲翰林待制。

鄧文原　巴西集　又　內制集

袁桷　清容居士集五十卷　又　致亭集三十七卷

曹元用　超然集四十卷　汶上人。翰林學士。

曹伯啓　漢泉漫稿十卷　又　續稿三卷　碭山人。集賢學士。

張養浩　文忠公歸田類稿二十八卷　附錄一卷

敬儼　詩文集

王旭　蘭軒文集二十卷　字景和,郇城人。

滕安上　東庵稿十六卷　字仲禮,元貞間官國子司業。

王士元　拙庵集　山西平陽人。崇文少監。

王泰亨　康莊文集　平陽人。成宗時給事東宮中書,平章政事,封晉國公,謚清獻。

張之翰　西巖文集□卷　元貞間邯鄲人。

元明善　清河集三十九卷

張起巖　華峰漫稿　又　華峰類稿　又　金陵集

陳景仁　愛山詩稿□卷　至大間嘉禾人。

劉岳　東崖稿□卷　字岷泰,吳人。世祖以醫召入,知其能文,改官翰林學士,後歷建德路總管。

張慶之　海峰文編三卷　字子善,吳人。

龔璛　存悔齋詩一卷　字子敬,真州人。宋司農卿之子,官浙江儒學副提舉。

陳深寧　極齋集一卷　又　東游小稿　字子微,吳人。元天曆間以能書召,匿不出,自號清全齋。

周自得　斐然稿　字性善,新喻人。舉《春秋》第一,揭傒斯序。

卞南仲　溪居集　又　江行集　字應午，長興人。官溧陽州判，遂家於溧。

元淮　水鏡元公金淵集一卷　崇仁人。先爲宋保義郎，後歸元，授武德將
軍，同知溧陽州總管府事。

宋无　翠寒集八卷　又　唅噫集一卷　字子虛，吳人。生宋景定間，入
元科舉廢，遂工於詩，尤善詠史，嘗舉茂異不就。

鄭滁孫文集

聞人夢吉詩二卷　字應之，婺源人。泰定丙午鄉舉，慶元路總管府知事，學者私
謚曰凝熙先生。

劉應龜　山南先生集二十卷　字元益，義烏人，杭州路學正，所著集爲《夢
稿》、《癡稿》、《聽雨留稿》。

韓性　五雲漫稿十二卷　字明善，會稽人。賜謚莊節。

馮翼翁　文集二十卷

胡助　純白類稿三十卷　字履信，一字古愚，東陽人。國史編修。

鄭覺民　求我齋集三十三卷　字以道，鄞人。與程端禮齊名，官處州教授。

黃叔英　戀庵下筆二卷　又　詩文二十卷　字彥實，慈谿人，宋進士，
元山長。

王厚孫　遂初稿三十卷　字叔載，鄞人。王應麟孫，福建路儒學副提舉。

顧淵　守齋類稿三十卷　字德輝，鄞人。

趙偕　寶雲堂文藝二卷　又　寶峯先生遺集□卷　字子永，慈
谿人。

翁森　一瓢稿　字秀卿，仙居人。隱居教授，從游者多至八百人。

吳鎮　梅道人墨菜詩一卷　字仲圭，嘉興人。

洪淵　環中集十卷　豐城人。宋鄉貢進士，入元，不以教授致仕，給半俸終身，
自號泳齋翁。

龍仁夫　文集　字觀復，號麟洲，永新人。

龍雲從　魚軒集　字子高，廬陵人。

羅志仁　薊門行卷　又　姑蘇筆記　又　古香編　又　倦游
集　字壽可，號壺秋，新喻人。舉元鄉薦，授天山書院山長，劉會孟稱其小詞，人不

能及。

真山民 詩集一卷 <small>浦城人。真德秀裔，入元隱居，自晦其名，稱山民。</small>

虞集 道園學古錄五十卷 **又** 道園類稿五十二卷 **又** 道園遺稿六卷 **又** 虞伯生詩續稿三卷

揭傒斯 揭文安公集五十卷 <small>全集今佚不完，楊士奇《文籍志》云缺十三卷。</small> **又** 揭文一卷 **又** 詩三卷 **又** 文粹一卷 **又** 文續錄二卷

楊載 楊仲弘詩集八卷 **又** 集古詩二卷 <small>浦城人。徙居杭州，延祐中舉進士，歷寧國路推官。</small>

范梈 范德機詩七卷 <small>字亨父，清江人。累官翰林應奉、福建廉訪司知事。</small>

黃溍 日損齋稿二十三卷 **又** 黃文獻公集四十三卷 <small>前集二十三卷，後集十八卷，續集三卷，門人宋濂定。</small> **又** 集十卷

柳貫 文集四十卷 **又** 集三十卷 **又** 待制文集二十卷 **又** 別集二十卷

歐陽原功 圭齋文集十五卷 附錄一卷

許熙載 東園小稿 <small>字獻臣，許有壬父，爲會福院照磨，見《彰德志》。</small>

高克恭 文簡公集七卷 <small>字彥敬，本西域人，後家房山。仕元官刑部尚書，善畫，世所稱高房山也。《內閣書目》云："名亨，一名士亨。"</small>

小雲石海牙 酸齋文集

孛术魯翀 文集六十卷

烏古孫良楨 約齋詩文奏議

馬祖常 石田文集十五卷

贍思文集三十卷 <small>字得之，其先大食國人，後居真定。官秘書少監。</small>

也先忽都 詩集十卷 <small>賀太平子。</small>

廼賢 金臺集二卷 **又** 海雲清嘯集□卷 <small>字易之，本回鶻人，後家於四明。集危素所編定。</small> **又** 金臺後集一卷

薩天錫 詩集二卷 **又** 雁門集六卷 <small>雁門人。登泰定初進士，官京口錄事，南御史臺辟爲掾，奏爲燕南架閣官，進閩海廉訪司知事，又擢爲河東廉訪司</small>

經歷。

許有壬　至正集八十一卷　又　圭塘小稿十卷　又　別稿二
卷　又　外稿二卷　又　續稿一卷

宋本　至治集四十卷

宋褧　燕石集十五卷　附録一卷

王守誠文集　　陽曲人。河南行省右丞，賜諡文昭。

李洞文集四十卷　　字溉之，勝州人。姚燧薦其有文名，累官翰林學士。

王元明　達意集十卷　　蜀人。

王都中　本齋詩集三卷

呂思誠文集

曹鑑文集　　字克明，宛平人。禮部尚書，諡文穆。

武恪　水雲集　　字伯威，宣德府人。明宗在潛邸，選爲侍書。

蒲道源　順齋閒居叢稿二十六卷

貢奎　雲林小稿六卷　　字仲章，宣城人。官直賢集學士。奎他所著有《聽雪齋
記》、《青山漫吟》、《倦游集》、《豫章稿》、《上元新録》、《南湖記行》，皆逸不傳。

柯九思　柯敬仲詩一卷

鮮于樞　困學齋集□卷

楊剛中　霜月齋集四十卷　　字志行，建康上元人。官翰林院待制。

楊融翮　佩玉齋集十卷　　字文舉，上元人。剛中族，官浙江儒學提舉。

吳師道　吳禮部集二十卷

陸文圭　牆東類稿二十卷

梁益　三山稿

孟夢恂　筆海雜録五十卷　　字長文，宜興州判官，台州黃巖人。

宇文公諒　折桂集　又　觀光集　又　辟水集　又　以齋行
稿　又　玉堂漫稿　又　越中行稿

朱德潤　存復齋集十卷　　字澤民，吳人。

吾衍　竹素山房集二卷

葉森　瓦釜鳴集三卷　字景瞻,錢塘人。吾衍門人。

莫惟賢　廣莫子稿　字景行,錢塘人。

俞漢　象川集十卷　字仲雲,諸暨人。辟儒學教官,不就。

岑安卿　栲栲山人集一卷　字靜能,餘姚人。宋景濂稱其唾涕富貴,以布衣傳其詩文。

黃庚　月屋樵吟四卷　字星甫,天台人。

程珦　柳軒逸稿十卷　字晉甫,烏程人。泰定三年進士,婺源縣尹。

薛聞孫　甬東野人語四卷　鄞縣人,官宣教郎。

薛觀　學箕集三卷　一名孟,字景荀,鄞人。元至治癸亥鄉舉,知丹陽事。

薛明道　瑞堂稿七卷　官提舉,鄞人。

邱世良　梯雲集六卷　字子正,錢塘人。慶元路總管府治中。

范霖　歲寒小稿一卷　緜雲人。家於吳。

袁士元　書林外集七卷　字彦章,鄞人。翰林院檢閱官,明袁忠徹其裔孫,忠徹正統四年春以私家所藏先世集,命中書舍人代錄,坐是下獄,即士元是集。

沈貞　茶山集十卷　字元吉,長興人。隱居不仕,號茶山老人。

洪宸老　觀光集一卷　字復翁,淳安人。延祐初以詩經領鄉薦,官州學正。

吳噭　青城集二十卷　字朝陽,淳安人。泰定間進士,鎮平縣尹。

李序　絪縕集　字仲修,東陽人。詩學李長吉。

李庸　詩義五卷　又　宮詞一卷　字仲常,序第,舉明經,官杭州路錄事。

于石　巖詩選四卷　字介翁,蘭谿人。

周權　此山集四卷　一作十卷,字衡之,松陽人。歐陽原功薦爲館職,以母老辭。

應恂　純樸翁稿　字子孚,永康人。

方誼　虎林高隱集五卷　附錄一卷　錢塘人,自名其齋曰謹嚴,附錄者皆同時人,詩文末有《鑑湖集》一卷,則其裔孫明人方質學文著作。

陳樸　味道編　又雲軒集　奉化人。陳樫兄,家於吳。

唐元　詩文五十卷　字長孺,歙人。徽州府儒學教授,別號筠軒先生。

汪可孫　雲窗法語一卷　績溪人,號虛夷子,隱居力學,工文章。

方瀾　詩一卷　字叔淵,本莆田人,居於吳。

王元杰　水雲清嘯集　詩。　又　貞白英華集　文。字子英,吳江人。
至正中領鄉薦,值兵亂,遂不仕,隱居教授,集巑巑子山序。

衞培　過耳集十卷　字寧深,吳人。延祐七年,鄉居賦《龍虎臺賦》,文不起草,
後聘爲州訓導。

師餘　縷裂集一卷　字學翁,本眉州人,居於吳。

陳鐸　莊游集八卷　字子振,吳人。趙文敏序其集。

鄭潛　樗庵類稿二卷　字彥昭,歙人。明鄭居貞父。

黎仲基　瓜園集十卷　名載,以字行,臨川人。元天曆中太平路儒學教授,洪
武初徵之不起。

曾德裕　小軒初稿　字益初,永豐人。大德中官翰林學士,兼領吏部考功郎。

曾異申　明時類稿　德裕弟,應茂才異等,官翰林文字,兼國史院編修官。明時
者,元京師坊名,異申所居也。明狀元曾棨是其曾孫。　又　超然集二卷

朱隱老　瀅峰精舍文集□卷　字子方,豐城人。明初大學士朱善父。少好
學,師姚江村,一踐場屋不中,遂棄去,倡道學于荷山之陽,四方學者多從之。

吳景南　南窗吟稿四卷　吳溥曾祖,元時不仕,楊士奇序其集。

劉霖　雲章集　安福人。

孫轍　澹軒詩　臨川人。

黃河清　黃叔美詩一卷　旴江人。

葛元喆　遺稿十卷　金溪人。舉進士,官福建行省經歷,人稱文貞先生,明崔
亮、蘇伯衡咸師之。

周應極　拙齋集二十卷　字南翁,鄱陽人。周伯琦父,官溫州府同知。

吳存　月灣谿詩稿　字仲退,鄱陽人。延祐元年鄉試第一,爲本縣主簿。

黃異　節庵集三十卷　字民同,都昌人。後至元進士,南安路道源書院山長,
一云星子人。

丁儼　小溪集四卷　又　小溪集寓興十卷　字主敬,新建人。吳草廬
門人,爲龍興路酒務大使。

劉應登　耘廬集　安福人。與兄應鳳,皆不仕元。

黃堅　　逝世遺音一卷　字子貞，豐城人。明初吏部尚書黃宗載父。

龔道原　雲山夜話集　字士元，新建人。號碧梧先生。

楊顯夫　水北山房集　南昌人。

蕭士贇　冰崖詩集

王大中　王文忠公文集十五卷　至治間人。

王立中　息庵寓齋稊隱三集二十卷　字彥强，閬州人。居於吳，官松江知府。

支渭興　龍溪詩集　四川長寧人。至順初進士，官四川行省參政。

朱文霆　葵山文集　莆田人。至順壬申進士，官泉州路總管，宋濂序其集。

林善同　泉山文集二卷　莆田人。

朱希顏　瓢泉吟稿四卷　後至元間人。

衛宗武　秋聲集十卷　雲間人。

李京　鳩巢集　河間人。烏撒烏蠻道宣慰副使。

張昌　寓道集十卷

王仁輔　文稿十卷　字文友，鞏昌人。居常州。

虞薦發　薇山文集二十卷　丹陽人，居常州。爲縣教諭，自號薇山老人。

顧觀　容齋集二卷　字利賓，金壇人，星子縣尉，一作丹陽人，劉彥昺極賞其詩。

高皓孫　屠龍集十卷　字商叟，號方山，丹徒人。爲郡學録。

楊如山　詩集十卷　字少游，本蜀人，爲淮海書院山長，遂家京口。

張敏　月山集九卷　富平人。泰定四年進士，歷官陝西行省，左司郎中，明吏部尚書張紞父。

趙若　澗邊集二十卷　字順之，崇安隱士。

劉炳　詩一卷　字元亮，樂安人。詩效韋、柳，嘗被徵爲端本堂説書，不就。

楊士弘　鑑池春艸集□卷　字伯謙，本襄城人，寓居清江，所選唐音最著。

林全　小孤山人集二卷

洪希文　續軒渠集二卷　莆田人。父名巖虎，宋咸淳丁卯貢士，號吾圃翁，有集曰《軒渠》，故希文自名其集曰《續》，明筆峯王鳳靈選訂。

柯犦　竹圃夢語二卷　<small>莆田人。</small>

黄清老　樵水集　<small>字子肅，邵武人。泰定四年進士，湖廣儒學提舉。</small>

黄鎮成　秋聲集四卷

鄭杓　次夾漈餘聲樂府　<small>字子經，閩興化人。泰定中爲南安儒學教諭。</small>

鄭有定　詩集八卷　又　泮宮歎一卷　<small>莆田處士。</small>

嚴士貞　桃溪百詠一卷　又　江漢百詠集　<small>字正卿，號寄庵，崇陽人。</small>

胡天游　傲軒集一卷　<small>平江人，隱士。</small>

柴潛道　秋巖小稿　<small>襄陵人，隱居不仕，人稱秋巖莊靖先生，詩爲集句。</small>

壺發　樵雪集　<small>字怡樂，號天爵居士，烏程人。隱居工詩，明章溢嘗從之學。</small>

朱名世　鯨背吟一卷　<small>字希顔，吳人。以武弁領海運，集皆航海之作。</small>

謝宗可　詠物詩一卷　<small>臨川人，一云金陵人。</small>

蘇天爵　滋谿文稿三十卷　又　詩稿七卷

王士熙　江亭集□□卷

張延　張公文集十卷　<small>稿城人。真定路教授，見《真定志》。</small>

潘昂霄　蒼崖類稿　又　蒼崖漫稿　<small>濟南人。官翰林侍讀學士。</small>

安思承　竹齋詩集　<small>磁州人。山東道肅政廉訪使，贈樞密副使、武威郡公，謚貞肅。</small>

陳旅　安雅堂集十三卷　<small>字衆仲，莆田人。官國子監丞。</small>

程文　黟南生集三十八卷　又　師意集　又　蚊雷小稿四卷　<small>字以文，婺源人。以纂修《經世大典》授官，終禮部員外郎。</small>

李孝光　雁峰文集二十卷　<small>樂清人。至正中徵授秘書監丞。</small>

杜本　清江碧嶂集一卷

劉岳申　中齋文集十五卷　<small>字高仲，吉水人。遼陽儒學副提舉，以泰和州州判致仕。</small>

林希元　長林存稿□卷　<small>台州人。上虞縣尹。</small>

盧琦　圭齋集二卷

林泉生　覺是集二十卷　<small>字清源，福州永福人。天曆二年進士，翰林直學士，</small>

知制誥，同修國史。

蔣易　鶴田集二十卷

吳萊文集六十卷　又　宋濂訂　淵穎集十二卷　附錄一卷

李士瞻　經濟文集六卷　東安人。翰林學士承旨，楚國公。

李延興　一山文集九卷　字繼本，士瞻子，至正丁酉進士，官太常奉禮，兼翰
林院檢討，入明不仕，郡邑聘爲教官。

張翥　蛻庵集四卷　北山釋大訢輯。

吳當　學言稿　吳澄孫。

傅若金　傅與礪文集十二卷　附錄一卷　又　傅與礪詩集九卷　新喻人。

俞希魯　聽雨軒集二十二卷　一作十一卷，京口人。

成原常　居竹軒集四卷

俞遠　豆亭集　字之近，常州人。希魯子。

張端　溝南集□□卷　字希尹，江陰人。海鹽州判官。

項璁　山中言志前、後、續集共八卷　字彥高，龍泉人。與石抹宜孫、劉基
相倡和。

徐夢吉　琴餘雜言　龍游人。常熟儒學教官。

徐夢高　菊存稿一卷　字明叟，淳安人。官衢州教授。

何景福　鐵牛翁詩集一卷　字介夫，淳安人。隱居不仕。

戴羽　詩一卷　德安人。徵士。

楊和　灤京百詠一卷　號西雲，翰林供奉，一云名和吉，金幼孜序。

陳廷言　詒笑集二卷　又　江湖詩品二卷　進士，官集賢侍講。

吳景奎　藥房樵唱三卷　字文可，蘭谿人。明吳履父。

陳樵　鹿皮子集四卷　字君采，金華人。常衣鹿皮，因以自號，元季不仕，隱太
霞洞著書。

周聞孫　鼇溪文集三卷　字以立，吉水人。至正辛巳舉於鄉，爲鼇溪書院
山長。

丁復　檜亭詩稿九卷　字仲容，天台人。寓居建康，臨川饒介婦翁，集有上元

李桓序。

周潤祖　柴巖稿　臨海人，至正中徵士。

秦輔之　忠孝百咏　嘉定人。

郭鏜　梅西集　字德基，福建長樂人。後至元中舉遺逸，爲興化路教授。

需庵馬先生集□卷　至元間人，稱清泉馬需庵，失其名。

吳志大　詩一卷

董嗣杲　廬山集□卷　又　西湖百咏集　字德明，杭州人。別號静傳，後爲僧，改名思學，字無益。

陳深源　片雲小稿一卷

郭鎬　遺安集十一卷

張植　瀘濱集五卷　一作《瀘濱性情集》。

吳炳　待制集一卷

王彦高　集十卷

徐文俊　從好集□卷

劉德玄　亦玄集□卷

王毅　訥齋文集四卷

王時潛　石梁文集□卷

徐霽野　幽放集□卷

李顯卿　寓庵文集□卷

陳顯曾　師雨軒稿□卷

吕濬　金臺稿□卷

袁易通父　静春堂詩□卷　字通甫，吳人。爲石洞書院山長，與龔子敬、郭祥卿、趙子昂稱爲"吳中三君子"。

陳傑　自堂存稿四卷

艾性夫　孤山晚稿□卷　吳騫批：艾性夫稿以下，皆不得爵里及其名或字。至周博士止。陳自堂至周博士未見。

朱松亭　詩集□卷

吳仲孚　詩□卷

鄧大隱　居士詩□卷

郭野庵　詩稿□卷

杜東洲　吟稿□卷

王漢章　輞川集□卷

王兼善　四時比興

馬紹　詩文　<small>金鄉人。河南行中書省右丞。</small>

可齋陳先生文集二十卷

周博士集□卷　<small>以上皆不得爵里及名氏者。</small>

余闕　青陽集六卷　附錄二卷

黃㬎　黃殷士詩□卷

鄭玉　餘力稿五卷　又　遺文六卷　又　師山集八卷　附錄一卷　又　濟美錄四卷　<small>字子美，歙人。鄭潛子。至正十四年徵爲翰林待制，道阻歸。明兵至，強起之，自縊卒。</small>

汪澤民　巢深燕山宛陵三稿　<small>字叔志，宣城人。延祐五年進士，官吏部尚書，追封譙郡公，諡文節。</small>

陳泰　所安遺集一卷　<small>字忠同，茶陵州人。延祐元年鄉舉，翰林供奉，出補龍南令。</small>

劉耕孫　平野先生集　<small>茶陵人。仕元爲寧國路推官，死鎮南班之難，劉三吾兄。</small>

陳方　子貞詩集一卷　<small>京口人。居於吳，死張士誠之難，吳人刻其詩以傳。</small>

潘省中　潘先生集　<small>黃巖人。</small>

吳訥　吳萬戶詩集五卷　<small>字克敏，休寧人。少好兵法，鄭玉、楊維楨言其才於浙省，授建德路判官，兼義兵萬戶，與明兵戰敗，不屈自裁。</small>

王翰　友石山人遺稿一卷　<small>字用文，其先靈武人，居廬州，爲潮州路總管，明既有天下，翰辟地於福州永福，爲黃冠，太祖召之，乃屬其子稱於友人吳海，自引決。</small>

吳海　聞過齋集四卷　<small>字朝宗，一字魯客，閩縣人。元亡不仕，秦從龍薦之明太祖，不肯出。</small>

貢師泰　玩齋集十卷　<small>一作十二卷。</small>

周伯琦　近光集三卷　又　扈從紀行集一卷　字伯温,鄱陽人。官江南行御史臺侍御史,遷江浙行省左丞。

劉聞　太史集六卷　字文霆,安福人。至順元年進士,知沔陽州。楊文貞《文籍志》云:"天曆庚午進士。"按天曆庚午即至順元年。

孟昉　孟待制文集　字天暐,本西域人,居北平。官江南行臺御史,陳基爲其集序。

馬玉麟　東皋先生詩集五卷　字伯祥,海陵人。

方澄孫　烏山小稿□卷　莆田人。景定間知邵武軍。

錢維善　江月松風集四卷　字思復,錢塘人。至正辛巳舉於浙,官儒學副提舉。一作十二卷。

鄭元祐　僑吳集十二卷　字明德,遂昌人,從父居吳中,故老多折節與交。

陳高　不繫舟漁詩集十二卷　字子尚,永嘉人。至正十四年進士,爲慶元路錄事,方國珍亂,高浮海走察罕軍中,欲官之,不受,卒於懷慶,明裔孫順天府尹一元梓其詩行世。一作十六卷。

葉廣居　自得齋集

趙德光　松雲樵唱四卷　又　桃園舊稿二卷　又　筆鄉紀謬三卷　字子明,龍泉人。元季隱居不仕,石抹宜孫甚重之。

程從龍　梅軒詩集　字登雲,嘉魚人。隱士。

熊本　舊雨集五十卷　吳草廬弟子。

鄭東　鄭采　連璧集十四卷　東字季明,號泉齋,采字季亮,號曲全,温州平陽人。

陶九成　詩集四卷　又　滄浪櫂歌一卷

方樸　方壺集二卷

胡行簡　樗隱集　字居敬,新喻人。至正間進士,官國史院修撰。

王茂　東村野叟詩　字伯昌,曹州人。順帝朝進士,累官行省左丞,入明授刑部尚書,力辭不就,因安置安慶,復以老病放歸。

楊俊民　滹川文集　真定人,第進士,國子祭酒。

黃錫孫　穀山集　字禹疇,常熟人。

段信苴　征行集　<small>大理䕫人。從兀良哈台征交趾道里所作。</small>

張淵　心遠堂集　<small>字清夫，吳江人。</small>

呂肅　來鶴亭稿　既白軒稿　番禺稿　竹洲歸田稿　<small>字敬夫，初名誠，崑山人。</small>

傅若金妻孫惠蘭　綠窗遺稿一卷

鄭允端　蕭雍集一卷　<small>字正蕭，吳人。宋丞相鄭清之裔孫，同郡施伯仁婦。</small>

僧圓至　筠溪牧潛集七卷

僧姜住　谷響集四卷

僧元珙　石屋山居詩二卷

僧大訢　蒲室集十五卷

僧廷俊　泊川文集五卷　<small>字用章，樂平人。</small>

僧允中　雲麓文稿□卷

鄧牧　伯牙琴一卷　<small>字牧心，錢塘人。隱大滌山。</small>

馬臻　霞外詩集十卷

張雨　句曲外史詩集二卷　<small>字伯雨，吳郡人。年二十，棄家入道，一名嗣真，別號貞居，隱茅山。</small>

雷思齊　空山漫稿　<small>字齊賢，臨川人，玄教講師。</small>

朱本　初貞一稿　<small>臨川人，從吳全節宗師，居大都。敷祀名山，所至考求地里，作《輿地圖考》，集有虞邵庵、范德機、柳道傳序。</small>

亡名氏　看雲集三卷　<small>揭傒斯奉敕編，不詳何人。</small>

韓謌　五雲書屋稿六卷　<small>字致用，韓性從兄，御史王餘慶薦爲溫州路學正，後官建寧路錄事，兼防禦事。</small>

馬瑩　歲遷集四十卷　又　雜古文十二卷　<small>字仲珍，浙江建德人。</small>

王朝　王德輝先生文集十卷　<small>莆田人。</small>

唐懷德　存齋雜稿

張明卿　言志稿四卷　又　六藝編六卷

僧栯堂集

制　誥　類

元

虞廷碩　代制詔五卷　又　詔令四卷　字君輔，建安人。

蘇天爵　兩漢詔令□卷　天爵合林虙、劉昉二書爲一，而取洪咨夔《總論》冠於首。

表　奏　類

宋

張浚　張忠獻公中興備覽三卷

李蘩　桃溪先生免糴奏議三卷　淳熙間蘩以大府卿總領四川，奏乞罷和糴諸疏，末附魏了翁撰蘩墓銘。

趙汝騰　庸齋瑣闥集□卷　一册。　又　庸齋表箋□卷　一册。

胡銓　忠簡公奏議六卷　孫通判鄂州棍編。

虞允文　虞雍公奏議二十三卷

牟子才　牟清忠公奏議十卷　三册，元至順中程端學序。

王覿　王內翰奏議二卷

鄭僑　鄭魯公歷官表奏十卷

崔與之　崔清獻公奏議四卷

方逢辰　蛟峰奏劄一卷

遠齋遺文一卷　不知名氏，條上時政二十事。

樓山奏議六卷　宋端平間人，不知姓氏。

趙順孫　趙丞相奏稿□卷

金

完顏綱　類編陳言文字二十卷

元

王惲　烏臺筆補

馬祖常　章疏一卷

蘇天爵　松廳章疏五卷

卜天璋　中興濟治策二十篇　文宗天曆二年表上。

趙天麟　太平金鏡第八卷　東平人,世祖時以布衣進是策,論國事切於當時。

鄭介夫　太平策　字以吾,開化人。成宗時宿衛禁中,覽時政缺遺,疏《太平策》,
　凡一綱二十目,成宗嘉之,授雷陽教授,後官金溪丞。

吳明　定本萬言策　大同人,國子助教。

張明卿　政事書一卷

騷　賦　類

宋

吳仁杰　離騷草木蟲魚疏四卷

楊萬里　天問解一卷

高似孫　騷略三卷

謝翱　楚詞芳草圖譜一卷

祝君澤　古賦辨體十卷

曹勛　迎鑾賦

元

郝經　皇朝古賦一卷

馮子振　受命寶賦一卷

虞廷碩　古賦準繩十卷

元賦青雲梯三卷

古賦題十卷　又　後集六卷　皆不知撰人。

總　集　類

宋

呂祖謙　三蘇文選五十九卷

湯漢　妙絕古今四卷　字伯紀,鄱陽人。官端明殿學士,謚文清,別號東澗。

李文子　湛溪編近古文集三十卷

王柏　五先生文粹一卷

周應龍　文髓九卷　號碏州,舉紹定進士,標注韓、柳、歐、蘇五家文。

方頤孫　麗藻文章百段錦三卷　三山太學生。

陳鑑　西漢文鑑二十一卷　又　東漢文鑑十九卷　建安人。自稱
石壁野人。

陳仁子　文選補遺四十卷

謝枋得　文章軌範七卷

蘇門六君子文粹七十卷

類編層瀾文選十卷　又　後集二十卷　又　別集十卷

聖宋文選三十二卷　歐陽、司馬、范文正、王黃州、孫明復、荊公、余元度、子固、
石介、李邦直、唐子西、文潛、魯直、陳瑩中。

蔡文子　注三蘇文選十二卷

聖宋名賢五百家文粹一百十卷　一名《播芳集》。

魏天應　論學繩尺十卷　宋鄉貢進士,選宋南渡以來場屋得雋之文筆,峰林子
長注釋。

群公四六十卷

四六叢珠四十卷

事文類聚啓劄青錢十卷

王柏　魯齋石笋清風錄十卷

黃應綸　華川文派録六卷　<small>號鐵巖，義烏人。録唐宋邑人之文。</small>

計有功　唐詩紀事八十一卷　<small>臨邛進士，好學有至行。</small>

李龏　唐僧弘秀集十卷　<small>字□，吳郡人。寄貫寶祐四年進士。</small>

趙孟奎　分類唐歌詩一百卷

家求人　增廣蟲魚雜詠十八卷　<small>字直夫，眉山人。</small>

歲時雜詠四十卷

何元適　倪希程　時準四卷　又　詩翼四卷

方回　瀛奎律髓四十九卷

謝翱　手抄詩二十卷　又　天地間集五卷　<small>今僅存一卷。</small>

劉會孟　古今詩統六卷

吳渭　月泉吟社詩一卷　<small>號潛翁，浦陽人。</small>

何新之　詩林萬選十八卷　<small>衢州西安人。爲樞密院編修官，後知忠安軍，</small>
　<small>死節。</small>

金

元好問　唐詩鼓吹十卷　<small>元中書右丞郝天挺注。</small>　又　中州集十卷

房祺　河汾諸老詩集八卷

元

蘇天爵　國朝文類七十卷

虞集　邵庵先生文選心訣一卷

馮翼翁　文章旨要八卷

揭傒斯編集　吳氏天爵堂類編十卷　<small>集鄱陽吳氏歷代制誥及士大夫賦</small>
　<small>頌，一作《吳鑑》。</small>

吳弘道　中州啓牘四卷

柳貫　金石竹帛遺文十卷

韓謔　彙粹魏國家集十二卷　又　類編名人詩文八卷　又

　尺牘一卷　<small>謔，宋韓琦裔孫。</small>

金履祥　濂雒風雅七卷

鄭滁孫　義陽詩派□卷

仇遠　批評唐百家詩選

申屠致遠　杜詩纂例十卷

毛直方　詩宗群玉府三十卷　_{字静可，建安人。宋咸淳鄉舉，入元不仕。}

吳萊　楚漢正聲二卷

楊士宏　唐音九卷　_{一作十五卷。字伯謙，本襄陽人，家於清江。}

僧圓至　注周弼唐詩三體二十卷

杜本　谷音二卷

蔣易　皇元風雅三十卷

許有壬　許有孚　圭塘倡和集一卷

金弘　乾坤清氣　_{錢塘人，選元作者三十人詩。}

孫存吾　皇元朝野詩集五卷

馬瑩　唐五百家詩選五卷　又　南渡諸家詩選一卷

蔡正孫　詩林廣記前集十卷　後集十卷　_{至正中人。}

方道叡　選唐詩一卷

陳士元　武陽耆舊詩宗一卷　_{邵武人。}

西湖竹枝詞一卷　_{楊維楨等倡和。}

萬寶詩山三十八卷

古今大成詩選正宗二十卷

諸公大雅二帙

呂虛彝　瀛海紀言十七卷　_{字與之，奉化人，黃冠與吳澄、危素交，嘗築大瀛}
海道院，因集一時名人贈答之作。

金元七真詩文

文　史　類

宋

陳騤　文則十卷　_{天台人。}

陳謨　懷古録三卷

王應麟　詞學指南四卷

文選五臣同異一卷

吳玨　優古堂詩一卷

吳沆　環溪詩話三卷

朱弁　風月堂詩話二卷

趙與虤　娛書堂詩話一卷

韋居安　梅澗詩話二卷

范希文　對床夜話五卷　字景文，臨安人。

魏慶之　詩人玉屑二十卷　號菊莊。

詩律武庫二十卷

陳應行　吟窗雜録十卷

金

元好問　杜詩學一卷　又　東坡詩雅三卷　又　錦機一卷

　　又　詩文自警一卷

元

李塗　文章精義二卷　臨川人，官國子助教，益都于欽筆授。

王構　修詞鑑衡二卷　謚文定。

潘昂霄　金石例十卷　濟南人。集賢學士，謚文簡，舊以爲楊本著。本，鄱陽

　　人。蓋常校其書。

陳繹曾　古文矜式二卷　又　文説一卷　又　文筌八卷　又

　　詩譜一卷　字伯敷，處州人。國子助教。

吳師道　吳禮部詩話二卷

楊士弘　杜陵詩律一卷

范檸　詩林要語一卷　又　詩學禁臠一卷　又　木天禁語

　　三卷

傅與礪　詩法源流三卷

增廣文章精義一卷

名賢詩法三卷　不著撰人。每卷首行下署"前進士河東鹽運使金壇使潛校刊"，書甚猥陋，似坊肆人所爲。

箋　注　類

宋

蘇門六君子六粹七十卷

任淵　黃太史精華録八卷

湯漢　注陶靖節詩四卷

金

王繪　注太白詩　字質夫，濟南人。天會二年進士。

元

楊齊賢　蕭士贇　分類補注李太白詩集二十五卷

范梈　批選李太白詩四卷　又　杜子美詩六卷

張性　杜律衍義二卷　字伯成，臨川人。鄉貢進士，又嘗著《尚書補傳》，見曾昂夫所作《張先生傳》。

傅若川　杜詩類編三卷　類輯楊仲宏、揭曼碩、范德機所解杜詩。

曾巽申　韻編杜詩十卷　又　補注元遺山詩十卷

唐仲英　陸宣公文集菁華二卷

劉霖　杜詩類注

吳師道　注絳守居園池記一卷

羅椅　陸放翁詩選十卷　字子遠，號澗谷。

劉長翁　精選陸放翁詩八卷

釋慶閑　箋注范成大田園雜興記一卷　字無逸，吳人。

咏　史　類

元

徐見心　咏史詩　<small>蘭溪人，張樞爲序。</small>

陳普　咏史詩

制　舉　類

宋

段昌武　詩義指南一卷

永嘉先生八面鋒十三卷

元中軍論三卷

元

涂潛生　易義矜式　又　周易疑擬題三卷　<small>宜黄人。</small>

王充耘　書義矜式□卷

倪士毅　尚書作義要訣四卷

林泉生　詩義矜式十卷

歐陽起鳴　論範六卷

陸可淵　策準三卷

詞　曲　類

宋　<small>北宋不録。</small>

黃大隅　梅苑十卷　<small>字戴萬，蜀人。集北宋咏梅詞。</small>

黃昇　花庵絕妙詞選十卷　<small>北宋詞。</small>　又　中興絕妙詞選十卷　<small>南</small>

宋詞，一作易宋叔，賜號玉林。

張炎　樂府指迷二卷　字叔夏，張循王後裔，居臨安，自號樂笑翁。

趙鼎　得全居士詞一卷

張元幹　蘆川詞一卷　字仲宗，長樂人。紹興中坐送胡銓及寄李綱詞除名，別有《蘆川詩集》。

張輯東　澤綺語債二卷　字宗瑞，鄱陽人。

謝懋　静寄居士樂章二卷　字勉仲。

黄機　竹齋詩餘一卷　字幾仲，東陽人。

吳禮之　順受老人詞五卷　字子和，錢塘人。

李洪等　李氏花萼集五卷　洪及弟漳、泳、淦、浙所著詞，廬陵人。

嚴仁　清江欸乃一卷　字次山，邵武人。

郭應祥　笑笑詞一卷　字承禧，臨江人，嘉定間進士。

高觀國　竹屋癡語一卷　字賓王，山陰人。

史達祖　梅溪詞二卷　字邦卿，汴人。

趙以夫　虛齋樂府二卷　字用文，長樂人。端平中知漳州。

陳經國　龜峰詞一卷　閩三山人。

張榘　芸窗詞一卷　字方叔，潤州人。

洪瑹　空同詞一卷　字叔璵。

方千里　和清真詞一卷　三衢人。

盧炳　哄堂詞一卷　字叔陽。

沈端節　克齋詞一卷　字約之，吳興人。

吳文英　夢窗甲乙丙丁四稿四卷　字君特，四明人。

石孝友　金谷遺音一卷　字次仲，南昌人。乾道二年進士。

張掄　蓮社詞一卷　字才甫。

朱敦儒　樵歌三卷　字希真，一作希直，洛陽人。居嘉禾，官鴻臚少卿。

康與之　順安樂府五卷　字伯可，以詞受知宋高宗，官郎中。

魯覬海　野詞一卷　字純甫，汴人。官少保、醴泉觀使。

楊無咎　逃禪集二卷　字補之，清江人。高宗朝累徵不起。

侯寘　嬾窟詞一卷　字彥周，東武人。紹興中以直學士知建康府。

朱雍　梅詞三卷　紹興中人。

辛棄疾　稼軒長短句十二卷　歷城人，官樞密都承旨，贈少師，諡忠敏。

姚寬　西溪居士樂府一卷　字令威，剡州人。爲六部監門。

韓元吉　南澗詩餘一卷　字無咎，許昌人。官吏部尚書。

京鏜　松堂居士樂府一卷　字仲遠，豫章人。官右丞相，諡莊定。

李處全　晦庵詞一卷　字粹伯，淳熙中官侍御史。

趙彥端　介庵詞四卷　字德莊，乾道淳熙間以直寶文閣知建康府。

管鑑　養拙堂詞四卷　字明仲。

張鎡　玉照堂詞一卷　字功甫，西秦人。張循王俊孫，官奉議郎。

王千秋　審齋詞一卷　字錫老，東平人。

姜夔　白石詞五卷

楊炎　西樵語叢一卷　號止清翁，廬陵人。

孫惟信　花翁詞一卷　字季蕃。

陳德武　白雪遺音一卷　三山人。

林正大　風雅遺音四卷　一作二卷，字敬之，號隨庵，嘉泰中人。

程貴卿　梅屋詞一卷　字□□，宋進士，朱子門人。

趙長卿　惜香樂府十卷　南豐宗室，自號僊源居士。

陳允平　日湖漁唱二卷　字君衡，號西麓，明州人。淳熙中嘗爲餘姚令。

李廷忠　橘山樂府一卷

吳潛　履齋詩餘三卷

許棐　梅屋詞一卷

汪元量　董水雲詞一卷

王沂孫　碧山樂府二卷　字聖與，又字中仙，會稽人。一名《花外集》。

張炎　玉田詞二卷　又　中山白雲八卷

朱淑真　斷腸詞一卷

曲雅詞□卷　姚述克《蕭臺公餘詞》、倪偁《綺川詞》、邱窑《文定公詞》各一卷

金

孫鎮　注東坡樂府　字安常，隆州人。承安二年賜第，官陳令。

元好問　中州樂府一卷　又　遺山樂府二卷

韓玉　東浦詞一卷　字温甫，北平人，鳳翔府判官。

段成己　遁齋樂府一卷

段克己　菊莊樂府一卷

元

周密　絕妙好詞選八卷

鳳林書院詞選二卷　一名《續草堂詩餘》。

趙粹夫　陽春白雪集

楊朝瑛　朝野新聲太平樂府九卷　稱青城楊朝瑛。

鍾嗣成　錄鬼簿二卷

耶律鑄　雙溪醉隱樂府十一冊　分前、續、別、外、新五集。

劉秉忠　藏春詞一卷

劉因　樵庵詞一卷

仇遠　樂府補題一卷

蔣捷　竹山詞一卷　字勝欲，宜興人。

周密　草窗詞二卷　一名《蘋洲漁笛譜》。

虞集　道園樂府一卷

彭致中　鳴鶴餘音

張翥　蛻巖樂府三卷

袁易　靜春詞一卷　字通用，吳郡人。

沈禧　竹莊詞一卷　字廷錫，吳興人。

張埜　吉山樂府二卷　字埜夫，邯鄲人。

張養浩　雲莊休居自適小樂府一卷

喬吉　喬夢符小令一卷　號笙鶴翁，又號惺惺道人，太原人。

張可久　張小山小令二卷　　元時以路吏轉民務官。李中麓言樂府之有喬張，
猶詩家之有李杜。

汪元亨　小隱餘音一卷　又　雲林清賞一卷

陸輔之　詞旨一卷

南北宮詞十八卷　　《南詞》六卷，《北詞》六卷，《北詞別集》六卷。

南呂九宮譜十卷

補元史藝文志

〔清〕張繼才　撰

張祖偉　整理

上

　　昔司馬遷作《史記》，不列藝文，至班固《漢書》始為之志，於時六經載籍以及九流百家之書，咸著於篇，俾後世學者得藉以考鏡。此雖不越向、歆之成編，亦足補龍門之未備也。東漢、兩晉而降，迄乎梁、陳，斯志既多闕略。唐初修《隋書》，於經籍一類，志之獨詳，三長之士，要有取乎焉爾。後來史官若劉子玄之徒，頗不以班氏為然，詳《史通·書志》篇。是以新舊兩書，此志已不及隋之詳備，豈亦有監於子玄之説乎。《宋史》諸志，藝文尤為漏略，《遼》、《金》二史，竟爾闕如，固無論已。元自伯顏南下，圖籍盡載而北，維時朝廷又廣開遺書之路，凡以書來獻者，或命以官，或給以祿，佳本則識之玉章，掌諸近侍。儒生著述，皆由本路進呈，下翰林看詳，可傳者，令江浙行省或所在儒學刊行。是以元時載籍極博，而奎章、崇文之積，不下於歷朝。苟綜而錄之，奚翅倍蓰於《隋志》，乃脩《元史》者，并此一門而無之，不亦大可惜哉！同邑張茂才繼才，為碩儒待軒先生世孫，少孤，從舅氏周茝兮大令受學，大令愛其才，更以甥館處焉，由是業日益進，於書靡所不窺，嘗有志補輯《元史·藝文志》，予亦間發藏書以供其藝獵。繼才體素羸，旋得咯血疫，顧猶晨夕研討，兼事吟詠不輟，未幾遂歿，蓋此志甫脱稿云。嗟乎！使天假之年，則其所造詣又可量耶？大令為收集遺書，將俟其子長而付之，予偶從大令借讀，深歎其用力之宏而網羅之富，又惜其志之不得見於世也，爰為錄其副而藏諸篋衍。往者武林屬樊榭徵君嘗輯《遼史拾遺》，杭堇浦先生作《金史補闕》，於兩朝藝文均有著錄，

今繼才之書,實堪與相鼎跱,設有好事合而梓之,不特補三史之
闕遺,而作者之苦心,亦庶其少慰於九泉也夫。

　　乾隆乙巳仲冬日長至兔床吳騫序。

經　　類

易

趙秉文　周易蔡説十卷　象數雜記[①]

張特立　周易集説

紇石烈希元　大易集傳二十卷

雷思　易解

馮延登　學易記

呂豫　易説

單渢　三十家易解

王天鐸　易學集説

劉因　易繫説

袁從義　周易釋格

張氏 _{失名。}　易解十卷 _{見後。}

胡祇遹　易直解

李簡　學易記九卷

薛元　易解

郝經　周易外傳八十卷

許衡　讀易私言一卷

吳澄　易纂言十二卷 _{一作十卷。}　易叙録十二篇　外翼四卷

熊禾　周易講義

何基　周易發揮七卷　繫辭發揮二卷

俞琰　周易集説四十卷　易圖纂要二卷　讀易舉要四卷　易

---

① “記”，《補遼金元藝文志》作“説”。

古占法一卷　易外別傳一卷　經傳考正　讀易須知　大易會要一百三十卷 一作一百卷。 周易繫辭二卷　卦爻占象分類一卷　易圖合璧連珠説　周易參同契發揮三卷

齊履謙　周易本説六卷 一作四卷。 繫辭旨略二卷

潘迪　周易述解

徐畸　周易解微三卷

丘葵　易解義

熊凱　易傳集疏

龍仁夫　周易集傳十八卷

黃超然　周易通義二十卷　或問五卷　發例三卷　釋蒙五卷

鄭滁孫　大易法象通贊七卷　周易記玩　中天述考一卷　述衍一卷

黎立式　周易説約一卷

胡一桂　周易本義附錄纂疏十五卷 一作十四卷。 易學啓蒙通釋易學啓蒙翼傳四卷 一作三篇。

程時登　周易啓蒙輯錄

胡炳文　周易本義通釋十卷 一作八卷,一作十二卷。 周易啓蒙通釋二卷

程龍　三分易圖　易圖補一卷　筮法一卷

繆主一　易經精藴

饒宗魯　周易輯説　易經庸言

邵整　六十四卦圖説

丁易東　周易象義 一作《周易傳疏》。十一卷 一作十卷,一作十四卷。 大衍索隱三卷

趙采　周易折中三十三卷 一作二十三卷。

黃定子　易説

汪標　周易經傳通解

程直方　啓蒙翼傳　四聖一心　_{儒。}**學易堂隨筆**　_{一作《觀易堂隨筆》。}

何中　易類象三卷　_{一作二卷。}

胡震　周易衍義八卷

唐元　易傳義大意十卷

劉淵　易學須知　讀易記

李恕　周易旁注四卷

陳尚德　易説　易經解注

范大性　大易輯略

倪淵　周易集説二十卷　易圖説一卷　序例一篇　_{一作一卷。}

熊棟　易説

陳櫟　東阜老人百一易略一卷

吳鄲　周易注十卷　_{即張應珍。}

彭絲　庖易

王申子　大易輯説十卷

張清子　周易本義附錄集注十一卷　易傳

徐之祥　讀易蠡測

陳深　清令軒讀易編三卷

陶元　幹易

嚴養晦　先天圖義一卷

王愷　易心三卷

吳迁　易學啓蒙

倪公晦　周易管窺

傅立　易學纂言十八卷

王結　易説十卷　_{一作一卷。}

何榮祖　學易記

鄧文原　讀易類編

楊龍　易説綱要

王希旦　周易通解

張延　周易備忘十卷

曹説　易説

劉傳　易説

葉瑞　周易釋疑十卷

胡允　四道發明

鮑雲龍　筮草研幾一卷

包希魯　易九卦衍義

余苞舒　讀易偶記

程琪　易説

劉莊孫　易志十卷

楊剛中　易通微説

李學遜　大易精解

陳廷言　易義指歸四卷

彭復初　易學直指本源流

盛象翁　易學直指本源

程疇　易學啓蒙續編

侯克中　大易通義

謝仲直　易圖三一卷

張理　易象圖説六卷　內篇三卷,外篇三卷。　大易象數發源圖
　三卷

保八　易源奧義一卷　周易原旨六卷　周易尚占三卷　繫辭
　二卷

紇石烈希元　周易集傳　重。

贍思　奇偶陰陽消息圖一卷

陳樵　易象數解新説

李簡　學易記九卷　重。

康用文　易説發揮

袁桷　易説

任士林　中易

陳禧　周易略例補釋一卷

熊良輔　周易本義集成附録十三卷　一作二卷。

蕭漢中　讀考原三卷　一作四卷。

董真卿　周易纂注會通　一作《經傳程朱解附録纂注》。十四卷　歷代因革一卷

吳師道　讀易雜記　一作《易雜説》。二卷

潘弼　讀易管見四卷

涂溍生　易主意一卷

史公珽　蓬廬學易衍義　象數發揮

許天箃　易象圖説

吾衍　重正卦氣

惠希孟　易象鈎元數十卷

祝堯　大易衍義

魯直　周易注

蔣宗簡　周易集義

嚴用父　易説發揮二卷

解蒙　易經精蘊

解季龍　易義

韓信同　易經旁注

劉霖　易本義　童子説　太極圖解

李公凱　周易句解十卷

趙元輔編　大易數鈎深圖三卷

衛謙　讀易管闚三十卷

吳存　周易傳義折衷　一作《程朱易傳本意折衷》。

朱祖義　周易句解十卷

盧觀　易集圖

吳夢炎　補周易集義

危復之　易類象

黃舜祖　易說

胡持　周易直解

郭鏜　易說

黃鎮成　周易通義十卷

林光世　水材易鏡一卷

陳應潤　周易爻變易蘊四卷

陳宏　易童子問一卷　易象發揮　易孟通旨

石伯元　周易演說

趙良震　易經通旨

錢義方　周易圖說一卷

朱本　太極圖解

黃澤　易學濫觴　易經解　十易舉要　忘象解　象略　辨
　同論

呂洙　易圖說一卷

盛德瑞　易辨五卷

葉登龍　周易記

黃瑞節　易學啓蒙注四卷

朱隱老　易說

陳謙　周易解詁二卷　河圖說二卷　占法一卷

歐陽貞　易問辨二十卷

曾貫　周易變通

雷杭　周易注解

張志道　易傳三十卷

鄭玉　周易大傳附注　程朱易契

余闕　易説五十卷

鄧錡　大易圖説二十五卷

許復　周易衍義二十二卷

郭昺　東山易解一卷

陳訥　河圖易象本义一卷

陳子肩　易説一卷

雷思齊　易圖變通五卷　易筮變通三卷

張氏　<small>失名。</small>　易解十卷

夏氏　<small>失名。</small>　讀易十字樞

楊氏　<small>失名。</small>　玉井易説十卷

常氏　<small>失名。</small>　易學圖

范氏　<small>失名。</small>　竹溪易説

黃氏　<small>失名。</small>　春臺易圖

趙氏　<small>失名。</small>　讀易記

無名氏　大易忘筌

無名氏　易學變通

無名氏　易疑擬題

書

呂造　尚書要略

陳普　尚書補微　書傳補遺

胡士行　尚書詳解十三卷

尹洪　尚書章句訓解十卷

趙若燭　書經箋注觕通

趙嗣誠　尚書粗通

何逢原　尚書通旨

丘葵　書直解

王栢　書疑九卷　書經章句　尚書附傳四十卷　讀書記十卷

金履祥　尚書注十二卷　尚書表注二卷　尚書雜論一卷

熊禾　尚書集疏　書說　書說標題

黃景昌　尚書蔡氏正誤

王若虛　尚書義粹三卷

危復之　書傳補遺

趙孟頫　書古今文集注

吳澄　尚書纂言四卷

齊履謙　書傳詳說一卷

胡一桂　書說

程直方　蔡傳辨疑一卷

陳櫟　尚書集傳纂疏　一作纂注。六卷

劉莊孫　書傳上下篇二十卷

胡炳文　書集解

董鼎　尚書輯錄纂注六卷

何中　書傳補遺十卷

余芑舒　讀蔡傳疑一卷　書傳解一卷

嚴敞　書說

張仲實　尚書講義

程龍　書傳釋疑

許謙　讀書叢說六卷

俞元黶　尚書集傳十卷　或問二卷

吳萊　尚書標說六卷

元明善　尚書節文

王充耘　讀書管見二卷　書義主意　一作矜式。六卷

田澤　洪範洛書辨一卷

李天箎　書經疏

陳悦道　書義斷法六義

王天與　尚書纂傳四十六卷

王希旦　尚書通解

陳樵　洪範傳

陳尚德　書傳補遺

李恕　書旁注

韓信同　書經講義　一作集解。**五百餘篇**

吕椿　尚書直解

黄鎮成　尚書通考十卷

陳師凱　書蔡傳旁通六卷

倪士毅　尚書作義要訣四卷

吳師道　書雜説六卷

李公凱　纂集柯山尚書句解三卷

吳迁　書編大旨

吾衍　尚書要略

周聞孫　尚書一覽

葛大紀　禹貢要略一卷

王藥谷　書經旨略一卷

鄭琊　禹治水譜一卷

余日强　尚書補注

朱祖義　尚書句解十三卷

馬道貫　尚書疏義六卷

丘迪　尚書辨疑

王文　尚書制度圖纂三卷

韓性　書辨疑一卷

孟夢恂　七政疑解

何一中　定正洪範集説一卷

鄒季友　尚書集蔡傳音釋六卷

邵光祖　尚書集義六卷

方傳　書蔡氏傳考

陳研　尚書解

陳謨　書經會通

鄭翔　尚書注

方公權　尚書審定

黄艾　尚書講義

鄭彦明　尚書説

方通　尚書義解

黄力行　書傳

趙杞　尚書辨疑一卷

季仁壽　春谷讀書記

張性　尚書補傳

陳剛　禹貢洪範手抄

鄒近仁　禹貢集説

張國寶　書義元會四卷

胡誼　尚書釋義十卷

無名氏　尚書名數索至十卷

無名氏　書傳集成

無名氏　尚書原義

無名氏　書經補遺五卷

無名氏　書經講義十三册

無名氏　福極對義圖二卷

詩

安熙　詩傳精要

陳深　詩讀編

吳澄　詩纂言

陳普　詩講義一卷

陳煥　詩傳微

丘葵　詩口義

許謙　詩集傳名物鈔八卷

胡一桂　朱子詩傳纂疏附録八卷

吳萊　詩傳科條

劉莊孫　詩音指補二十卷

胡炳文　詩集解

程龍　詩傳釋疑

羅復　詩集傳音釋二十卷

雷光霆　詩義指南十七卷

陳櫟　詩經句解　一作《詩大旨》。　讀詩記

程直方　學詩筆記

吳迁　詩傳象説

劉瑾　詩傳通釋二十卷

俞琰　絲歌毛詩譜一卷

何逢源　毛詩通旨

趙德　詩辨説七卷

熊禾　毛詩集疏

李簡　詩學備忘二十四卷

韓性　詩音釋一卷

李恕　毛詩音訓四卷　毛詩詁訓四卷　毛詩旁注

朱近禮　詩傳疏釋

蔣宗簡　詩答

周聞孫　詩學舟楫

黃舜祖　詩國風小雅説

梁益　詩傳旁通十五卷　詩緒餘

貢師泰　詩經補注二十卷

夏泰亨　詩經音考

包希魯　詩小序解

吳師道　詩雜説二卷

朱公遷　朱子詩傳疏義二十卷

楊璲　詩傳名物類考二十卷

俞遠　詩學管見

黃景昌　古詩考

蘇天爵　讀詩疑問一卷

吳簡　詩義

楊舟　詩經發揮

盧觀　詩集説

朱倬　詩疑問七卷　末附《趙德詩辨疑》一卷。

曹居貞　詩義發揮

焦悦　詩講疑

顏達　詩經講説

蕭山　讀詩傳

林泉生　詩義矜式十二卷　一作十卷。

秦玉　詩經纂例

余希聲　詩説四卷

周鼎　詩經辨正

方道叡　詩記

李公凱　毛詩句解二十卷

錢氏 失名。　詩集傳

無名氏　逸齋補傳二十二卷

春　秋

郝經　春秋外傳八十一卷

敬鉉　春秋備忘十卷　續備忘遺說三十卷　大寧先生續明三
　傳例說略八卷　大寧先生續屏山杜氏遺說八卷

杜瑛　春秋地理源委十卷

吳澄　春秋纂言十五卷 一作十二卷。　春秋總例三卷

許謙　讀春秋溫故管闚　春秋三傳義疏

張樞　三傳歸一義三十卷　春秋三傳朱墨本

張復　春秋中的

牟楷　春秋建正辨

齊履謙　春秋諸國統記六卷

戴栩　春秋說

臧夢解　春秋發微一卷

袁楠　春秋說

丘葵　春秋通義

王申子　春秋類傳

吳師道　春秋胡傳附釋 一作補說。

黃澤　春秋旨要　三傳義例考　筆削本旨

戴良　春秋經傳考

楊維楨　春秋大義　左氏君子議　春秋透天關

趙汸　春秋集傳十五卷　屬辭十五卷　左氏補注十卷　師說
　三卷　春秋金鎖匙一卷

魯貞　春秋案斷

程端學　春秋本義三十卷　三傳辨疑二十卷　或問十卷　綱
　領一卷

陳深　讀春秋編十二卷

李昶　春秋左氏遺意二十卷

胡炳文　春秋集解

劉聞　春秋通旨

俞皋　春秋集傳釋義大成十二卷

程直方　春秋諸傳考正　春秋旁通

陳琢　春秋舉要

陳櫟　春秋三傳節注

干文傳　春秋讞義十二卷

吳迂　左傳義例　左傳分紀　春秋紀聞

方道叡　春秋集釋十卷

黃清老　春秋經旨

李應龍　春秋纂例

潘迪　春秋述解

李衡　釋例集說六卷

蔣宗簡　春秋三傳要義

李好文　春秋通旨

馮翼翁　春秋集解　春秋大義

王維賢　春秋旨要十二卷

梅致　春秋編類二十卷

吳淶　春秋經說　春秋世變圖二卷　春秋傳授譜一卷　胡氏
　傳考誤

林泉生　春秋論斷

單庚金　春秋三傳集說分紀五十卷　春秋傳說集略十二卷

王原傑　春秋讞義十卷

王應奎　春秋管見

王嘉　春秋類義

徐嘉善　春秋原旨　三傳辨疑

魯淵　春秋節傳

俞漢　春秋傳三十卷

陳植　春秋玉鑰匙

吾衍　春秋說

黃景昌　春秋舉傳論　周正如傳考

章樵　補春秋繁露

許瑾　春秋經傳十卷

陳大倫　春秋手鏡

吳思齊　左傳闕疑

汪澤民　春秋纂疏

劉希賢　春秋比事

郭鐘　春秋傳論十卷

楊如山　春秋旨要十卷

李廉　春秋諸傳會要通二十四卷

彭絲　春秋辨疑

鄭玉　春秋經傳闕疑四十五卷　一作八卷，一作三十卷。

吳儀　春秋裨傳　春秋類編　五傳論辨

錢仲咸　春秋纂例

虞槃　非非國語

吳師道　戰國策校注十卷　一作十一卷。

徐天祐　吳越春秋音注十卷　文林郎國子監書庫官。[①]

周　　禮

楊雲翼　周禮辨一篇

陳普　周禮講義三篇

王申子　周禮正義

吳澄　周禮經傳十卷 <small>孫當補。</small>**周禮考注十五卷　周官叙録六篇**

何夢申　周禮義一卷 <small>同弟參知政事夢然作。</small>

吳當　周禮纂言

毛應龍　周禮集傳二十四卷　周官或問五卷

臧夢解　周官考三卷

丘葵　周禮全書 <small>一作補亡，一作定本。</small>**周禮訂本三卷**

胡一桂　古周禮補正一百卷

湯彌昌　周禮講義 <small>一作解義。</small>

無名氏　周禮集説十二卷 <small>元吳興陳友仁得之於沈則正，因傳之。内《地官》</small>
<small>末卷亡，明関中劉儲秀補注。</small>

無名氏　周禮附音重言重意互注十二卷

王冕　倣周禮書一卷

儀　　禮

高斯得　儀禮合抄

陳普　儀禮説一卷

吳澄　叙次儀禮十七篇　儀禮傳十篇 <small>一作十五卷，一作十五篇。</small>**儀
禮逸經八篇** <small>一作六卷，一作八卷。</small>

敖繼公　儀禮集説十七卷 <small>一作十三卷。</small>

顧諒　儀禮注

禮　　記

陳澔　禮記集説三十卷

吳澄　禮記纂言三十六卷　序次小戴記八卷　禮記考注二十二卷

陳櫟　禮記集義十卷　深衣説

韓性　禮記説四卷

程時登　禮記補注　深衣翼

彭絲　禮記集説四十九卷

徐畸　禮記心法二十卷

繆主一　禮記通考

鄭琪　禮記正義一卷

黃舜祖　禮記説

蒙正叔　禮記輯解

牟楷　深衣刊誤

吳澄　校正大戴記三十四篇

史季敷　夏小正經傳考三卷

鮑雲龍　大月令

總　　禮

蕭斜　三禮説四卷

熊禾　三禮考異

韓信同　三禮旁注

黃澤　三禮祭祀述略

陳普　禮編

胡炳文　禮書纂述

惠希孟　雜禮纂要五卷

朱隱老　禮說

程榮登　翼禮

周昌　禮經纂要

楊維楨　禮經約

周成大　喪禮服制考

葉起　喪禮會注

張翌　喪服總類

趙居信　禮經葬制

張才卿　薶祭會要一卷

馮翼翁　士禮考正

戴石玉　治親書三卷

曾巽申　致美集三卷

四　　書

幹道冲　論語小義

趙秉文　刪存論語解十卷

王若虛　論語辨惑

王鶚　論語集義一卷

金履祥　論語集注考証十卷　一作二卷。

杜瑛　緵山論語旁通四卷　一作八卷，一作二卷。

劉莊孫　論語章旨

任士林　論語指要

齊履謙　論語言仁通旨二卷

單庚金　增集論語說約

戴表元　論語講義一卷

陳櫟　論語訓蒙口義

林起宗　論語圖

郭好德　論語義

劉豈璠　論語句解十二卷

沈易　論語旁訓

俞杰　論語訓蒙

蕭山　論語講説

鄭奕夫　論語本義

陳立大　論語正义二十卷

吳簡　論語提要

歐陽溥　魯論口義四卷　石洞紀聞十七卷

趙秉文　删集孟子解十卷

許衡　孟子標題

吳迁　孟子年譜　讀孟子法

李昶　孟子權衡遺説五卷

金履祥　孟子集注考证

吳萊　孟子弟子列傳二卷

夏侯尚无　原孟

王文焕　孟子解

無名氏　孟子旁解七卷

杜瑛　語孟旁孟八卷

吳迁　論孟類次　語孟集注附録　語孟衆説

黎立武　大學發微一卷　本旨一卷

齊履謙　大學四傳小注一卷

許謙　大學叢説一卷

程時登　大學本末圖説

許衡　大學要略一卷　大學直説　大學魯齋詩解一卷　每《大學》一章,賦絶句一首以解之。

金履祥　大學章句義疏二卷　一作一卷。

胡炳文　大學指掌圖

李思道　大學明解一卷

呂溥　大學疑問

呂洙　大學辨疑

吳浩　大學口義

熊禾　大學廣義

潘迪　大學述解

王文煥　大學發明

趙秉文　中庸説一卷　　載《滏水集》中。

李純甫　中庸集解

許衡　中庸説

齊履謙　中庸章句續解十卷　　一作一卷。

黎立武　中庸指歸一卷　提綱一卷

許謙　中庸叢説一卷

李思正　中庸圖説　中庸輯釋

程逢午　中庸講義三卷

黃鎮成　中庸章旨二卷

趙若煥　中庸講義

程時登　中庸中和説

潘迪　中庸述解

王文煥　中庸解

元文善　大學中庸章旨　　一作日録。

曾貫　學庸標注

秦玉　學庸標説

倪公晦　學庸約説

黃文傑　大學中庸雙説

鄭奕夫　中庸大學章旨

王若虛　四書辨疑一卷

劉因　四書集義精要三十卷　四書語録

熊禾　四書標題　四書集疏

許謙　四書叢説二十卷　一作七卷。

安熙　四書精要考異

陳櫟　四書發明三十八卷　四書考異十卷

周良佐　四書人名考

詹道傳　四書纂箋三十六卷

張存中　四書通證六卷

胡炳文　四書通考二十八卷　一作三十四卷。四書辨疑

史伯璿　四書管窺五卷

韓信同　四書標注

包希魯　點四書凡例

瞻思　四書闕疑

孟夢恂　四書辨疑

何文淵　四書文考字引證九卷

馮程　四書中説

吳存　四書語録

戚崇僧　四書儀對二卷

王充耘　四書經疑貫通八卷

林處恭　四書指掌圖

汪九成　四書類編二十四卷

解觀　四書大義

程復心　四書章圖檃括總要發義二卷　四書纂釋二十卷

陳樵　四書本旨

吳成大　四書圖

朱公遷　四書約説四卷　四書通旨六卷

陳天祥　四書選注二十六卷　四書集注辨疑十五卷

倪士毅　四書輯釋三十六卷

趙德　四書箋義纂要十二卷　紀遺一卷

陳尚德　四書集解

胡一桂　四書提綱

陳普　四書句解鈐鍵　四書講義二卷

黃淵　四書講彙

丘葵　四書日講

林起宗　四書圖解

鄭樸翁　四書指要二十卷

景星　四書集説啓蒙

龔霆松　四書朱陸會同注釋二十九卷　會要一卷

董鼎　四書疏義

丘漸　四書講義

周焱　四書衍義

吳梅　四書發揮

陳煥　四書補注

曾子良　四書解

陳剛　四書通辨　一作辨述。

王桂　四書訓詁

邵大椿　四書講義

張淳　四書拾遺

郭鏜　四書述

劉霖　四書纂釋

石鵬　四書家訓

蕭元英　四書演義

何安子　四書説

黃清老　四書一貫四十卷

祝堯　四書明辨

涂溍生　四書斷疑

蔣允汶　四書纂類

蔣元　四書箋惑

馬瑩　四書答疑

杜本　四書表義

薛延年　四書引證

陳紹大　四書疑辨

劉彭壽　四書提要

牟楷　四書疑義

蕭謐　四書待問八卷　一作二十二卷。

歐陽优　四書釋疑

陶宗儀　四書備遺二卷

朱本　四書解

盧孝孫　四書集義一百卷　四書集略四十二卷

袁俊翁　四書疑節十二卷

曾貫　四書類辨

邊昌　四書節義

黃寬　四書附纂

楊維楨　四書一貫録

亡名氏　四書集注

亡名氏　四書附録

樂

余載　皇元中和樂經十卷

杜瑛　律呂律曆禮樂雜志三十卷

趙孟頫　琴原律略　樂原

程時登　律呂新書贅述

劉瑾　律呂成書

彭絲　黃鐘律說八篇

皇元韶舞九成樂譜　不知撰人。

九成宮譜十六卷

吳萊　樂府類編一百卷

左克明　古樂府十卷

趙鳳儀　釋奠樂器圖一卷

熊朋來　瑟譜

俞琰　琴譜四十篇

胡氏律論一卷

金履祥　考定樂記一卷

吾衍　九歌譜　十二月樂辭譜

陸正　樂律考

孔思道　大元樂書

孝　　經

許衡　孝經直說一卷

董鼎卿　孝經大義一卷

吳澂　孝經章句一卷　一作訓釋。孝經定本

張翌　孝經口義

錢天祐　孝經傳直解

貫雲石海牙　孝經直解一卷

吳迂　孝經附錄

余苞舒　孝經刊誤

楊少愚　讀孝經衍義

許衍　孝經注一卷

李孝光　孝經義疏　孝經圖説一卷

江直方　孝經外傳二十二卷

胡一桂　孝經傳贊

陳樵　孝經新説

馮椅　孝經章句

林起宗　孝經圖解

李應龍　孝經集注

錢褒　志孝六篇

沈易　孝經旁訓

釣滄子　孝經管見一卷

成齋孝經説一卷

姜氏孝經説一卷

孝經集説一卷　孝經明解一卷

爾　雅

洪焱祖　爾雅翼音注三十二卷

程端蒙　大爾雅

胡炳文　爾雅韻語

陳櫟　爾雅釋

總　經　解

王若虛　經史辨惑四十卷

五經要語　　至元三年，姚樞、竇默、王鶚、商挺、揚果等纂進，凡三十八類。

李好文　端本堂經訓十一卷

張塈　四經歸極

熊朋來　五經説七卷　　《易説》一卷、《詩説》一卷、《三禮説》二卷、《大小戴說》一卷、《雜說》一卷。

牟應龍　五經考音

歐陽長孺　九經治要十卷

雷光霆　九經輯義五十卷

胡炳文　五經會義

潘迪　六經發明　易春秋庸學述解

贍思①　五經思問

黃澤　六經補注　翼經罪言

李恕　五經旁注六卷

馮程　五經正義

李仁壽　易書詩春秋四書衍義

吳仲迀　經傳發明

俞琰　經傳考注

趙居信　經說

葉夢鸞　經史音要

曾巽申　經解正訛

何異孫　十一經問對五卷

杜本　四經表義

吳師道　易詩書雜說　一作三經雜說。八卷

王希旦　五經日記　書易通解

陸正　七經補注

汪逢辰　七經要義

倪鏜　詩書集要　易春秋筆記

陳樵　陳氏經解

趙德　五經辨疑

---

①　"贍"原誤作"詹"。今《元史》卷一百九十《贍思傳》改。

熊禾　大學尚書口義三十卷

方宜孫　經史説五卷

趙孟至　九經音釋九卷

馬定國　六經考

蕭志仁　經解佩觿録十卷

熊本　經問四十卷

楊剛中　四經歸極　經説

楊叔方　五經辨

陳剛　五經問難

楊維楨　五經鈐鍵　一作鑰鍵。

陳氏　失名。　五經旨要

馬塋　五經大義

唐懷德　六經問答

小　學

僧行均　龍龕手鑑四卷

韓孝彦　五音增定併類聚四聲篇十五卷

韓道昭　五音集韻十五卷

楊雲翼　勾股機要

黃樵仲　小學口義

熊凱　小學入門

蔣捷　小學詳斷

陳櫟　程蒙齋小學字訓注

薛延年　小學纂圖六册

李成己　小學纂疏四卷

熊朋来　小學標注

胡文炳　純正蒙求三卷

熊大年　養蒙大訓十二卷　養正邪書一卷

虞韶　小學日記切要故事十卷

程端　讀書分年日程　<small>一作讀書工程。</small>三卷

蕭㪺　小學標題駁論

許謙　假借論一卷

楊桓　六書統二十卷　六書析　<small>一作溯。</small>　源十三卷　書學正
　韻三十六卷

倪鏜　六書類釋三十卷

戴侗　六書故三十三卷

泰不花　重類復古編十卷

吾衍　説文續解　周秦刻石音釋一卷　學古編二卷　鐘鼎韻
　一卷

包希魯　説文解字補義十二卷

何中　吳才老叶韻一卷　六書綱領一卷　補六書故三十二卷
　韻補疑一卷

吳正道　六書通正　<small>一作"六書淵源圖"。</small>　字旁辨誤　六書源流偏
　旁證誤一卷　存古韻譜

柳貫　字系一卷

鄭介夫　韻海

杜本　華夏同音　六書通編十原

周德清　中原音韻一卷

周伯琦　六書正論五卷　<small>一作"正偽。"</small>　説文字原一卷

魏温甫　正字韻綱四卷

邵光祖　韻書四卷

李士濂　免疑字韻四卷

李世英　類韻三十卷

李文仲　字鑑五卷

樓有成　學童識字

張子敬　經史字源

劉鑑　切韻指南一卷　經史動静字音一卷

蔣元　韵原六十卷

潘迪　考定石鼓音訓一卷

陳翼子　重修考古圖十卷

鄭杓①　衍極五卷　衍極紀載三編

周剛善　六藝類要六卷

盛熙明　法書考八卷

陳澤　會翰要訣

馮翼翁　古書正僞録

牟楷　九書辨　一作"辨疑"。

黄公紹　韻會

袁袞　書學纂要

唐懷德　書學指南

李浦光　大字書法

黄溍　臨池拾遺記

吳福孫　古文韻選

黄玠　纂韻録

凌緯　事偶韻語

嚴毅　詩學指韻淵海二十卷

陶九成　書史會要七卷②　補遺一卷

繆貞　書學明辨

陰幼遇　韻府群玉二十卷

---

① "杓"，錢大昕《元史藝文志》作"构"，下同。
② "七卷"，吳騫眉批云"當作九卷"。

孫吾與　韻會定正

李旬　稽古韵　存古正字編

鮮于樞　草韵

劉致復　古糾繆編

宋季子　增廣漢隸字源　兩漢字統十二卷

史蒙卿　小學紺珠

白珽　經子類訓

舒天氏　六藝綱目二卷

吳□□　法書類要二十五卷

凌福　六書畢法一卷

蘇霖　書法鈎元四卷

劉惟忠　字學新書七卷　摘抄一卷

史　類

正　史

蕭貢　史記注一百卷

蕭永祺　遼紀三十卷　志五卷　傳四十卷

陳大任　遼史

完顏宇迭　中興事迹

蔡珪　南北史志三十卷

脫脫等　遼史一百十六卷　宋史四百九十六卷　金史一百三
　十五卷

郝經　續後漢書一百三十卷

贍思　金哀宗紀

正大諸臣史傳

張樞　續後漢書七十三卷　刊定三國志六十五卷　一作六十三卷。

戚光　陸游南唐書音釋一卷

張宗說　紀古滇說集一卷

編　年

楊雲翼等　續資治通鑑

陳著　歷代統紀

張特立　歷年繫事記

金履祥　通鑑前編十八卷　前編舉要二卷

胡一桂　歷代編年

胡三省　音注資治通鑑二百九十四卷　通鑑釋文辨誤十二卷

祝堯　史學提綱三十卷　一作二十四卷。通鑑世編　筆記二百卷

陳桱　通鑑續編

劉時舉　續宋中興編年十五卷

徐銑　續通鑑要言二十卷

曹仲埜　通鑑日纂二十四卷

吳迁　重定綱目

陸以道　宋鑑提綱

戴良　通鑑前紀

呂思誠　西 一作兩。 漢通記

蘇天爵　遼金紀年

雜　　史

王鼎　焚椒録一卷

大遼事迹

葉隆禮　契丹國志二十七卷

元好問　壬辰雜編

劉祁　歸潛志十四卷

宇文懋昭　大金國志四十卷

王磐　徐世隆等　大定治蹟二卷

金人弔伐録二卷

北風揚沙録一卷

天興墨淚

天興近鑑三卷

師安石　萬年龜鏡録

趙秉文等　龜鏡萬年録　君臣政要

史公奕　大定遺訓

傅慎微　興亡金鏡録一百卷

張師顏　南遷録

皇元太祖聖武開天記一卷

親征録一卷

楊興么　正統八例　大興近鑑三卷　正統書六十卷

林駧　皇鑑前後録

牟子才　四朝史稿

黄超然　會要歷

虞廷顧　歷朝詔令四卷　制誥五卷

馮翼翁　正統五德類編　一作類要。三十四卷

張樞　漢本紀　魏吴載記　林下竊議

高斯得　徽宗長編　宋孝宗實録

劉剛中　兩漢奇語

陳剛　歷代帝皇王正閏圖説

趙居信　蜀漢本末三卷

倪士毅　帝王傳授圖

鄭滁孫　直説通略十三卷

察罕　帝王紀年纂要一卷

聖武親征記　掖庭記

平慶安　平安録三卷

劉敏中　伯顏平宋録二卷　一作十卷。

史□□　至正遺編四卷

張樞　宋季逸事

秦玉　宋三朝摘要

張雯　墨記

張延　東晉書二卷

吾衍　晉史乘一卷　楚史檮杌一卷

仇遠　稗史一卷

徐顯　稗史集傳一卷

陶九成　草莽私乘

高德基　平江紀事一卷

張明卿　世運略八卷

無名氏　保越錄 <small>記至正十八年呂珍守紹興始末。</small>

史　纂

滕賓　萬邦一覽集八卷

曾先之　十八史略三卷 <small>一作十九代史略十八卷，一作十卷。</small>

胡一桂　十七史纂　古今通要十七卷

董鼎　汪亨　史纂通要後集三卷

吳簡　史學提

古今通略句解五卷

車若水　辛寅略記

鄒次東　史抄十卷

韓性 <small>一作信。</small>同史類纂 <small>一作集史類纂。</small>

陳櫟　資治通鑑精節增廣通略　六典撮要　歷代通略三卷

陸以道　宋鑑提綱

鄭鎮孫　歷代史譜二卷

衛當益　讀史纂要

孟夢恂　漢唐會要

李大同　唐事類編

田君祐　諸史類考

王廉　史纂

楊元　忠史

梁益　史傳姓氏纂

歐陽元　唐書纂要

馮翼翁　通鑑小錄

楊維楨　三史綱目

史　　論

尹起莘　通鑑綱目發明五十九卷

劉友益　通鑑綱目書法五十九卷

王幼學　資治通鑑綱目集覽五十九卷

徐昭文　資治通鑑綱目考証五十九卷

董蕃　通鑑質疑

何中　通鑑綱目測海三卷

金居敬　通鑑綱目凡例考異

呂溥　史論

俞□　史評八十卷

許謙　觀史治忽幾微

趙居信　史評

雷光霆　史辨三十卷

楊如山　讀史説三卷

謝端　正統論辨一卷

戈直　集注貞觀政要十卷

潘榮　通鑑總論一卷

朱震亨　宋論一卷

王約　史論三十卷

郝經　通鑑綱目書法

孔克表　通鑑綱目附釋

汪克寬　綱目考異

周淼　通鑑論斷

方澄孫①　通鑑表微

黃舜祖　歷代史識

戴羽　史許一卷

蕭志仁　史評講義雜著三十卷

杜卯節　史論

梅時舉　通鑑新義

何侑　覽古史斷

李孟傳　讀史

舒岳祥　史述　史砭　三史纂

楊維楨　歷代史鉞二百卷

黃潛　辨史十六則

曾天麟　史學統記一卷

熊本　讀史衍義

實　　錄

契丹實錄

蕭韓家奴　耶律庶成等撰　遙輦可汗重熙以來事迹二十卷

室昉　遼統和實錄二十卷

耶律儼　皇朝實錄七十卷

完顏勗　始祖以下十帝實錄三卷

完顏宗弼　太祖實錄

紇石烈良弼　太宗實錄　睿宗實錄

海陵庶人實錄

完顏匡　世宗實錄

衛王事迹

---

①　此條吳騫眉批云：六經雅言晶前刊甲科府教方澄孫，殆即其人。

王若虛　章宗實錄　宣宗實錄

楊廷秀　四朝聖訓

姚燧　世祖實錄

雍德純　暢師文　成宗實錄

蘇天爵　武宗實錄

王惲　世祖聖訓六卷

元朝秘史十二卷

歐陽元等修　太平經國二百十二卷

<h2 style="text-align:center">儀　注</h2>

耶律庶成　蕭韓家奴　禮書

陳大任　遼禮儀制

遼朝雜禮

契丹官儀

大金儀禮　　明昌六年，禮部尚書張暐等進。

大金集禮四十卷

張暐纂修　儀禮雜錄四百餘卷　　楊金翼重校，名《大金儀禮》。

禮器纂脩雜錄四百卷　　世宗命禮官修。

李好文　太常集禮五十卷

張行簡　禮例纂一百二十卷　諸禮記錄

吳夢炎　鄉飲禮儀

脫脫木　太常續集禮十五冊

王守誠　續編太常集禮三十一冊

太常至正集禮二十冊

大德編輯釋奠圖八卷

曾巽申　鹵簿圖　郊祀禮樂圖十冊　鹵簿志十卷　鹵簿中
　道外伏圖志十卷

趙孟頫　祭器圖式十卷

袁桷　郊祀十議一卷

吳霞舉　文公家禮考異

范可仁　釋奠通載九卷　通祀纂要二卷

黃以謙　通祀輯略三卷

黃元暉　通祀輯略續集一卷

申屠致遠　釋奠通禮三卷

吳夢覽　釋奠儀圖一卷

張昱　釋奠儀注

刑　　法

新定律令勑條格式五十二卷

泰和律義

至正條格四冊

大元聖政國朝典章一冊

何榮祖　至元新格

吳萊　唐律刪要三十卷

贍思　審聽要訣

梁琮　唐律類要六卷　官吏須用十六卷

東甌王氏　平冤錄二卷

清明集十四卷

鄭克　折獄龜鑑二十卷

吏學指南八卷

馮翼翁　異改錄十一卷

黃邦後　真陽共理集二卷

直定東　和善政錄

何槐孫　善政指南

辜君政績一卷

甘棠集一卷

張養浩　牧民忠告二卷　　至正丁未，郡幕官昭武黃莊序。

<h1 style="text-align:center">地　　理</h1>

契丹彊宇圖二卷

大遼對境圖

契丹地理圖一卷

遼四京記

蔡珪　補正水經三卷　　一作五篇。晉陽志十二卷

王處一　西嶽華山志一卷

卜蘭禧　岳鉉　大元一統志一千卷①

蕭斆　九州志

郝衡　大元混一輿地集覽七卷

吳萊　古職方録八卷　松陽志略　南海古蹟記一卷

朱思本　廣輿圖二卷

皇元建都記

張鉉　金陵新志十五卷

于欽　齊乘六卷

李好文　長安圖記三卷

周密　前武林舊事六卷　後武林舊事五卷

吳自牧　夢梁録二十卷

趙迎山　續豫章志十三卷

劉有慶　潘斗元　續豫章職方乘十四卷

---

①　“卜”、“禧”，吳騫改爲“字”、“胕”，並於“鉉”下添“等”字，且在此條目後加按語：“騫按胕，時爲集賢大學士；鉉，昭文院大學士，此據予所藏元刻本校正。”

費著　成都志

李京　雲南志略四卷

郝天挺　雲南實録五卷

張立道　安南録　雲南風土記　六詔通紀

贍思　鎮陽風土記　續東陽志六卷　重訂河防通議　西圖
　　國經

熊自得　析津志異

陸輔之　吳中舊事一卷

洪焱祖　續新安志十卷

王仁輔　無錫志二十八卷

相臺續志十卷　　不知撰人。

王鶚　汝南遺事二卷

韓性　紹興路志八卷　　一作郡志。

王元恭　四明續志十二卷

王惲　汲郡志十五卷

戚元　集慶路續志□卷

劉蒙　松江郡志八卷

錢全袞　續松江志十六卷

徐碩　至元嘉禾志三十二卷

黃溍　義烏志七卷

許汝霖　嵊志十八卷

李士會　樂平廣記三十卷

李彝　南豐郡志三册

李肖翁　續豐水志六卷

吳存　鄱陽續志

岳陽郡志

嚴士真　崇陽志

陳士元　武陽志略一卷

蔡微瓊　海方輿志

任仁發　浙西水利集十卷

劉大彬　茅山志三十二卷

李孝光　雁山十記一卷

元明善　龍虎山志三卷

鄧牧　洞霄宮志三卷

黎崱　游盧山記三卷　安南志略二十卷

陳清隱　九華詩集四卷

施少愚　秋浦類集　九華外史

歐陽元　至正河防記一卷

潘昂霄　河源志

張天雨　尋山志十五卷

陶九成　游志續編

劉郁　西使記一卷

盧襄　西征記一卷

迺賢　河朔訪古記一卷

楊奐　紫陽東游記一卷　宋汴都宮室記一卷

何中　薊丘述游錄

周達觀　真臘風土記一卷

周致中　異域志三卷

朱輔　溪蠻叢笑一卷

李志剛　軦羅志略三卷

顧阿瑛　玉山名勝集八卷

張道宗　紀古滇說原集一卷

王約　高麗志四卷

趙尚之　鈐岡續志

朱霽　延安志

袁桷　四明郡志二十卷　一作《延祐四明志》。

危素　和寧志

楊維楨　富春人物志

朱伯賢　震澤記

蘇天爵　黃河源委

星慶　處州路志

蘇思孝　曲江志

郭松年　南昭紀行

黃鍔　王融志

韓準　水利通編

嚴士真　崇陽志

楊敬惪　元統赤城志

郭薦昌　國州圖志七卷

王奐　島彝志略一卷

故　　事

楊伯雄　瑤山往鑑

馬端臨　文獻通考三百四十八卷

大元通制八十八卷　完顏納、曹伯啓纂。

朵爾直班　治原通訓四卷

國朝憲章十五卷

成憲宏綱四十卷

郝經　玉衡貞觀十二卷

王惲　守成事鑑十三篇　承華事略六卷　相鑑五十卷　烏臺
　筆補　玉堂嘉話

馬祖常　列后金鑑　千秋紀略

李好問　歷代帝王故事　大寳錄　大寳龜鑑

贍思　帝王心法　國朝典章　元典章新集二卷 _{至治間續。}

孟夢恂　漢唐會要

許師敬　皇圖大訓

揭奚斯　太平政要策　奎章政要

蘇天爵　治世龜鑑一册

契丹會要

馬佐　順寳範

馮翼翁　考索類要

虞詔　小學日記切要故事

陳剛　歷代官制

丁儼　金閨彝訓八卷

趙世延　虞集等　經世大典八百八十卷　目錄十二卷　公牘
　一卷　纂修通議一卷

王士熙　禁扁五卷

陳櫟　六典撮要

葉留　爲政善惡報應事類十卷

張養浩　經筵餘旨一卷

張光大　救荒活民書八卷

李廷傑　考古臆説

何榮祖　至元新格

吳源　至正近記

王士點　元秘書覽志十一卷

<h2 style="text-align:center">傳　記</h2>

耶律孟簡　遼三臣行事 _{耶律曷、魯屋質、休哥三人。}

七賢傳

鄭當時　節義事實

張行簡　清臺記　黃華記　戒嚴記　爲善記　自公記

王鶚　汝南遺事二卷　大遼登科記一卷

韓玉　元勳傳

贍思　至大諸臣列傳

戴良　訂正鄭氏家範三卷

鄭濤　旌義編三卷

元永貞　東平王世家三卷

戴羽　武侯通傳三卷

吳師道　敬鄉前後録二十三卷

張榲　曲江張公年譜一卷

黃奇孫　言行録

陳顯曾　昭先録

張矗　忠義録三卷

楊元　忠史一卷

趙順孫　中興名臣言行録

胡濙　東陽人物表

贍思　西域異人傳

胡友仁　米海岳遺事一卷

吳夢炎　朱文公傳二卷

蘇天爵　國朝名事略十五卷

歐陽元　王清獻公神道碑一卷

朱彥修傳一卷

危素　張文忠公年譜一卷

劉岳申　文丞相傳一卷

凌緯　壽者録

陳氏　崇孝集一卷

鄱陽褒賢祠録三卷

趙秉善　忠義集七卷

陶九成　草莽私乘一卷

楊三傑　明倫傳五十卷

譜　牒

完顏勗　女直郡望姓氏譜

姓氏大全十卷　一作十八卷。

姚燧　國統離合表

牟之才　牟氏故事

熊古　帝王經世譜

孔思晦　重刻孔氏宗譜

孔克己　孔氏譜

孔文昇　闕里譜系

分宜彭氏族譜

白石周氏族譜

陳櫟　希姓略一卷

梁益　史傳姓氏纂

程峴　程氏世譜三十卷

汪壽昌　汪氏世系勳德録

汪松壽　汪氏淵源録十卷

臨川危氏家譜一卷

韓諤　重定先世祭式一卷

施澤之　孔氏寔録十二卷

吳迂　孔子世家考異二卷

程榮登　孔子世系圖三卷

孔元祚　孔續録五冊

張翌　闕里通載　孔聖圖譜三卷

下

子　　類

儒　　家

趙秉文　楊子發微一卷　太玄箋贊一卷　一作六卷。文中子類説
　一卷　一作六卷。

劉祁　處言四十三篇

李純甫　中國心學

耶律楚材　皇極經世義

許衡　小學大義　四箴説　語録　魯齋遺書六卷

趙復　傳道圖　朱子門人師友圖　希賢録　伊洛發揮

許謙　自省編　日間雜記　謙門人記。

劉因　小學語録

張𪘏　引蒙訓蒙　經史入門　闕里通載　淮揚課稿

林起宗　志學指南　正學淵源二圖　發明魯庵家説　小學
　題辭

胡一桂　人倫事鑒

齊履謙　經世入式一卷　經世外篇微旨一卷

杜瑛　皇極引用一卷　一作八卷。皇極疑事十卷　一作四卷。
　極學十卷　律呂星算禮學雜志三十卷

安熙　續皇極經世書

趙居信　理學正宗一卷

丘富國　經世補遺三卷

史伯璿　管窺外篇五卷

馬端臨　義根守墨三卷

吳澄學　基學統私錄　文正公支言五卷

胡炳文　性理通

程直方　四聖一心

何榮祖　觀物外篇

孟夢恂　性理本旨

鄭以忠　宮學正要二卷

張巨濟　萬年龜鏡錄十卷

張光祖　言行龜鑑十卷

柳貫　近思錄廣輯三卷

潘迪　格物類編

黃溍　日損齋筆記

吳仲迂　先儒法言　先儒粹言

李純仁　顏子五卷

蔣元　學則二十卷

陳舜中　審寔集一冊

周公恕　近思錄分類集解十四卷

陳剛　性理會元二集四十六卷

鮑雲龍　天原發微五卷

劉霖　太極圖解

時榮　洙泗源流八卷

黃瑞節　諸子成書

張復　性理遺書十四卷

沈貴瑤　正蒙解疑

蕭元益　洙泗大成集

陳樵　太極圖解　通書解　聖賢大意　性理大明答客問
　石室新語　淳熙糾繆

祝秘　觀物解

季仁壽　春谷讀書記二百卷

熊本　讀書記二十卷

程時登　太極圖説一卷　西銘補注一卷

吕洙　太極圖説一卷

黃鎮成　性理發蒙　一作發微四卷。

蔡仁　皇極經世衍數五十五卷　後集五十二卷　別集十五
　卷　續集十六卷　支集十五卷

王德新　學則二篇

曹涇　服膺録

張延　要言一卷

張淮遠　編周子書四卷

朱本　皇極經世解　太極圖解　通書解

朱子方　皇極經世書解上篇十三卷　下篇五卷

俞長孺　心學淵源

季致平　精覽歸一圖解二卷

徐泰亨　端本書一卷　忠報録一卷　可可抄書一卷

凌緯　董子雅言

曹理孫　讀經史要略類編

張明卿　存養録十二卷　政事書一卷

陳潛　朱子傳疑

趙順孫　近思録精義

楊琦　上蔡師説

張煇　草堂語録

衛富益　性理集義

程端蒙　小學字訓

僧天佑　注許名奎百忍箴四卷

史若佐　景行録一卷

吳海　命本録一卷

申屠澂　孝全摭言

王文煥　道學發明　心鏡圖　治心銘

黎仲基　語録八卷

惠希孟　家<small>一作宗。</small>範五卷

吳宗元　王氏宗教一篇

熊禾　小學集疏　文公要語

熊良輔　小學入門

汪自明　禮義林四十卷

朱諗　正蒙解

戴良　曾子遺書　七說十子說　中說辨妄

李直方　正性論　江右淵源録

楊奐　朱子語略

鄭儀孫　性理字訓

許熙載　女教六卷　經濟録四卷

馬順孫　帝王寶鑑六十二卷

于鑑中　說指歸録二卷　許魯齊心法一卷　太玄索隐四
　卷　皇極經世類要十卷

丘葵　經世書聲音既濟圖

章望之　救性七篇　明統三篇　禮論一篇

吳澄學　基學統私録

馮翼翁　性理群書　文章旨要　五子旨要

朱公遷　餘力稿

陸正　正學編

徐達左　顏子晜編

朱隱老　皇極經書説十七卷　正蒙書説

吳亮　忍書一卷

袁桷　讀書記

汪文海　博約考

程復心　章圖總要

牟楷　河圖洛書説

李好文　端本堂經訓要義

鄭文嗣　家範三卷

小　説　家

陶宗儀　説郛一百卷　輟耕録三十卷

王惲　玉堂嘉話八卷

周密　齊東野語二十卷　癸辛雜識一卷　癸辛新識四卷　癸辛後識四卷　癸辛續識二卷　雲烟過眼録一卷 一作四卷。　澄懷録二卷　續澄懷録三卷　浩然齋視聽抄□卷　浩然齋意抄□卷　浩然齋雅談□卷

陸友仁　硯北雜志二卷　吳中舊事一卷　吳中雜志一卷

凌緯　唐山紀事

盛如梓　庶齋老學叢談三卷　唐玄見聞録二十卷

張雯　繼潛録

關漢卿　鬼董五卷

郭霄鳳　江湖紀聞十六卷

吳元復　續夷堅志二十卷 一作四卷。

周達觀　誠齋雜記二卷

伊世珍　瑯環記三卷

沈麔元　緝柳編三卷

常女紅餘志二卷①
邵文伯　浩然翁手抄五色線二卷
夏頤　東園友聞二卷
廣客談一卷

農　　家

王禎　東魯王氏農書三十六卷　農桑通訣二十卷　農器圖譜
　二十卷　穀譜十一卷
暢師文　農桑輯要七卷
羅文振　農桑撮要七卷
魯明善　農桑機要
汪汝懋　山居四要四卷
陸泳　田家五行拾遺一卷

天　　文

趙秉文　一作楊雲翼。五星聚井辨一篇　懸象賦一篇
陳剛　渾天儀説
李學遜　中星儀象等圖
孟夢恂　七政疑解
趙友欽　革象新書二卷

推　　算

楊雲翼　勾股機要
耶律楚材　庚午元書　麻把答書

---

① 《補遼金元藝文志》作"常陽女紅餘志"，錢大昕《補元史藝文志》作"常陽妻龍輔
女紅餘志"。

郭守敬　授時書　推步七卷　立成二卷　曆議擬稿三卷　轉
　神選擇二卷　上中下三曆注式十二卷　時候箋注二卷　修
　改源流一卷　儀象法式二卷　二至晷景考二十卷　五星細
　行考五十卷　古今交食考一卷　新測二十八舍雜座　諸星
　入宿去極一卷　新測無名諸星一卷　月離考一卷
李治　測圓鏡海十二卷　益古衍段三卷
齊履謙　二至晷景考二卷　經串演撰八法一卷
彭絲　算經圖釋九卷
陳尚德　石塘算書
授時曆二卷　授時曆議二卷　授時曆法撮要
程時登　閏法贅語

五　　行

王白　百中歌
耶律純　耶律學士星命秘訣五卷　附鄧太史《喬扐經》一卷。
鄭淵　遁甲奇書
周鍔　六甲奇書一卷
楊雲翼　氣數雜說
張居中　六壬無惑鈐六卷
丞相元欽　注青烏子葬經一卷
吳澂　校正郭璞葬經　新注葬經
李道純　周易尚占三卷
陸森　玉靈聚義五卷　總錄二卷
王宏道　三玄正經三卷
焦榮　選葬編錄三卷
徐州徐施二先生玄理消息賦注一卷
祝泌　祝氏秘鈐五卷　六壬大占　壬易會元

耶律楚材　五星秘語一卷　先知大數一卷

劉秉忠　平砂玉尺四卷　玉尺新鏡二卷

朱震亨　風水問答

占　　筮

幹道冲　周易卜筮斷

劉因　檟蓍記

兵　　書

燕僧利　正撰長慶人事軍律三卷

張守愚　平遼議三篇

趙孟頫　禽賦一卷

程時登　八陣圖解

吳澄　校正八陣圖

牟子才　備邊三策

俞在明　用武提要二十篇

秦輔之　武事要略

醫　　家

直古魯　脈訣針灸書一卷

紀天錫　難經集注五卷

張元素　注叔和脈訣十卷　病機氣宜保命集四卷　一作沾法機要。
　　潔古珍珠囊一卷

劉元素　素問要旨八卷　素問玄機原病式二卷　治病心印一
　　卷　河間劉先生十八劑一卷　宣明論方十五卷　運氣要旨
　　論一卷　傷寒心鏡一卷　傷寒直格論方三卷　素問玄機氣
　　宜保命集三卷　傷寒醫鑒一卷

李慶嗣　傷寒纂類四卷　改正活人書二卷　傷寒論三卷　針
　　經一卷　醫學啓元

張從政　儒門事親十五卷　治病撮要一卷　傷寒心鏡一卷
　　張氏經驗方二卷　秘傳奇方二卷

至元增修本草　翰林承旨撒里蠻、集賢大學士許國楨集。

楊士瀛　活人摠括醫學真經　直指方

倪維德　原機啓微集

杜思敬　濟生拔萃方六卷

聖濟總錄二百卷

李果　辨惑論三卷　脾胃論三卷　此事難知二卷　蘭臺秘藏
　　五卷　用藥法象一卷　醫學發明九卷　溯洄集　外科精義
　　內外傷寒辨三卷　東垣試效方九卷

竇默　銅人針經密語一卷　標幽賦　王鏡澤注。指迷賦

竇漢卿　竇太史瘡瘍經驗全書十二卷

王好古　湯液本草二卷　湯液大法四卷　醫壘元戎十二卷
　　陰症略例一卷　癍論萃英一卷　錢氏補遺一卷

羅天益　衛生寶鑑二十四卷　試驗方九卷

戴起宗　脉訣刊誤三卷

滑壽　難經本義二卷　十四經發揮三卷　本草發揮四卷　胗
　　家樞要一卷　醫學引彀一卷　攖寧生五藏補瀉心要一卷
　　滑氏素問注抄一卷　滑氏脉訣一卷　讀傷寒論抄□卷　痔
　　瘻論□卷　醫韻□卷

李晞范　難經注解四卷　脉髓一卷

李朝正　備急總效方四十卷

王鏡澤　增注醫鏡密語一卷

鮑同仁　注通元指要二賦　經驗針法

朱震亨　丹溪纂要八卷　丹溪心法　格致餘論一卷　金匱鈎

元三卷　傷寒論辨　丹溪治法語録一卷　局方發揮一卷
平治薈萃方三卷　傷寒發揮　十四經絡發揮　傷寒辨疑
外科精要發揮　本草衍義补遺　丹溪治痘要法一卷　活幼
便覽二卷　丹溪醫案一卷

艾元英　如宜方二卷

鄧焱　運氣新書

王珪　參定養生主論十六卷

李鵬飛　三元參贊延壽書五卷

萬應雷　醫學會同二十卷

葛乾孫　醫學啓蒙　經絡十二論　十藥神書一卷

朱㧑　心印紺珠經二卷

趙良　醫學宗旨　金匱衍義

陳直　壽親養老書一卷

鄒鉉　壽親養老新書四卷

胡仕可　本草歌括八卷

吳瑞　日用本草八卷

尚從善　本草玄命苞七卷

傷寒紀玄妙用集十卷

熊景元　傷寒生意

申屠致遠　集驗方十二卷

危亦林　得效方二十卷

薩德彌寔　瑞竹堂經驗方十五卷

李中南　錫類鈐方二十二卷

陸仲達　千金聖惠方

堯允恭　德安堂方一百卷

道士殷震　簡驗方

吳以寧　去病簡要二十七卷

齊德之　外科精義二卷

曾世榮　活幼心書二卷

馮道玄　全嬰簡易方十卷

孫允賢　醫方大成十卷

雜　　家

趙秉文　資暇録十五卷

王庭筠　蒙談十卷

馬端臨　多識録一百五十三卷

方回　續古今考二卷

楊奐　楊子繫言

郝經　原古

李治　壁書叢削十二卷　泛説四十卷　古今難四十卷　測圓
海鏡一百七十問　益古衍疑三十卷

黃溍　筆記一卷

黃超然　筆談十卷

胡炳文　雲峯筆記

孟夢恂　筆海雜録五十卷

唐師善　談乘十二卷

舒岳　談叢　談傳　談肆　談殘　昔游録

牟楷　管仲子糾繆

吾衍　閒居録二卷　山中新話

胡以遜　莊子補剿　千金毬　齊瑟

蘇天爵　春風亭筆記二卷

吳福孫　清容軒手抄

邵世良　隨筆二卷

王植　隨筆一卷

姚椿壽　樂郊私語一卷

鄭元佑　遂昌山樵雜録二卷

李有　古杭集記一卷　一作四卷。

耶律希□　從軍紀行録三十卷

何中　薊丘述游録一卷　搢頤録十卷

孔齊　静齋筆記五卷　至正直記四卷

楊瑀　山居新語四卷

方回　虚谷閒抄一卷

鮮于樞　困學齋雜録一卷

忽思慧　飲膳正要三卷

俞琰　書齋夜話四卷　席上腐談二卷　幽明辨惑

吾衍　聽玄集　道玄集

包希魯　諸子纂言

鄭杓　覽古編

魯淵　策府樞要

莫維賢　廣莫子

史弼　省己録一卷

朱本　日用浸筆

張頴　義三編三卷

張樞　林下竊議一卷

雷光霆　史子辨義三十卷

道　家

張文寶　内丹書

趙秉文　南華略釋一卷　列子補注一卷

俞琰　全陽子周易參同契發揮九卷　全陽子參同契釋疑二卷
　陰符經解一卷

梁有績　列仙傳二十卷

劉思敬　丹經千二方

雷思齊　老子本義　莊子本義

張伯雨　茅山志　外史出世集三卷　碧岩元會録二卷

謝修道　玉笥仙祖記實録

吾衍　道書援神契

田君祐　參同契辨

李光　神仙傳

李道純　道德經注一卷　中和集六卷　一作七卷。　太上大道經
注一卷　玄門宗旨　畫前密意　金丹秘訣　問答語録　全
真活法

王以道　丹經新注

趙材卿　陰符經注

吳澄　老子道德經注四卷　南華内篇訂正二卷

贍思　老莊精語

趙學士　老子集解四卷　全解二卷

李衎　息齋老子解二卷

陳致虛　上陽子參同契注二卷　金丹大要十卷

戴起宗　悟真篇注三卷

丘長春　磻溪集五卷　語録一卷　西游記二卷　玄風慶會録
五卷

蕭廷芝　金丹大成集五卷

董漢醇　群仙要語二卷　仙學摘粹二卷

陳冲素　内丹三要一卷

趙友欽　緣督子仙佛同源論一卷　金丹正理盟天録

陳虛白　規中指南一卷

盤山栖雲大師語録一卷

洪恩　靈濟真人文集八卷
趙道一　歷代真仙體道通鑑集三十八卷　□□四卷　金蓮正宗記□卷

佛　　家

遼道宗御製華嚴經贊　咸雍四年二月頒行。
回紇僧金佛梵覺經
高麗佛經
僧非濁　往生集二十卷
李純甫　西方父教　楞嚴經解　金剛經解
張珣　注金剛般若經
王當陽　精語
李之純　鳴道集説五卷
維則　楞嚴會解疏十卷　楞嚴擲丸一卷　天台四教儀要正明本　中峰和尚廣録三十卷　中峰廣慧禪师一花五葉集四卷　中峰懷淨土詩一卷　庵事須知一卷
劉謐　静齋學士三教平心論二卷
清筏　宗門統要續集十二卷
石屋和尚山居詩并當湖語録二卷　語録一卷
優曇　蓮宗寶鑑十卷
普會　禪宗頌古連珠通集四十卷
心泰　佛法金湯編十卷
大訢　松雲普鑑二卷
海弓　古梅禪師語録二卷
恕中和尚語録六卷
元叟端禪師語録八卷
雪村　聚語録

盛勤　源宗集

志磐　佛祖統紀五十四卷

禪林類聚二十卷

釋氏稽古略四卷

念常佛祖通載二十二卷

净髮須知二卷

至元心燈録□卷

元僧畺夢堂　唐宋高僧傳

元至法寶總目十卷

藝　　術

趙孟頫　印史二卷

申屠致遠　集古印章二卷

吾衍　集古印文二卷　古人印式二卷

陸友　硯史　墨史三卷　印史

王厚之　復齋印譜一卷　　一作《復齋漢晉印章圖譜》。

朱德潤　古玉圖一卷

費著　蜀錦譜一卷　蜀牋譜一卷

常普　蘭溪飲膳正要三卷

雲林堂飲食製度集一卷

曹繼善　安遠堂酒令一卷

張穆仲　司牧安驥集一卷

馬經通　元方論六卷

治馬牛駝騾等經三卷

安驥集八卷

劉美之　續竹譜一卷

李衎　竹譜　　一作《竹譜詳輯》一卷。

楊奐　硯纂

吳福孫　古印史一卷

楊克一　集古印格

吳思孟　集古印譜

湯垕　畫鑒

夏彥文　圖繪寶鑑五卷

朱珪　印文集考　名蹟録七卷

黄公望　山水志一卷

嚴德甫　補弈譜

陳敬　香譜四卷

華光和尚　梅品一卷

梓人遺制八卷

類　書

林駉　源流至論

白班　集翠裘二十卷　經子類訓二十卷　静語二十卷

潘迪　格物類編

熊禾　翰墨大全

周宏　道裁纂類函一百六十卷

徐達左　群書集事淵海四十七卷

群書會元截江綱三十五卷

周南瑞　天下同文五十卷

鄭當時　韵類節事　群書會要

高耻傳　群書鉤玄十二卷

劉應李　事文類聚翰墨全書二百三卷　前集一百四十卷,後集一百六十
三卷。

張諒　經史事類書澤三十卷

陰幼遇　韻府群玉二十卷

錢全衮　韻府群玉掇遺十册

鄭起潛　聲律關鍵八卷

錢緡　萬寶事山二十卷

凌緯　事偶韵語

俞希魯　竹素鈎元三十卷

吳黼　丹墀獨對十卷

虞韶　小學日記故事十卷

唐懷德　破萬總録一千卷　鈎元集

書林廣記二十卷

群書一覽十卷

士林龜鑑

集　　類

別　　集

道宗　清寧集

平生隆克閣苑集

李氏應歷小集十卷

海蟾子詩一卷

劉景集四十卷

蕭資忠　西亭集

蕭孝穆　竇老集

蕭柳　歲寒集

蕭韓家奴　六義集十二卷

楊佶　登瀛集五卷

耶律孟簡　放懷詩一卷

耶律良　慶會集

完顏璹　如菴小藁六卷

完顏永成　樂善居士集

徒單鑑　宏道集六卷

劉豫章①　劉曹王集十卷

吳激　東山集十卷

張斛　南游北歸等詩

蔡松年文集

蔡珪　正甫文集五十五卷

---

① 錢大昕《元史藝文志》與《千頃堂書目》皆無"章"字。

高士懷　談蒙城集

馬定國　薺堂先生集

祝簡　嗚嗚集

朱之才　霖堂集

施宜生　三住老人集

趙可　玉峰散人集

劉汲　西巖集

劉瞻　攖寧居士集

劉蹟　南榮集

劉仲尹　龍山集

郝俁　虛舟居士集

張公藥　竹堂集

史旭詩一卷

耶律履　文獻公集十五卷

董師中　漳川集

王寂　拙軒集

張行簡　敬甫文集十五卷　　一作三十卷。

李仲略　丹源釣徒集

劉迎　山林長語

黨懷英　竹溪集十卷

趙渢　黃山集

趙秉文　滏水集三十卷

王庭筠　翰林文集四十卷

路鐸　虛舟居士集

劉中文集

酈權　披軒集

李純甫　內稿　外稿

史肅　澹軒遺稿

蕭貢文集一卷

史奕　洹水集

馮延登　橫溪翁集

王若虛　滹南遺老集四十五卷　慵夫集

劉從益　蓬門先生集

張建　蘭泉老人集

毛麾　平水集

王琢　姑汾漫士集

景單　渭濱埜叟集

劉鐸　柳溪先生集

秦略　西溪老人集

張琚　韋齋集

杜佺　錦溪集

李之翰　漆園集

楊興宗　龍南集

晁會　澶水集

郭用中　寂照居士集

張邦彥　松堂集

王世賞　浚水老人集

郭長倩　崐崳集

桑之維　東皋集

張庭王集

王敏夫集

王元節　遜齋詩集

元德明　東巖詩集三卷

元好問　遺山文集五十二卷　一作四十卷。遺山詩集二十卷

遺山長短句□卷

劉祁　祁川遯士集二十二卷

李俊民　莊静先生遺集十卷

曹珏　卷瀾集二卷

曹望之　户部詩集三十卷　一作二十卷。

李愈　狂愚集二十卷

張鉉　韋齋集

宗經雲　巖文集

段克己　段成己　二妙集八卷

郝太古詩集

譚處端　水雲集

耶律楚材集十二卷　湛然居士文集十四卷

耶律鑄　雙溪醉隱集□卷

耶律希諒　愫軒集三十卷

楊奐　還山集六十卷　紫陽遺稿二卷

劉秉忠詩集二十二卷　一作《藏春散人集》。　太保文集十卷　藏春
　詩集六卷

郝經　文忠集三十九卷　一作《陵川集》。　附録一卷

許衡　魯齋遺書六卷　重輯魯齋遺書十四卷　文正公大全
　集三十卷

王鶚　應物集四十卷

張宏範　淮陽獻武王詩集一卷

高鳴　河東文集五十卷

李冶　敬齋文集

徐世隆　瀛洲集

閻復　静軒集五十卷

楊恭懿　潛齋集

楊果　西庵集

魏初　青崖集十卷

李之紹　果齋文集

汪大有　水雲集

張立道　效古集

楊宏道　小亨集十卷

王惲　秋澗大全集一百卷

李佑　一作陳佑。　節齋文集

何榮祖　大畜集　載道集

申屠致遠　忍齋行稿四十卷

胡祗遹　紫山先生大全集六十七卷

劉因　靜修文集三十卷　一作十卷。丁亥詩集五卷

吳澂　支言集乙百卷　吳文正公集五十二卷　吳草廬軒粹七卷

程鉅夫　雪樓集三十卷

姚燧　牧庵文集五十卷

盧摯　疎齋文集

楊宏道　小亨集十卷

康曅　澹軒文集

趙孟頫　松雪齋集十卷　別集一卷

任士林　松鄉集十卷

戴表元　剡源文集三十卷

牟𪩘　陵陽先生集三十四卷

周密　蠟屐集一卷　弁山詩集五卷

白珽　湛困詩文集四十卷

仇遠　山村集□卷

金履祥　仁山文集

許謙　白雲先生集四卷　許文懿古詩一卷

史伯璿　牖岩史先生遺藁

程端禮　畏齋集十卷

胡炳文　雲峯集二十卷　一作十卷。

陳櫟　定宇集一卷

曹涇　書文韻儷稿五卷

吳龍翰　古梅詩稿十六卷

程時登　述述稿三十卷

汪炎泉詩集五卷

劉辰翁　須溪文集一百卷　四景集四卷　須溪記鈔八卷

趙文　青山稿三十一卷

劉壎　水村先生文集二十八卷①　水村詩集十卷②

熊朋來　豫章家集三十卷

劉詵　桂隱先生文集四卷　桂隱詩集四卷

王義山　稼村類藁三十卷　別本十卷

姚雲　江村近稿十三卷

何中　知非堂稿十七卷　一作六卷。　外稿十六卷

鄒次陳　遺安集十八卷

羅公升　滄州詩集一卷

劉躍　淵泉集二卷

黃仲元　四如先生集十卷　一作五卷。

敖繼公文集二十集

毛直方　聊復軒稿二十卷　冶靈稿四卷

劉邊　自家意思集四卷

---

① "二十八卷"後脱"字起潛,南豐人"。

② "十卷"後脱"一作水雲村氓稿"。

陳晉　石堂先生遺集二十二卷

韓性　同遺書二卷

陳仁　子牧萊腔語二十卷　二集八卷

丁易東　梅花詩

陳巖　九華詩集四卷　鳳髓集

曹仲坅　詩文講義二卷

洪焱祖　杏庭摘稿一卷　<small>一作十卷。</small>

倪士毅　道川集

汪漢卿　養浩集二十卷

史蒙卿　静清集

胡三省　竹素園藥一百卷

胡長孺　瓦缶類編　南昌集　寧海漫鈔　顏樂齋稿　石塘文
集五十卷

張樞　敝帚編

張伯淳　學士集十卷　<small>一作《養蒙先生文集》。</small>

陳孚　剛中集四卷　<small>一作《觀光玉堂交州三稿》三卷,附錄一卷。</small>

梁曾　梁學士詩集

滕玉霄文□□卷

劉敏中　中庵集二十五卷

王約　潛丘稿三十卷

王結詩文集十五卷

宋䇥　秬山集十卷

張翥文集

蕭㪺　貞敏勤齋文集十五卷

同　<small>一作童。</small>　恕梨庵同先生集二十卷

安熙　默庵集五卷　<small>一作十卷。</small>

杜瑛　中山文集十卷　<small>一作《緱山集》。</small>

杜秉彝文集四十卷

商琥　彝齋文集

馮子振　海粟集　梅花百咏一卷

鄧文原文集　一作《巴西集》。內制集

袁桷　清容居士集五十卷　致亭集三十七卷

曹元用　超然集四十卷

曹伯啓　漢泉漫稿十卷　一作十卷。① 續集三卷

張養浩　文忠集　一作《歸田類藁》。十八卷　一作二十二卷。　附錄
一卷

敬儼詩文集

王旭　蘭軒文集二十卷

滕安上　東菴稿十六卷

王士元　拙庵集

王泰亨　康莊文集

張之翰　西巖文集

元明善　清河集三十九卷

張起巖　華峰類稿　華峰漫稿　金陵集

陳景仁　愛山詩稿

劉岳　東崖稿

張慶之　海峯文編三卷

龔璛　存梅齋詩一卷

陳深　寧極齋稿一卷　東游小稿

周自得　斐然稿

卞南仲　溪居集　江行集

元淮　水鏡元公金困吟一卷

---

① 此處文字疑有誤。

宋元　翠寒集八卷　唫噫集一卷　鯨背吟

鄭滁孫文集

聞人夢吉詩集二卷

劉應龜　山南先生集二十卷

韓性　五雲漫稿十二卷

馮翼翁文集二十卷

胡助　純白類稿三十卷

鄭覺民　求我齋文集三十三卷

黃叔瑛　懇庵下筆二卷　詩文二十卷

王厚孫　遂初稿三十卷

顧淵　守齋類稿三十卷

趙偕　寶雲堂文藝二卷　寶峰先生遺集□卷

翁森　一瓢稿

吳鎮　梅道人墨萊詩一卷

洪淵　環中集十卷

龍仁夫文集

龍雲從　魚軒集

羅志仁　薊門行卷　姑蘇筆記　古香篇　倦游集

真山民詩集一卷

虞集　仁壽錄一百卷　道園學古錄五十卷　道園類稿五十二卷　道園遺稿六卷　虞伯生詩續稿三卷

楊載　仲宏詩集八卷　集古詩二卷

范梈　德機詩七卷　一作十二卷。

黃溍　文蕭集四十二卷　一作《日損齋稿》二十三卷，《黃文獻公集》四十三卷，又集十卷，一作《日損齋稿》三十三卷。

柳貫　文蕭集二十卷　文集四十卷　集三十卷　待制文集二十卷　別集二十卷

歐陽元　圭齋集十六卷

徐鈞　史詠

許熙載　東岡小稿

高克恭　文簡公集七卷

小雲石海崖　酸齋文集

孛术魯翀　南陽文集六十卷

烏古孫良楨　約齋詩奏議

馬祖常　石田集十五卷

詹思文集三十卷

也先忽都詩集十卷

迺賢　金臺集二卷　海雲清嘯集□卷　金臺後集一卷

薩都剌　天錫詩二卷　雁門集六卷

許有壬　至正集八十一卷　一作一百卷。圭塘小稿十卷　別稿二
　　卷　外稿二卷　續稿二卷　圭塘唱和集

宋本　至治集四十卷

宋褧　燕石集十五卷　附錄一卷

王守誠文集

李泂文集四十卷

王元明　達意集十卷

王都中　本齋詩集三卷

呂思誠集

曹鑑文集

武恪水雲集

蒲道源　順齋閒居叢稿二十六卷

貢奎章集六卷　雲林小稿　聽雪齋記　青山漫吟　倦游集
　　豫章稿　上元新錄　南湖紀行

柯九思　敬仲詩一卷　丹丘生稿

鮮于樞　困學齋集

楊剛中　霜月齋集四十集

楊翮　佩玉齋集十卷

吳師道　禮部集二十卷

陸文圭　墻東類稿二十卷

梁益　三山稿

孟夢恂　筆海雜録五十卷

宇文公諒　折桂集　觀光集　璧水集　以齋詩藁　越中行藁

朱德潤　存復齋集十卷

吾衍　竹素山房集二卷

葉森　瓦釜鳴集三卷

莫維賢　廣莫子稿

俞漢　象川集十卷

岑安卿　栲栳山人集一卷

黃庚　月屋樵吟　一作漫稿四卷。

袁彦章　書林集七卷　一作《袁士元書林外集》。

程珣　柳軒逸稿十卷

薛閏孫　甬車野人語四卷

薛觀　學箕集三卷

薛明道　瑞堂集稿七卷

丘世良　梯雲集六卷

范霖　歳寒小稿一卷

袁士元　書林外集七卷

沈貞　茶山集十卷

洪震老　觀光集一卷

吳噭　青城集二十卷

李序　絪緼集

李庸詩集五卷　宮詞一卷

于石　紫巖詩選四卷

周權　此山詩集十卷

應恂　純朴翁稿

方誼　虎林高隱集五卷　附錄一卷

陳樸　味道編　雲軒集

唐元詩文五十卷

汪可孫　雲竇法語一卷

方潤詩一卷

王元杰　水雲清嘯集詩　貞白英華集文

衛培　過耳集十卷

師餘　縷裂集一卷

陳鐸　北游集八卷

鄭潛　樗庵類稿二卷

黎仲基　瓜園集十卷

曾德裕　小軒初稿

曾巽　申明詩類稿　超然集二卷

朱隱老　灑峯精舍文集

吳景南　南竇吟稿四卷

劉霖　雲章集

孫轍　澹軒詩

黃河清　黃叔美詩一卷

葛元喆遺稿　一作文集。十卷

周應極　拙齋集二十卷

吳存月　灣溪詩集

黃巽　節庵詩集三十卷

丁儼　小溪寓興十卷　小溪集四卷

劉應　登耘廬集

黃堅　避世遺音一卷

龔道原　雲山夜話集

楊顯　天水北山房集

蕭士贇　水崖詩集

王大中　文忠公文集

王立中　息庵寓齋稊隱三集二十卷

支渭興　龍溪詩集

朱文霆　葵山文集

林善同　泉山文集二卷

朱希顏　瓢泉集四卷

何體仁　空谷樵音

李京　鳩巢集　一作《鳩巢漫稿》。

張昌　寓道集二卷　一作十卷。

王仁輔文稿十卷

虞薦發　薇山文集二十卷

顧觀　容齋集二卷

高皓孫　屠龍集十卷

楊如山詩集十卷

張敏　月山集九卷

趙若　澗邊集二十卷

劉炳詩一卷

楊士宏　鑒池春草集

林仝　小孤山人集二卷

洪希文　續軒渠集　一名去華山人集。十卷

柯舉　竹圃夢語二卷

黃清老　樵水詩文集

黃鎮成　存存子秋聲集十卷　一作四卷。

鄭构　次夾漈餘聲樂府

劉有定詩集八卷　泮宮嘆一卷

嚴士貞　桃溪百咏一卷　江嘆百咏一卷

胡天游　傲軒集一卷　一作《傲軒吟稿》。

紫潛　道秋巖小稿

壺弢　樵雲集

朱名世　鯨背吟二卷

謝宗可　咏物詩一卷

蘇天爵　滋溪文稿三十卷　詩稿七卷

宋元僝稿三十卷

張延　張文公集十卷　要言一卷

潘昂　霄蒼崖類稿　蒼崖漫稿

安思承　竹齋詩集

陳旅安　雅堂集十三卷　一作十四卷。

程文黟　南生集三十八卷　師意集　蚊雷小稿四卷

李孝光　五峰文集二十卷

杜本清　江碧障詩一卷

劉岳申　中齋文集十五卷

林希元　長林存稿

盧琦　圭齋集二卷

林泉生　覺是集二十卷

蔣易　鶴田集二十卷

吳萊文集六十卷　宋濂訂淵穎集十二卷　附録一卷

李士瞻　經濟文集六卷

李延興　一山文集九卷

張翥　蛻餘集二卷　一作四卷。　律學樂府三卷

吳當　學言稿

傅若金文集十二卷　附錄一卷

余希魯　聽雨軒集十一卷

成原常　居竹軒集四卷

俞遠　豆亭集

張端　講南集

項壐　山中言志八卷

徐夢吉　琴餘雜言

徐夢高　菊存稿一卷

何景福　鐵牛翁詩集一卷

戴羽詩一卷

楊和　灤京百咏一卷

陳廷言　貽笑集二卷

李存　俟庵文集三十卷

吳景奎　藥房樵唱三卷

陳樵　鹿皮子集四卷　飛花觀 <small>一作飛霞觀。</small>**小稿**

周聞孫　鰲溪文集三卷

丁復　檜亭詩稿九卷

周順 <small>一作潤。</small>**紫巖稿十卷**

秦輔之　忠孝百咏

需庵烏先生集□卷

吳志大詩一卷

陳宜甫　秋巖集一卷

董嗣泉　廬山集　西湖百咏集

陳深源　片雲小稿一卷

郭鎬　遺安集十一卷

張植　瀘濱集十一卷

吳炳　待制集一卷

王彥高集十卷

徐文俊　從好集

劉德玄　亦玄集

王毅　訥齋文集

徐霽　野幽放集

王時潛　石梁文集

李顯曾　師兩軒稿

李顯卿　寓庵文集

呂溍　金臺稿

袁易　通父靜春堂詩

陳自堂存稿

艾性夫　孤山晚稿

朱松亭詩集

吳仲孚詩

鄧大隱　居士詩

郭野菴詩稿

杜東洲東吟稿

王漢章　輞川集

王兼善　四時比興

馬總紹詩文

陳可齋　陳先生集二十卷

周博士集

金闕　青陽集六卷　一作八卷。

黃㖞　黃殷士詩

鄭玉　餘力稿五卷　遺文六卷　師山集八卷　附錄一卷　濟

　美錄四卷

汪澤民　巢深燕山宛陵三稿

陳泰　所安遺稿一卷

劉耕孫　平野先生集

陳方　子貞詩集一卷

潘省中　潘先生集

吳訥　吳萬户詩集五卷

王翰友　石山人遺稿一卷

吳海　聞過齋集四卷

貢師泰　雲林集　<small>一作玩齋集。</small>十卷

周伯琦　近光集三卷

劉聞　容窻　<small>一作齋。</small>集十卷　<small>一作《劉聞太史集》六卷。</small>

李祁　雲陽先生集十卷

孟昉　孟待制集

朱希晦　雲松巢詩二卷

馬玉麟　東皋先生詩集五卷

方澄孫　烏山小稿①

方道叡　愚泉詩稿十卷

楊維楨　東維子集三十卷　東維子詩集□卷　古樂府十卷
　樂府補六卷　復古詩集六卷　麗則遺音四卷　鐵崖文集
　五卷

張思廉　憲玉笥集十卷　<small>一作九卷。</small>

吳復　雲槎集十卷

錢惟善　江月松風集四卷　<small>一作十二卷。</small>

鄭元祐　僑吳集十二卷

劉仁本　羽亭稿

———————————

①　“稿”後脱“閩人，甲科，府教”。

顧德輝　玉山名勝　草堂雅集二卷　玉山璞二卷

張昱　左司集

張光弼集二卷

王冕　竹齋集二卷　竹齋咏梅詩一卷

戴良　九靈山房　一作山人。集三十卷　和陶詩一卷

王逢　梧溪集七卷

貢性之　理官南湖集二卷

陳高　不繫舟漁詩集十二卷

華幼　武萬黃楊集三卷　續集一卷

周霆震　石初集十卷

倪瓚　雲林詩集六卷　清閟閣集十五卷

呂則耕　得月稿六卷

葉廣居　月得齋集

趙德光　松雲樵唱四卷　桃園舊稿二卷　筆鄉紀謬三卷

程從龍　梅軒詩集

熊本　舊雨集五十卷

鄭東　鄭采　連璧集十四卷

陶九成詩集四卷　滄浪櫂歌一卷

方璞　方壺集二卷

胡行簡　樗隱集

王茂　東村野叟詩稿

楊俊民　濬山文集

段信苴　征行集

黃錫孫　穀山集

張淵　心遠堂集

呂蕭　來鶴亭稿　既白軒稿　番隅稿　竹洲歸田稿

孫蕙　綠窻遺稿一卷

鄭允端　蕭雍集一卷

僧圓至　筠谷牧潛集七卷

僧善住　谷響集四卷

僧元琪　石屋山居詩二卷

僧大訢　蒲室集十五卷

僧允中　雲麓文稿

僧廷俊　泊川文集十五卷

李獻甫　天倪集

楊雲翼　美之文集

呂中　清漳集

侯大中詩集

移剌楚材　湛然集三十五卷

劉清叟　立雪稿

龔璛　存晦齋稿

何蠖闇集八卷

曾仲啓集十卷

高文簡集十卷

衛宗武　秋聲集八卷

林希元　長林稿□卷

揭奚斯　秋宜集一卷　文安公集五十卷　揭文□卷　詩三卷

　　文粹一卷　文續錄二卷

甘泳　東溪集

梁棟　隆吉詩集□卷

雷思齊　和陶詩三卷

夏泰亨　槀軒集

朱右　白雲稿九卷

揭曼碩集五十卷

許文懿　古詩一卷

陳謙遺稿　西溪文類

鄭彥昭　樗庵類稿二卷

偰玉立集

卞思義集

屠性集

昂吉集

姚應鳳　訥軒稿

揭祐民　旴里子集

何失集

趙孟堅　彝齋文編四卷

李曾伯集十卷　續集七卷

劉申齋集十五卷

吳鑑　天爵堂類編十卷

侯充　中民齋詩集十四卷

傅與礪詩集□卷

徐基　玲瓏窗吟卷

李思衍　雨山集

孫春州　虙籟集

歐陽齊吾　環山詩稿

劉玉振　進修集

石一鼇　五言總論十卷

易南友　梅南詩集

李宏謨詩集

羅舜羙詩集

劉執中　鳴皋集

蕭因可詩集

陳清隱　九華詩集　鳳髓集

王泰來詩集

嚴士真　江漢百咏集

宋本　至治集四十卷

李好問　容齋又集

陳尚德　咏史詩

陳謨　海桑集

吳儀文集

李維本　一山集九卷

商挺　藏春集六卷

凌彥清　翀柘軒集五卷

華彥清　董楊集六卷

葉顒　樵雲獨唱集六卷

蒲洪　一作德章。　軒渠集十卷

楊英　還山遺稿二卷

潘音　待清軒遺稿

郭鈺　靜思集

舒頔　華陽貞素齋集

李一初　雲陽集十卷

周衡　此山集一卷

宋㤗　紫陽遺稿二卷

沈夢麟　花谿集三卷

歐陽賓實　黔南道士詩集

鄭東起　自然機籟

郭隲　海西先生集

周南瑞　江西老圃集

王遐　草堂文集

吳皐　吾齋類稿

任詔　槃園集

朱夏　鳴陽集十卷

曹之謙　兌齋集

楊雲鵬　陶然集

麻革　貽溪集

張宇　石泉集

陳賡集

房暤　白雲子集

郭麟孫集

項炯集

趙崇璠　白雲稿

詹從朴　奎光集

宋軌　補暇集

楊楫　悅堂文集

邵秋雲集

李士瞻　經濟集

高士鳳　淡庵集

楊敬悳集

陳天錫　鳴琴集　棣萼詩五卷

楊少愚　秋浦集　九華外史

程以臨　瓢丸小集

徐世隆　瀛州集一百卷

楊大雅　大隱集

陸滋集

王洪　毅齋存稿

吳復　雲槎集

夏正　餘留稿

時少章　所性稿

楊允孚　灤京雜咏一卷

朱元龍遺稿

胡濈　偺鳴集

方鳳　存雅堂集

王霆　玉溪集

吳噉　齊城集

黃宏　一作采。穀城集

林溫　栗齋文集

林逢龍　草堂集

管師復　白雲翁集

汪文璟　居朝稿　明農稿

陳大倫　尚雅集

李康梅　月齋永言　看山清暇集

黃玠　知非稿

鄭奕夫　衍桂堂集

王覺孫　遂初集三十卷

史公玨　蓬廬居士集

李孟傳　盤溪集

徐蘭　自鳴集　鳴陽稿

金寔　覺非集

方有開詩文集十一卷

洪夢炎集

胡朝穎　靜軒集

吳人龍　鳳山集

何逢源　王華集

吳均集

曹文海　新山稿

許嗣　得静稿

彭罙集

張遜　溪雲集

陸友杞　菊軒稿

張渥貞　期生稿

李瓚　弋陽山樵稿

李関　北源先生文集

陳自新　起興集

鄭以道　行餘全集

歐陽南翁文集

陳信惠　中齋文集

朱南強　甎醆稿

黃竑　留皮稿

錢選習　嬾齋稿

周砥　荊南倡和集

王鑑集

陸居仁　雲栖野褐集

羅蒙正集

周□集

許恕　北郭集十卷

張雨雲　丘道人集

繆鑑　效顰集

劉濩集

王艮止　止齋集

楊景申　鳳山集

王思廉文集

李希說　山中小稿

胡特　紫山集　秉彝文集四十卷

成遵文集

王儀文集

楊丹　雞肋集

王昇文集

張範　蓬窗集　益齋集　旅齋集

黃圻　弁山集　知非稿

李泗文集四十卷

王華　怡軒文集

王師魯文集六十八卷

季山甫文集

盧畸　圭峰集

林廣　三溪集

李祈　希蕘集

雷樞　易齋　黃鶴磯　碧玉環　龍川　勤川　環中諸稿

鄭士亨　東游集

章正則　觀海集

吳思孟　雲濤集

桂夢炎　桂隱遺文拾遺十八篇

烏繼善文集

王炎　午吾汶稿

顧潤　守齋類稿三十卷

蕭雷龍　芳洲文集

吳德復　濰州文集

季仁壽　春谷文集

劉鍔　中鵠汲清二集

曾順　唯定稿

劉君賢　昌雩集

陸謙　古體詩二十四篇

歐陽弇　鳳山集

孫庚　雪磯集

郭奎　望雲集

黃諤　容安十稿

陳單　中隱集

梅阮　和耕稿十卷

劉石　唱和集

吳福孫　樂善齋集

李仲淵　宗雅集

楊叔能詩集

易南甫詩集

王炎澤　南陵類稿二十卷

凌緯　冰室集

盛象翁　聖泉文集

王丞公　避地編

王萬竹　茶甘集

單庚金　晦溪處士餘力稿

丁鶴平　海巢集

于立　會稽外史集

鄭守仁集

聶古相集

僧克新　雪廬稿一卷

祖柏　不繫舟集

本誠文集

子賢集

月樓上人詩稿

僧有貞　平山詩集

昭元上人詩集

物外上人雙清詩一卷

珣上人詩集

張玉娘　蘭雪集

韓諤　五雲書屋稿六卷

馬瑩　歲遷集四十卷　雜古文十二卷

王朝　王德輝先生文集十卷

唐懷　存齋雜稿

張明卿　言志稿四卷　六藝編六卷

僧栯堂集

梵琦　楚石集

黎崱　静樂集

鄧牧　伯牙琴一卷

馬臻　霞外詩集十卷

張雨　句曲外史集十卷

雷思齊　空山漫稿　和陶詩二卷

朱本初　貞一稿

亡名氏　看雲集三卷

鄭銘樂全先生詩稿一卷①

傅仲淵　鰲海詩人集一卷

鄭君舉　鄭先生詩集一卷

———————

　　①　以下三條皆吳騫增補。

賦

熊朋來　瑟賦二篇

盛明叟　雪賦

沈幹　浙江賦

趙孟頫　吳興賦

郝經　皇朝古賦一卷

馮子振　授命寶賦一卷

虞廷碩　古賦準繩十卷

元賦青雲梯三卷

古賦題十卷　後集六卷

元三場文選囗卷

文　選

元好問　中州集　壬辰雜編

潘昂霄　金石例

梁有　文海英瀾二百卷

韓諤　彙萃魏國家集十二卷　類編名人詩文八卷　尺牘一卷

王行　墓銘舉例四卷

柳貫　金石竹帛遺文十卷

賴良　大雅集十卷

吳宏道　中州啓牘四卷

馮翼翁　文章旨要八卷

虞集　邵菴先生文選心訣一卷

揭奚斯編集　吳氏天爵堂類編十卷

蘇天爵　元文類七十卷

徐駿　詩文軌範二卷

陳騤　文則二卷

陳繹曾　古文矜式二卷

奏　　議

完顏綱　類編陳言文字二十卷

王克敬奏議

張養浩　忠告三卷　一曰《廟堂忠告》，二曰《風憲忠告》，三曰《牧民忠告》。

烏古孫良楨奏議

虞廷碩　歷代制誥五卷　詔令三卷

趙天麟　太平金鏡策八卷

鄭介夫　太平策

王惲　烏臺筆補

卜天章　中興濟治策二十篇

馬祖常章疏一卷

蘇天爵　松廳章疏五卷　兩漢詔令□卷

吳明　定本萬言策

張明卿政事一卷

文　　史

王繪　注太白詩

蔡珪　續金石遺文跋尾十卷

魏道明　雷溪子鼎新詩話

黃超然　詩話十卷

陳桱　尺牘筌歸

范梈　批選李太白詩四卷　杜子美詩六卷

張性　杜律衍義二卷　俗題《虞集杜律七言注》，非。

傅若川　杜詩類編三卷

曾巽申　韻編杜詩編十卷　補注元遺山詩十卷

唐仲英　陸宣公文集菁華二卷

吳師道　注絳守居園池記一卷

釋慶閒　箋注范成大田園雜興詩一卷

羅椅　陸放翁詩選十卷

劉辰翁　精選陸放翁詩八卷

涂溍生　易義矜式　周易疑擬題三卷

王充耘　書義矜式二卷

倪士毅　尚書作義要訣四卷

林泉生　詩義矜式十卷

歐陽起　鳴論範六卷

陸可淵　策準三卷

詩　　評

元好問　中州集十卷　壬辰雜編　杜詩學一卷　東坡詩雅一
　卷　錦機一卷　詩文自警十卷　唐詩鼓吹十卷

房祺　河汾渚老詩集八卷

郝天挺　唐詩鼓吹注十卷

李康　杜詩補遺　桐川詩派

楊齊賢　蕭士贇　李太白詩類補注二十五卷

吳萊　樂府類編一百卷　楚漢正聲二卷

蔣易　皇元風雅三十卷 一作六十卷。　雜編三卷 一作八卷。

宋褧　國朝風雅

熊禾　詩選正宗

熊良輔　風雅遺音

申屠致遠　杜詩纂例十卷

毛直方　詩學大成　詩宗群玉府三十卷

范梈　詩林要語　詩法源流一卷　詩學□□一卷

仇遠　樂府解題　批評唐百家詩選

唐珏　樂府解題

周弼　三體唐詩四卷

僧圓至　注周弼唐詩三體二十卷

杜本谷音二卷

馬瑩　唐五百家詩選五卷　南渡諸家詩選一卷

程以臨　刪後正音

黄玠　唐詩選

楊士宏　唐音九卷

劉霖　杜詩類注

傅與礪　詩法源流　述范梈語，後附《杜詩律格》。

楊維楨　擬古樂府　麗則遺音

方道叡　詩文說一卷　選唐詩元一卷

袁懋昭　風雅類編

邵亨貞　蛾述詞選四卷

葉宋英　自度曲譜

僧大同　寶林編

曾應珪　元詩類選四卷

劉復　選詩補注八卷　補遺二卷　續編四卷

沈易　五倫詩選內集五卷　外集七卷

萬寶詩山三十八卷

古今成詩選正宗二十八卷

諸公大雅二帙

金履祥　濂洛風雅七卷

鄭滁孫　義陽詩派□卷

金宏　乾坤清氣

孫存吾　皇元朝野詩集五卷

陳士元　武陽耆舊詩宗一卷

顧阿瑛　玉山草堂集八卷　草堂雜集□卷　玉山餞別寄贈詩
　　一卷

西湖竹枝詞一卷

呂虛彝　瀛海紀言十七卷

詞　　　曲

孫鎮　注東坡樂府

段克己　遯齋樂府一卷

段成己　菊軒樂府一卷

韓玉　東浦詞一卷

元好問　遺山樂府二卷　中州樂府一卷

許衡　魯齋集附詞一卷

程鉅夫　雪樓集詞一卷

王惲　秋澗集詞四卷

白樸　蘭谷天籟集

趙孟頫　松雪詞一卷

劉秉忠　藏春詞一卷

蔣捷　竹山詞一卷

周密　草窗詞一卷　絶妙詞選八卷

劉因　樵庵詞一卷

吳澄　草廬詞一卷

虞集　道園學古録詞一卷

宋褧　燕石集詞一卷

曹伯啓　漢泉漫稿詞一卷

許有壬　圭塘小稿詞一卷

張養浩　雲莊休居自適小樂府一卷

薩都剌　雁門集詞一卷

張翥　蛻岩詞三卷

彭致中　鳴鶴餘音

袁易　靜春詞一卷

沈禧　竹窻詞一卷

洪希文　續軒渠集詞一卷

張可文　張小山小令二卷

喬吉　惺惺老人樂府一卷　　一作《喬夢符小令》一卷。

張埜　古山樂府二卷

倪瓚　清閟閣詞一卷

顧瑛　玉山璞詞一卷

張雨　貞居詞一卷

鳳林書院詞選

趙粹夫　陽春白雪集

楊朝瑛　朝野新聲太平樂府九卷

鍾嗣成　録鬼簿二卷

耶律鑄　雙溪醉隱樂府十一册

陸輔之　詞旨一卷

汪元亨　小隱餘音一卷　雲林清賞一卷　南北宮詞十八卷
　南吕九宮譜十卷　丹丘子太和正音譜十二卷　詞學筌蹄
　樂府群珠　群英詩餘　詞話總龜　百一選曲　樂府群玉　天
　機餘錦　天機碎錦　片玉珠璣　仙音妙選　曲海　樂府混
　成集一百五册　中州元氣十册

高明　琵琶記

馬致遠　破幽夢孤雁漢宮秋　吕洞賓三醉岳陽樓　開壇闡教

　黄粱夢　孟浩然踏雪尋梅　馬丹陽三度任風子　江州司馬
　青衫淚　半夜雷轟薦福碑　西華山陳摶高臥

關漢卿　劉夫人慶賞五侯宴　關大王獨赴單刀會　趙盼兒風
　雪救風塵　温太真玉鏡臺　望江亭中秋切鱠旦　錢大尹智
　寵謝天香　錢大尹智勘緋衣夢　劉夫人苦痛哭存孝　包待
　制三勘蝴蝶夢　感天動地竇娥冤　杜蕊娘智賞金線池　王
　瑞蘭私禱拜月亭　狀元堂陳母教子　山神廟裴度還帶

白仁甫　唐明皇秋夜梧桐雨　董秀英花月東墻記　裴少俊墻
　頭馬上

費唐臣　蘇子瞻風雪貶黄州

王實甫　四丞相歌舞麗春堂　吕蒙正風雪破窰記

宮大用　死生交范張雞黍

喬夢符　李太白匹配金錢記　杜牧之詩酒揚州夢　玉簫女兩
　世姻緣

尚仲賢　尉遲恭單鞭奪槊　王魁負桂英　洞庭湖柳毅傳書　玉
　清殿諸葛論功

庾吉甫　中郎將常何薦馬周

高文秀　須賈誶范雎　雙獻頭武松大報讐　保成公徑赴澠池
　會　好酒趙元遇皇上　劉玄德獨赴襄陽會

鄭德輝　立成湯伊尹耕莘　鍾離春智勇定齊　㑳梅香騙翰林
　風月　醉思鄉王粲登樓　迷青瑣倩女離魂　虎牢關三戰
　吕布

李文蔚　張子房圯橋進履　同樂院燕青博魚　破苻堅蔣神
　靈應

史九敬先　老莊周一枕蝴蝶夢

孟漢卿① 　張孔目智勘魔合羅

戴善夫　陶學士醉寫風光好　趙江梅詩酒翫江亭

紀君祥　趙氏孤兒大報仇

梁進之② 　趙光普進梅諫

楊顯之　鄭孔目風雪酷寒亭　臨江驛瀟湘夜雨

陳定甫③ 　風月兩無功

李壽卿　月明和尚度柳翠　説鱄諸伍員吹簫

孫仲章④ 　河南府張鼎勘頭巾

趙明遠⑤ 　韓退之雪擁藍關記

武漢臣　散家財天賜老生兒　抱姪攜男魯義姑　女元帥掛甲
　朝天

李取進　神龍殿欒已噀酒

岳伯川　鐵拐李借屍還魂

康進之　梁山泊黑旋風負荆

石子章　黃桂娘秋夜竹窗雨　秦修然竹塢

范子安⑥ 　陳季卿誤入竹葉舟

李好古　沙門島張生煮海　劈華山神香救母

張壽卿　謝金蓮詩酒紅梨花

孔文卿　秦太師東窗犯事

李直夫　便宜行事虎頭牌　鄧伯道棄子留姪

吳昌齡　花間四友東坡夢

---

①　"孟"，1958 年商務印書館排印本改作"益"。
②　"進"，1958 年商務印書館排印本改作"退"。
③　"定"，1958 年商務印書館排印本改作"寧"。
④　"孫"，1958 年商務印書館排印本改作"李"。
⑤　"遠"，1958 年商務印書館排印本改作"道"。
⑥　"安"，1958 年商務印書館排印本改作"英"。

石君寶　魯大夫秋胡戲妻

金志甫　蕭何月下追韓信

陳存甫　李存孝誤入長安

周仲彬　英雄士蘇武持節

羅貫中　宋太祖龍虎風雲會

秦簡夫　東堂老勸破家子弟　孝義士趙禮讓肥　陶母剪髮
　待賓

鄭庭玉　宋上皇御斷金鳳釵　布袋和尚忍字記　楚昭公疏者
　下船　看財奴買冤家債主　包龍圖智勘後庭花　崔府君斷
　家債主

無名氏　諸葛亮博望燒屯　龐涓夜走馬陵道　鄭月蓮秋色雲
　窗夢　忠義士豫讓吞炭　硃砂担滴水浮漚記　貨郎旦　下
　高麗敬德不服老　劉千病打獨角牛　蘇子瞻醉寫赤壁賦
　王翛然殺狗勸夫　大婦小妻還牢末　施仁義劉宏嫁婢　玎
　玎璫璫盆兒鬼　講陰陽八卦桃花女　劉玄德醉走黃鶴樓
　玉清菴錯送鴛鴦被　關雲長千里獨行　孟光女舉案齊眉
　降桑椹蔡順奉母　雁門關存孝打虎　狄青復奪襖衣車　摩
　利支飛刀對箭　羅李郎大鬧相國寺　馬丹陽度脫劉行首
　閥閱舞射柳蕤丸記　逞風流王煥百花亭　龍濟山野猿聽經
　二郎神醉射鎖魔鏡　漢鍾離度脫藍彩和　李雲英風送梧
　桐葉　李素蘭風月玉壺春　王鼎臣風雪漁樵記　包待制
　智賺合同文字　薩真人夜斷碧桃花　王月英元夜留鞋記
　趙匡允智取符金錠　包待制智賺生金閣　包待制智斬魯
　齋郎　張公藝九世同居　錦雲堂美女連環記

二十五史藝文經籍志考補萃編總目